ZO KLAAR MET JOU!

Van dezelfde auteur:

Ingepikt!
Doortrapt!
Liefde enzo

emily giffin

zo klaar met jou!

the house of books

Oorspronkelijke titel
Love the one you're with
Uitgave
St. Martin's Press, LLC, New York
Copyright © 2008 by Emily Giffin
Copyright voor het Nederlandse taalgebied © 2010 by The House of Books,
Vianen/Antwerpen

Vertaling
Marjet Schumacher
Omslagontwerp
marliesvisser.nl
Omslagdia
Masterfile
Foto auteur
Sebastian Thaw
Opmaak binnenwerk
ZetSpiegel, Best

ISBN 978 90 443 2569 0
D/2010/8899/46
NUR 302

www.thehouseofbooks.com

Voor mijn lieve Harriet

Dankwoord

Mijn grote dank aan Mary Ann Elgin, Sarah Giffin, Nancy Mohler, Lisa Elgin en Stephen Lee, die er van het begin tot het eind voor me zijn geweest. Ik prijs me gelukkig dat ik jullie heb.

Heel veel dank aan mijn fantastische redacteur en vriendin, Jennifer Enderlin, en aan zoveel anderen bij St. Martin's Press, met name Sally Richardson, Matthew Shear, John Murphy, Matt Baldacci, Steve Troha, Dori Weintraub, Alison Lazarus, Tom Siino, Jeff Capshew, Andy Lecount, Brian Heller, Rob Renzler, Ken Holland, Christine Jaeger, Nancy Trypuc, Anne Marie Tallberg, Mike Storrings, Harriet Seltzer, Christina Harcar, Kerry Nordling, Sara Goodman, Jeff Cope, Jeff Willmann, en het voltallige Broadway en Fifth Avenue verkoopteam.

Mijn oprechte waardering gaat uit naar mijn ouders, familie en vrienden, met speciale dank aan Allyson Jacoutot, Jennifer New, Julie Portera, Brian Spainhour, Laryn Gardner, Michelle Fuller, Jim Konrad en Yvonne Boyd. Dank ook aan Stephany Evans, Theresa Park en Carrie Minton.

Eeuwige dank aan David 'Sarge' Tinga, mijn unieke mentor en dierbare vriend die ik nooit zal vergeten.

En tot slot dank en liefs voor Buddy, Edward, George en Harriet.

een

Het gebeurde precies honderd dagen nadat ik met Andy was getrouwd, bijna op de minuut nauwkeurig op het tijdstip waarop onze ceremonie plaatsvond, om half vier. Ik weet dit niet zozeer omdat ik een overenthousiaste, kersverse bruid was met een voorliefde voor het bijhouden van triviale mijlpalen in de relatie, maar omdat ik een milde vorm van OCS heb waardoor ik de drang heb om dingen te registreren. Dat uit zich met name in het tellen van onnozele zaken, zoals het aantal stappen van mijn appartement naar het dichtstbijzijnde metrostation (341 op makkelijke schoenen, twaalf meer op hoge hakken); de lachwekkend hoge frequentie waarmee de uitdrukking 'een enorme klik' voorkomt in een willekeurige aflevering van *The Bachelor* (altijd tussen aanhalingstekens); de mannen die ik heb gekust in mijn drieëndertig jaar (negen). Of, zoals op die regenachtige, koude middag in januari, het aantal dagen dat ik getrouwd was – totdat ik hem zag, pats-boem, midden op het zebrapad van Eleventh en Broadway.

Aan de buitenkant, als je bijvoorbeeld een taxichauffeur was die zat te kijken naar de gestreste voetgangers die nog even snel overstaken in de laatste seconden voordat het stoplicht op rood sprong, was het slechts een alledaags stadskiekje: twee ogenschijnlijk onbekenden die weinig anders gemeen hadden dan hun

9

onbenullige zwarte paraplu en elkaar passeerden op een kruispunt, vluchtig oogcontact maakten en stijfjes maar niet onvriendelijk een groet uitwisselden voordat ze hun weg vervolgden. Maar vanbinnen was het een heel ander verhaal. Vanbinnen was ik duizelig, misselijk, ademloos terwijl ik veilig de stoep bereikte en mijn toevlucht zocht in een praktisch leeg eetcafé in de buurt van Union Square. *Alsof je een spook hebt gezien,* dacht ik bij mezelf, een van die uitdrukkingen die ik al duizend keer had gehoord maar tot dat moment nooit echt had begrepen. Met nog steeds bonzend hart klapte ik mijn paraplu dicht en ritste ik mijn jas los. Kijkend naar een serveerster die met krachtige, deskundige bewegingen een tafel schoonveegde, vroeg ik me af waarom ik zo van slag was door de ontmoeting terwijl het moment op de een of andere manier volstrekt onvermijdelijk leek. Niet in de zin van groots en voorbestemd; gewoon op de rustige, koppige manier waarop onafgemaakte zaken hun wil lijken op te leggen aan de onwilligen.

Pas na een eeuwigheid, voor mijn gevoel, zag de serveerster me staan achter het 'Gelieve hier te wachten'-bord en zei: 'O. Ik had je niet gezien. Dat bord had ik na de lunchdrukte weg moeten halen. Ga maar gewoon ergens zitten.'

Haar gezichtsuitdrukking kwam me voor als zo opvallend empathisch dat ik me afvroeg of ze helderziend was, en zelfs overwoog om haar in vertrouwen te nemen. In plaats daarvan nam ik plaats op een bank van rood vinyl aan een tafeltje in de achterste hoek van het restaurant en nam me plechtig voor om er nooit iets over te zeggen. Mijn gevoelens delen met een vriendin, zou een daad van ontrouw zijn jegens mijn man. Het vertellen aan mijn oudere, zeer cynische zus Suzanne, zou een storm van bijtende opmerkingen over het huwelijk en monogamie kunnen ontketenen. Erover schrijven in mijn dagboek, zou het groter maken dan het was, iets wat ik per se niet wilde. En het tegen Andy zeggen, zou een combinatie zijn van dom, zelfvernietigend en kwetsend. De leugen van het verzwijgen zat me ook niet helemaal lekker, een zwarte smet op ons prille huwelijk, maar ik besloot dat dat toch het beste was.

'Wat zal het zijn?' vroeg de serveerster, die een naamkaartje droeg met *Annie* erop. Ze had krullend rood haar en een toefje sproeten hier en daar, en ik dacht bij mezelf: *The sun will come out tomorrow*.

Ik wilde alleen maar een kop koffie, maar als voormalig serveerster wist ik hoe teleurstellend het was als mensen alleen een drankje bestelden, zelfs op een rustig moment tussen twee maaltijden in, dus ik vroeg om een kop koffie en een maanzaadbagel met roomkaas.

'Prima,' zei ze met een vriendelijk knikje.

Ik glimlachte en bedankte haar. Toen ze zich omdraaide en naar de keuken liep, ademde ik uit en deed mijn ogen dicht terwijl ik me concentreerde op één ding: hoeveel ik van Andy hield. Ik hield van alles aan hem, inclusief de dingen waar de meeste vrouwen zich aan zouden ergeren. Ik vond het schattig dat hij moeite had met het onthouden van namen (hij noemde mijn vroegere baas steevast Fred in plaats van Frank) of de tekst van zelfs de meest legendarische liedjes ('Billie Jean is not my mother'). En ik schudde alleen maar glimlachend mijn hoofd als hij bijna een jaar lang elke dag een dollar gaf aan steeds dezelfde bedelaar in Bryant Park – een bedelaar die waarschijnlijk een zwendelaar was met een Range Rover onder zijn kont. Ik hield van Andy's zelfvertrouwen en zijn mededogen. Ik hield van zijn zonnige persoonlijkheid die paste bij zijn jongensachtige, blond-haar-blauwe-ogen gezicht. Ik prees me gelukkig dat ik een man had die, na zes lange jaren met mij, in een restaurant nog steeds half overeind kwam bij mijn terugkeer van het toilet, en slordige, asymmetrische hartjes tekende in de condens op onze badkamerspiegel. Andy hield van mij, en ik schaam me er niet voor om te zeggen dat dit bovenaan de lijst met redenen stond waarom we samen waren, waarom ik ook van hem hield.

'Wilde je je bagel geroosterd hebben?' riep Annie van achter de toonbank.

'Graag,' zei ik, ook al had ik niet echt een voorkeur.

In gedachten ging ik terug naar de avond van Andy's aanzoek in Vail, hoe hij had gedaan alsof hij zijn portefeuille liet vallen zodat hij deze, met wat duidelijk een zorgvuldig ingestudeerde manoeuvre was geweest, kon oprapen en op een gebogen knie weer omhoog kon komen. Ik weet nog dat we champagne dronken, mijn ring fonkelend in het licht van het haardvuur, en dat ik bij mezelf dacht: *Dit is het. Dit is het moment waar ieder meisje van droomt. Dit is het moment waarvan ik heb gedroomd en waarvoor ik plannen heb gemaakt en waarop ik heb gerekend.*

Annie kwam mijn koffie brengen, en ik legde mijn handen om de hete, zware mok. Ik bracht hem naar mijn lippen, nam een grote slok, en dacht aan onze verlovingstijd – een jaar van feestjes en feesten en een wervelwind van wilde plannen. Van gesprekken over sluiers en smokings, van walsen en witte-chocoladetaart. Allemaal een opmaat naar die magische avond. Ik dacht aan ons geëmotioneerde jawoord. Onze eerste dans op 'What a wonderful world'. De warme, geestige toosts op ons – speeches vol clichés die in ons geval ook werkelijk klopten: *voor elkaar gemaakt... ware liefde... voorbestemd.*

Ik dacht aan onze vlucht naar Hawaï de volgende ochtend, hoe Andy en ik hand in hand hadden gezeten op onze economy-class-stoelen, lachend om alle kleine dingetjes die mis waren gegaan op onze grote dag: *Welk deel van de zin 'maak jezelf onzichtbaar' zou de cameraman niet begrepen hebben? Had het nog harder kunnen regenen op weg naar de receptie? Hadden we zijn broer, James, ooit zo dronken gezien?* Ik dacht aan de wandelingen bij zonsondergang tijdens onze huwelijksreis, de dinertjes bij kaarslicht, en een ochtend die me nog heel goed is bijgebleven, en die Andy en ik hadden doorgebracht met luieren op een besloten, sikkelvormig strand, Lumahai, aan de noordkust van Kauai. Met zijn zachte witte zand en de grillige lavarotsen die uit het turquoise water staken, was het het meest adembenemende stukje aarde dat ik ooit had gezien. Op een gegeven moment, terwijl ik van het uitzicht zat te genieten, legde Andy zijn boek van Stephen Ambrose op ons strandlaken, pakte mijn beide handen in de zijne, en kuste me. Ik beantwoordde zijn kus, het moment in mijn geheugen griffend. Het geluid van de brekende golven, het gevoel van de koele zeebries in mijn gezicht, de geur van citroenen gemengd met onze naar kokos geurende zonnebrandcrème. Toen we elkaar loslieten, zei ik tegen Andy dat ik nog nooit zo gelukkig was geweest. Het was de waarheid.

Maar het allerbeste kwam na de bruiloft, na de huwelijksreis, nadat de praktische cadeaus waren uitgepakt in ons piepkleine appartement in Murray Hill – en de onpraktische snuisterijen waren verbannen naar onze opslagruimte in de stad. Het kwam met het vinden van een dagelijkse routine als man en vrouw. Ontspannen, makkelijk, en echt. Het kwam elke ochtend, als we samen koffie dronken en praatten terwijl we ons klaarmaakten om naar ons werk te gaan. Het kwam als zijn naam om de zoveel uur in mijn Postvak IN verscheen. Het kwam 's avonds als we de stapel afhaalmenukaarten doorwerkten en overlegden wat we zouden eten en tegen elkaar zeiden dat we binnenkort toch echt ons fornuis zouden gaan gebruiken. Het kwam met elke voetmassage, elke kus, elke keer dat we ons samen uitkleedden in het donker. Ik trainde mijn geheugen op deze details. Alle details die bij elkaar onze eerste honderd dagen samen vormden.

Maar tegen de tijd dat Annie mijn bagel kwam brengen, was ik weer terug op dat kruispunt en ging mijn hart weer wild tekeer. En ondanks het feit dat ik zo gelukkig was met mijn leven met Andy, wist ik ineens dat ik dat moment niet snel zou vergeten, die dichtgeknepen keel toen ik zijn gezicht weer zag. Al wilde ik het wanhopig graag vergeten. Juist omdát ik het wilde vergeten.

Schaapachtig keek ik naar mezelf in de spiegel achter mijn tafeltje. Het was nergens voor nodig dat ik me druk maakte over mijn uiterlijk, en het was al helemaal nergens voor nodig dat ik me triomfantelijk voelde bij de constatering dat mijn haar, tegen alle verwachtingen in na een hele middag in de regen te hebben rondgesjouwd voor allerlei klusjes, buitengewoon goed zat. Ik had ook een blos op mijn wangen, maar ik zei tegen mezelf dat ik gewoon rode wangen had gekregen van de kou. Niets anders.

En op dat moment ging mijn mobiele telefoon en hoorde ik zijn stem. Een stem die ik acht jaar en zestien dagen niet meer had gehoord.

'Was jij het echt?' vroeg hij. Zijn stem was nog dieper dan ik me kon herinneren, maar afgezien daarvan was het alsof ik terugging in de tijd. Alsof ik verder ging met een gesprek van slechts een paar uur geleden.

'Ja,' zei ik.

'Dus,' zei hij, 'je hebt nog steeds hetzelfde mobiele nummer.'

Toen, na een aanzienlijke stilte, eentje die ik koppig weigerde op te vullen, voegde hij eraan toe: 'Sommige dingen veranderen kennelijk niet.'

'Nee,' zei ik.

Want al wilde ik het beslist niet toegeven, hij had absoluut gelijk.

twee

Mijn ultieme lievelingsfilm is waarschijnlijk *When Harry met Sally*. Ik vind het een fantastische film om een heleboel redenen – het lekkere jaren tachtig-gevoel, de grillige chemie tussen Billy Crystal en Meg Ryan, de orgasme-scène in Katz's Deli. Maar wat ik er waarschijnlijk het allerleukste aan vind, zijn die kleine, oude stelletjes die met twinkelende ogen op de bank zitten te vertellen hoe ze elkaar hebben ontmoet.

De allereerste keer dat ik de film zag, was ik veertien jaar, nog nooit door een jongen gekust en ik had, om een van de favoriete uitdrukkingen van mijn zus Suzanne te gebruiken, geen enkele haast om te gaan zitten soppen vanwege een jongen. Ik had Suzanne een aantal keren als een blok zien vallen voor een jongen, met als resultaat dat zij vaker een gebroken hart had gehad dan ik mijn beugel had laten aandraaien, en de hele exercitie leek me op geen enkele manier aangenaam te noemen.

Toch weet ik nog dat ik daar zat in die overgeventileerde bioscoop en me afvroeg waar mijn toekomstige echtgenoot op dat moment was – hoe hij eruitzag en hoe hij klonk. Had hij op dat moment een eerste afspraakje en zat hij hand in hand met iemand, een zak snoep en een grote Sprite tussen hen in? Of was hij veel ouder, studeerde hij al, en had hij al ervaring met vrouwen en de wereld? Was hij de sterspeler van het rugbyteam of de drummer bij de fanfare? Zou ik hem ontmoeten tijdens een vlucht naar Parijs? In een directiekamer vol grote namen? Of in de gang met de groenten in de plaatselijke supermarkt? Ik stelde me voor hoe wij ons verhaal vertelden, telkens weer, onze vingers ineengevlochten, net als die verliefde stelletjes op het witte doek.

Wat ik echter nog moest leren, is dat dingen zelden zo keurig netjes gaan als die anekdote die je met stralende ogen in documentairestijl op de bank vertelt. Wat ik in de loop der jaren heb geleerd, is dat er, als je dat soort verhalen hoort van getrouwde stellen, bijna altijd sprake is van een zekere dichterlijke vrijheid, een romantisch glanslaagje dat met het verstrijken van de jaren steeds glimmender wordt opgepoetst. En tenzij je trouwt met je eerste vriendje van de middelbare school (en soms zelfs dan) is er meestal een niet-zo-luisterrijk verhaal dat erachter zit. Er zijn mensen en plaatsen en gebeurtenissen die je naar je definitieve relatie voeren, mensen en plaatsen en gebeurtenissen die je liever zou vergeten of die je in ieder geval buiten beschouwing zou laten. Uiteindelijk kun je er een mooi etiketje op plakken – zoals voorbestemming of het lot. Of je kunt geloven dat het gewoon de volstrekt willekeurige manier is waarop het leven zich ontvouwt.

Maar hoe je het ook noemt, het lijkt wel alsof ieder stel twee verhalen heeft – de geredigeerde versie waarover je op de bank vertelt en de onverkorte versie die je maar beter kunt laten voor wat-ie is. Andy en ik waren niet anders. Andy en ik hadden beide.

Beide verhalen begonnen echter op dezelfde manier. Ze begonnen allebei met een brief die bij de post zat op een drukkend vochtige middag in de zomer nadat ik eindexamen had gedaan – en slechts een paar weken voordat ik mijn thuisbasis Pittsburgh zou verruilen voor Wake Forest University, de prachtige school van rode baksteen in North Carolina die ik had ontdekt in een gids met universiteiten en waar vervolgens mijn keuze op was gevallen nadat ze me een royale studiebeurs hadden aangeboden. De brief bevatte allerlei belangrijke details over het curriculum, het campusleven en de introductieweek. Maar bovenal stond er de langverwachte naam in van de mij toegewezen kamergenote, keurig op een aparte regel getypt: Margaret 'Margot' Elizabeth Hollinger Graham. Ik bestudeerde haar naam, samen met haar adres en telefoonnummer in Atlanta, Georgia, en voelde me zowel geïntimideerd als geïmponeerd. Bij mij op de middelbare school hadden alle kinderen gewone namen als Kim en Jen en Amy. Ik kende niemand met een naam als Margot (vooral die stomme *t* maakte indruk), en ik kende al helemaal niemand met drie voornamen. Ik wist zeker dat Margot uit Atlanta een van die beeldschone meiden zou zijn uit de luxe Wake Forest-brochure, zo eentje die parels in haar oren en een Laura Ashley-jurkje met bloemenprint droeg naar een voetbalwedstrijd. (Ik had nog nooit iets anders gedragen naar een sportevenement dan een spijkerbroek en een sweater met capuchon.) Ik wist zeker dat ze een serieus vriendje had en stelde me voor hoe ze hem aan het eind van het semester meedogenloos verruilde voor een van die slungelige jongéns die op blote voeten met een frisbee aan het overgooien waren op het binnenplein in diezelfde brochure.

Ik weet nog dat ik met de brief naar binnen rende om het nieuws aan Suzanne te vertellen. Suzanne was derdejaars op Penn State en zeer ervaren op het gebied van kamergenotes. Ik vond haar in onze kamer, waar ze bezig was een dikke laag metallic blauwe eyeliner aan te brengen terwijl ze luisterde naar 'Wanted dead or alive' van Bon Jovi op haar gettoblaster.

Ik las Margots volledige naam hardop voor en deelde toen mijn voorspellingen met haar met een accent dat rechtstreeks afkomstig was uit *Steel magnolias*, mijn beste referentiekader voor het zuiden. Op ingenieuze wijze verwerkte ik er zelfs witte pilaren, Scarlett O'Hara en een hele lading bedienden in. Het was voornamelijk grappig bedoeld, maar ergens was er ook ineens de angst dat ik de verkeerde universiteit had gekozen. Ik had het gewoon moeten houden bij Pitt of Penn State, net als mijn vriendinnen. Ik zou er uit de toon vallen, een Yankee buitenbeentje.

Ik keek hoe Suzanne bij haar passpiegel vandaan stapte, die in een zodanige hoek stond opgesteld dat de extra pondjes die het studentenvoedsel haar hadden bezorgd minimaal leken. Ze zei: 'Je accent is wáárdeloos, Ellen. Je klinkt alsof je uit Engeland komt, niet uit Atlanta... En jemig, zou je die meid niet eerst een kans geven? Wat als zij er nou van uitgaat dat jij een meid uit een industriestad bent zonder enig gevoel voor mode?' Ze lachte en zei: 'Ach, natuurlijk... dan zou ze volkomen gelijk hebben!'

'Erg grappig,' zei ik, maar ik glimlachte onwillekeurig. Ironisch genoeg was mijn humeurige zus het sympathiekst als ze me de les las.

Suzanne bleef lachen terwijl ze haar cassettebandje terugspoelde en luidkeels meebrulde: 'I walked these streets, a loaded six string on my back!' Toen zweeg ze halverwege de zin en zei: 'Maar even serieus, voor hetzelfde geld is dat meisje een boerendochter of zo, weet jij veel. En in beide gevallen zou je haar misschien wel gewoon aardig kunnen vinden.'

'Hebben boerendochters over het algemeen víér namen?' kaatste ik terug.

'Je weet maar nooit,' zei Suzanne op haar wijze, grote-zussentoon. 'Je weet maar nooit.'

Mijn vermoedens leken echter bevestigd te worden toen ik een paar dagen later een brief van Margot kreeg, geschreven in een volmaakt volwassen handschrift, op lichtroze briefpapier. Haar in reliëf gedrukte zilveren monogram was van het sierlijke, cursieve soort, waarbij de G van haar achternaam groter was en werd geflankeerd door de M en de H. Ik vroeg me af welk rijk familielid ze voor het hoofd had gestoten door de E achterwege te laten. De toon was uitbundig (acht uitroeptekens in totaal) en tegelijkertijd eigenaardig zakelijk. Ze zei dat ze niet kon wachten om me te ontmoeten. Ze had een paar keer geprobeerd me te bellen maar had me niet te pakken gekregen (we hadden geen wisselgesprekfunctie of antwoordapparaat, iets wat ik gênant vond). Ze zei dat ze een koelkastje mee zou brengen en haar stereo-installatie (met cd-speler; ik goochelde nog met cassettebandjes). Ze hoopte dat we bij elkaar passende beddenspreien konden kopen. Ze had een paar leuke roze met lindegroene gezien bij Ralph Lauren, en ze bood aan om er voor ons allebei alvast eentje te gaan kopen als ik het leuk vond klinken. Maar als ik geen roze type was, konden we ook altijd geel met lavendel nemen, 'een uitstekende combinatie'. Of turquoise en koraal, 'eveneens een lust voor het oog'. Ze hield gewoon niet zo van primaire kleuren in een interieur, maar stond open voor mijn suggesties. Ze schreef dat ze 'oprecht' hoopte dat ik zou genieten van de rest van mijn vakantie en ondertekende haar brief met 'Warme groet, Margot,' hetgeen merkwaardig genoeg eerder koel en geraffineerd klonk dan warm. Ik ondertekende brieven alleen met 'Liefs' of 'Vriendelijke groet' maar nam me voor om 'Warme groet' ook eens te proberen. Het zou een van de vele dingen zijn die ik van Margot kopieerde.

Ik raapte de moed bij elkaar om haar de volgende middag te bellen, pen en papier bij de hand om ervoor te zorgen dat ik niks zou vergeten, bijvoorbeeld de suggestie om onze toiletspullen op elkaar af te stemmen – alles in pasteltinten te houden.

De telefoon ging twee keer over en werd toen opgenomen door een man. Ik ging ervan uit dat het Margots vader was, of misschien was het de tuinman die even binnen was voor een groot glas zelfgemaakte citroenlimonade. Met mijn meest beschaafde telefoonstem vroeg ik of ik Margot even mocht spreken.

'Ze is op de club aan het tennissen,' antwoordde hij.

Club, dacht ik bij mezelf. *Bingo*. Wij waren technisch gezien ook lid van een club, maar dat was gewoon het buurtzwembad dat zich club noemde en dat bestond uit een klein, rechthoekig zwembad dat werd geflankeerd door een snackbar waar ze maïschips verkochten aan de ene kant en een duikplank aan de andere kant, dit alles omsloten door een hek van gaas. Ik wist vrijwel zeker dat Margots club van een totaal ander kaliber was. Ik stelde me de rijen gravelbanen voor, de verfijnde sandwiches die werden geserveerd op porseleinen bordjes, de glooiende heuvels van de golfbaan met hier en daar een toefje treurwilgen, of welke bomen er ook maar groeiden in Georgia.

'Kan ik de boodschap aannemen?' vroeg hij. Zijn zuiderse accent was subtiel, en alleen hoorbaar in zijn uitspraak van de A.

Ik aarzelde, stamelde wat, en stelde me toen verlegen voor als zijnde Margots aanstaande kamergenote.

'O, hallo! Je spreekt met Andy, Margots broer.'

En dat was 'm dus.

Andy. De naam van mijn toekomstige echtgenoot – wiens volledige naam, zoals ik later zou ontdekken, Andrew Wallace Graham III bleek te zijn.

Andy vertelde vervolgens dat hij naar Vanderbilt ging, maar dat zijn beste vriend van vroeger vierdejaars was op Wake Forest, en dat hij en zijn vrienden het voor hun rekening zouden nemen om ons wegwijs te maken, hun kennis over professoren en studentenverenigingen met ons zouden delen, ons zouden behoeden voor problemen, en 'al meer van dat soort prettigs'.

Ik bedankte hem en voelde dat ik wat meer ontspande.

'Geen dank,' zei Andy. En toen: 'Nou, Margot zal het enig vinden om iets van je te horen. Ik weet dat ze iets wilde bespreken over beddenspreien of gordijnen of zo... Ik hoop maar dat je van roze houdt.'

Ik antwoordde bloedserieus: 'O. Ja. Ik ben dól op roze.'

Het was een leugentje waar nog jarenlang in geuren en kleuren aan zou worden gerefereerd, en zich in Andy's toost op mij had weten te wurmen tijdens ons oefendiner voor de bruiloft, tot grote hilariteit van Margot en onze beste vrienden, die allemaal wisten dat ik weliswaar een vrouwelijke kant had, maar allesbehalve een barbiepop was.

'Nou. Te gek,' zei Andy. 'Een roze droom die uitkomt.'

Ik glimlachte en dacht bij mezelf dat Margot, ongeacht hoe het verder uitpakte tussen ons, in elk geval een erg aardige broer had.

Uiteindelijk bleek ik gelijk te hebben over Andy en Margot. Hij was écht aardig, en zij was zo ongeveer alles wat ik niet was. Om te beginnen waren we fysieke tegenpolen. Zij was tenger maar had desondanks vrouwelijke rondingen, een lichte huid, blond haar en blauwe ogen. Ik had donker haar en bruine ogen, een huid die er zelfs midden in de winter gebruind uitzag, en een lange, atletische gestalte. We waren allebei even aantrekkelijk, maar Margot had iets zachts en grilligs over zich terwijl mijn uiterlijk eerder als knap omschreven zou kunnen worden.

Ook voor wat betreft onze achtergrond bestond er een wereld

van verschil. Margot woonde in een schitterende kast van een huis op een prachtig, met bomen omzoomd landgoed in het rijkste deel van Atlanta. Ik ben opgegroeid in een klein huis met een Brady Bunch-oranje keuken in een arbeiderswijk van Pittsburgh. Margots vader was een vooraanstaand advocaat die ook in de raad van bestuur zat van diverse bedrijven. Mijn vader was vertegenwoordiger – hij verkocht weinig spannende zaken zoals van die projectoren voor geestdodend saaie filmstroken die luie leraren op de basisschool je voorschotelden. Margots moeder was een voormalige schoonheidskoningin uit Charleston, met een Babe Paley-achtig gevoel voor mode en een elegant, tenger figuur. De mijne was een nuchtere wiskundelerares in de onderbouw van een middelbare school geweest voordat ze op de dag voor mijn dertiende verjaardag was overleden aan longkanker, hoewel ze nooit had gerookt.

Margot had twee oudere broers, die haar allebei aanbaden. Haar familie was het zuidelijke equivalent van de Kennedy's – ze voetbalden op het strand van Sea Island, gingen elke winter op wintersport en brachten af en toe de kerst door in Europa. Mijn zus en ik brachten onze vakanties door op het strand van Jersey bij onze opa en oma. We hadden geen paspoort, waren nog nooit het land uit geweest, en hadden pas één keer gevlogen.

Margot was cheerleader en voormalig debutante, en liep over van het zelfvertrouwen dat welgestelde, bereisde, blanke Amerikanen eigen is. Ik was gereserveerd, licht neurotisch en voelde me, ondanks mijn sterke verlangen om erbij te horen, veel meer op mijn gemak aan de zijlijn.

Toch werden we ondanks onze verschillen beste vriendinnen. En vervolgens, jaren later, in wat een perfect verhaal in documentairestijl voor op de bank zou zijn, werd ik verliefd op haar broer. Degene waarvan ik gewoon wist dat hij niet alleen aardig maar ook knap zou zijn.

Er moesten echter nog een heleboel dingen gebeuren voordat ik met Andy trouwde en nadat die brief van Margot was gekomen met de post. Een heleboel dingen. En één daarvan was Leo. Degene van wie ik zou houden voordat ik van Andy ging houden. Degene die ik zou gaan haten en van wie ik desondanks zou blijven houden, nog lang nadat we uit elkaar waren gegaan. Degene die ik uiteindelijk, uitéíndelijk zou vergeten. Om hem vervolgens weer tegen te komen, jaren later, op een zebrapad in New York City.

drie

'Waar ben je nu?' vraagt Leo. Ik adem scherp in terwijl ik over mijn antwoord nadenk. Heel even denk ik dat hij de vraag in filosofische zin bedoelt – *Waar ben je nu in het leven?* – en bijna vertel ik hem over Andy. Mijn vrienden en familie. Mijn carrière als fotograaf. Hoe volmaakt gelukkig ik ben. Antwoorden die ik tot voor kort onder de douche en in de metro repeteerde, in de hoop dat deze kans zich ooit zou voordoen. De kans om hem te vertellen dat ik het had overleefd en een veel groter geluk had gevonden.

Maar terwijl ik dit wil gaan zeggen, realiseer ik me wat Leo in werkelijkheid wil weten. Hij bedoelt létterlijk waar ik op dit moment zit of sta of loop? In welke hoek van New York ik aan het verwerken ben wat er zojuist is gebeurd?

De vraag brengt me van mijn stuk, net zoals je van je stuk gebracht bent als iemand je vraagt hoeveel je weegt of hoeveel je verdient, of je een willekeurige andere persoonlijke, nieuwsgierige vraag stelt waar je liever geen antwoord op zou geven. Maar je bent bang om defensief of onbeschoft over te komen als je weigert eerlijk antwoord te geven op de vraag. Achteraf zul je het gesprek uiteraard opnieuw afspelen in je hoofd en het perfecte, beleefd ontwijkende antwoord bedenken. *Alleen mijn weegschaal kent de waarheid... Nooit genoeg, vrees ik.* Of in dit geval: *Overal en nergens.*

Maar op het moment zelf flap ik er altijd onhandig het antwoord uit. Mijn echte gewicht. Mijn salaris tot op de dollar nauwkeurig. Of, in dit geval, de naam van het eetcafé waar ik een kop koffie zit te drinken op een koude, regenachtige dag.

Nou ja, denk ik bij mezelf zodra de woorden mijn mond hebben verlaten. Per slot van rekening is het waarschijnlijk beter om eerlijk te zijn. Ontwijkend zijn zou vertaald kunnen worden als een poging om flirterig of koket te doen: *Raad maar waar ik ben. Kom me maar zoeken.*

Leo antwoordt onmiddellijk, veelbetekenend. 'Aha,' zegt hij, alsof dit eetcafé een van onze vaste stekjes is geweest. Of, nog erger, alsof ik gewoon zo voorspelbaar ben. Dan vraagt hij of ik alleen ben.

Gaat je niks aan, wil ik zeggen, maar in plaats daarvan gaat mijn mond open en kom ik met een eenvoudig, simpel, uitnodigend ja. Als een enkele witte damsteen die zich gezellig dicht tegen een dubbele zwarte damsteen aan schurkt en erom vraagt om geslagen te worden.

En jawel, Leo zegt: 'Mooi. Ik kom eraan. Verroer je niet.' Vervolgens hangt hij op voordat ik antwoord kan geven. Ik klap mijn telefoon dicht en raak in paniek. Instinctief wil ik simpelweg opstaan en naar buiten lopen. Maar ik gebied mezelf om geen lafaard te zijn. Ik kan het heus wel aan om hem te zien. Ik ben een volwassen, evenwichtige, *gelukkig getrouwde* vrouw. Dus wat is het probleem aan een ontmoeting met een ex-vriendje, het voeren van een beleefd gesprekje? Bovendien, als ik op de vlucht zou slaan, zou ik dan geen spelletje spelen dat ik helemaal niet moet spelen? Een spel dat ik lang geleden al verloren heb?

Dus in plaats daarvan begin ik aan mijn bagel. Die is smakeloos, maar ik blijf kauwen en slikken, en ik vergeet ook niet om regelmatig een slok koffie te nemen. Ik sta mezelf geen tweede blik in de spiegel toe. Ik ga geen nieuwe laag lippenstift aanbrengen of zelfs maar mijn tanden controleren op etensresten.

Laat er maar een maanzaadje tussen mijn voortanden zitten. Ik hoef hem niks te bewijzen. En ik hoef mezelf niks te bewijzen. Dat is mijn laatste gedachte voordat ik zijn gezicht zie door de natgeregende deur van het eetcafé heen. Mijn hart begint weer te bonken en mijn benen wippen op en neer. Ik bedenk hoe prettig het zou zijn om nu een van Andy's bètablokkers te hebben – onschadelijke pillen die hij inneemt voordat hij in de rechtszaal moet aantreden om te voorkomen dat hij een droge mond krijgt of dat zijn stem overslaat. Hij houdt vol dat hij niet echt nerveus is, maar dat de signalen die zijn lichaam afgeeft op de een of andere manier iets anders laten zien. Ik zeg tegen mezelf dat ik ook niet nerveus ben. Mijn lichaam laat mijn hoofd en mijn hart simpelweg in de steek. Die dingen gebeuren nu eenmaal.

Ik zie hoe Leo zijn paraplu nog een laatste keer uitschudt terwijl hij het eetcafé rondkijkt, langs Annie heen, die de vloer onder een tafeltje aan het dweilen is. In eerste instantie ziet hij me niet, en om de een of andere reden geeft dat me een vaag gevoel van macht.

Dat gevoel verdwijnt echter direct zodra zijn ogen de mijne vinden. Hij schenkt me een vluchtig glimlachje, buigt dan zijn hoofd en beent op me af. Een paar tellen later staat hij naast mijn tafeltje zijn vertrouwde zwartleren jas uit te trekken. Adem in, uit, in. Ik ben bang dat hij zich zal bukken om me op mijn wang te kussen. Maar nee, dat is niet zijn stijl. Andy kust me op mijn wang. Dat heeft Leo nooit gedaan. Geheel naar zijn vroegere gewoonte slaat hij de beleefdheden over en schuift tegenover me aan tafel terwijl hij zijn hoofd schudt, één keer, twee keer. Hij ziet er nog precies hetzelfde uit, maar wel iets ouder, en op de een of andere manier ook stoerder en levendiger – zijn haar donkerder, zijn postuur steviger, zijn kaak sterker. Een schril contrast met Andy's fijne gelaatstrekken, lange ledematen, lichte haar- en huidskleur. Andy is makkelijker om naar te kijken, denk ik bij mezelf. Andy is makkelijker. Púnt. Net zoals een strandwandeling makkelijk is. Een dutje op zondagmiddag. Een rond haakje in een rond gat.

'Ellen Dempsey,' zegt hij uiteindelijk, in mijn ogen kijkend.

Ik had zelf geen betere openingszin kunnen bedenken. Ik koester de woorden even en staar terug in zijn bruine ogen met de zwarte randen eromheen. 'Ellen *Graham*,' verkondig ik trots.

Leo fronst zijn voorhoofd, alsof hij mijn nieuwe achternaam probeert te plaatsen. Hij zou in staat moeten zijn om onmiddellijk de link te leggen met Margot, met wie ik een appartement deelde in de tijd dat ik een relatie met hem had. Maar dat verband schijnt hij niet te kunnen leggen. Dit zou geen verrassing voor me moeten zijn. Leo heeft nooit de moeite genomen om zich in mijn vrienden te verdiepen – en van Margot moest hij al helemaal niets hebben. Dat gevoel was wederzijds. Na mijn eerste grote ruzie met Leo, een ruzie die me reduceerde tot een snotterend hoopje ellende à la *Girl, interrupted*, pakte Margot de enige foto's die ik destijds van hem had – een strook zwart-witportretjes van ons samen uit een foto-automaat – en scheurde die keurig doormidden, dwars door een rij voorhoofden, neuzen en lippen heen terwijl mijn grijnzende gezichten ongeschonden bleven.

'Zie je nou dat je er zo veel beter uitziet?' zei Margot. 'Zonder die klootzak?'

Ik weet nog dat ik bij mezelf dacht: *fijne vriendin ben jij,* terwijl ik een rol plakband zocht en Leo zorgvuldig weer aan elkaar plakte. Ik dacht precies hetzelfde nog een keer over Margot toen Leo en ik definitief uit elkaar gingen en ze een felicitatiekaart en een fles Dom Pérignon voor me kocht. Ik bewaarde de kurk, met de strook foto's met een elastiekje eromheen gewikkeld, in mijn juwelendoos – totdat Margot hem daar jaren later vond toen ze een paar gouden oorringen wilde terugleggen die ze van me had geleend.

'Wat heeft dit te betekenen?' vroeg ze, de kurk tussen haar vingers heen en weer rollend.

'Eh... je hebt toen die champagne voor me gekocht,' zei ik geïrriteerd. 'Na Leo. Weet je nog?'

'Je hebt de kurk bewaard? En deze foto's?'

Ik stamelde dat ik de kurk beschouwde als een symbool voor mijn vriendschap met haar, verder niets – hoewel het in werkelijkheid zo was dat ik het niet over mijn hart kon verkrijgen om afstand te doen van iets wat met Leo te maken had.

Margot trok haar wenkbrauwen op maar liet het onderwerp rusten, zoals ze met de meeste controversiële onderwerpen deed. Dat scheen een zuidelijke gewoonte te zijn. Of in ieder geval was het Margots gewoonte.

Enfin, ik heb zojuist mijn getrouwde naam genoemd tegen Leo. Een niet geringe triomf.

Leo heft zijn kin op, duwt zijn onderlip naar voren, en zegt: 'O? Gefeliciteerd.'

'Dank je.' Ik ben in de wolken, opgetogen – en vervolgens schaam ik me een beetje voor mijn triomfantelijke stemming. *Het tegenovergestelde van liefde is onverschilligheid*, declameer ik in stilte.

'Zo. Wie is de gelukkige?' vraagt hij.

'Herinner je je Margot nog?'

'Tuurlijk.'

'Ik ben getrouwd met haar broer. Heb je hem niet een keer ontmoet?' zeg ik vaag, al weet ik honderd procent zeker dat Leo en Andy elkaar een keer hebben ontmoet, in een bar in de East Village. Destijds was het slechts een korte, betekenisloze ontmoeting tussen mijn vriendje en de broer van mijn beste vriendin. Een uitwisseling van *Hoe maak je het?...Aangenaam kennis te maken, man.* Misschien een handdruk. Standaard mannendingen. Maar jaren later, nadat Leo en ik al lang uit elkaar waren, en Andy en ik net een relatie hadden, ontleedde ik dat moment tot in de kleinste details, zoals elke vrouw dat zou doen.

Er flitst nu een blik van herkenning over Leo's gezicht. '*Die* gozer? Echt waar? Die rechtenstudent?'

Ik word nijdig bij het horen van zijn *die gozer*, de zweem van neerbuigendheid in zijn toon, en vraag me af wat er nu door Leo heen gaat. Had hij al iets opgemaakt uit hun kortstondige ontmoeting? Geeft hij simpelweg uiting aan zijn minachting voor advocaten? Had ik op enig moment over Andy gepraat op een manier die hem nu van munitie voorziet? Nee. Dat was onmogelijk. Er was – en is – niks negatiefs of controversieels aan Andy. Andy heeft geen vijanden. Iedereen houdt van hem.

Ik kijk weer in Leo's ogen en zeg tegen mezelf dat ik niet in de verdediging moet schieten – gewoon helemaal niet moet reageren. Leo's mening doet niet langer ter zake. In plaats daarvan knik ik kalm, zelfverzekerd. 'Ja. Margots broer,' herhaal ik.

'Nou. Dat is natuurlijk helemaal gewéldig,' zegt Leo met iets waarvan ik vrijwel zeker weet dat het sarcasme is.

'Ja,' zeg ik, en ik glimlach zelfvoldaan. 'Zeker weten.'

'Eén grote gelukkige familie,' zegt hij.

Nu weet ik zéker dat zijn stem druipt van het sarcasme, en ik voel mezelf verstarren, ik voel een vertrouwde woede opkomen. Een soort woede die alleen Leo in me kan opwekken. Ik kijk neer op mijn portemonnee en ben vast van plan om een paar dollar op tafel te gooien, op te staan en weg te lopen. Maar dan hoor ik mijn naam in een fluisterzachte vraag en voel ik zijn hand op de mijne, die in zijn geheel wordt opgeslokt. Ik was vergeten hoe groot zijn handen waren. Hoe warm ze altijd waren, zelfs midden in de winter. Ik doe mijn uiterste best om mijn hand van de zijne los te maken, maar ik kan het niet. *In ieder geval heeft hij mijn rechterhand*, denk ik bij mezelf. Mijn linkerhand ligt gebald onder de tafel, nog steeds veilig. Ik wrijf met mijn duim over mijn trouwring en hap naar adem.

'Ik heb je gemist,' zegt Leo.

Ik kijk hem aan, geschokt, sprakeloos. Hij míst me? Dat kan niet waar zijn – maar aan de andere kant: Leo is geen man van leugens. Hij is een man van de naakte, harde waarheid. Of je het nou leuk vindt of niet.

Hij vervolgt: 'Het spijt me, Ellen.'

'Wat spijt je?' vraag ik, bij mezelf denkend dat er twee soorten spijt zijn. Er is spijt doordrenkt van berouw. En pure spijt. Het type dat enkel vraagt om vergiffenis, niets meer dan dat.

'Alles,' zegt Leo. '*Alles.*'

Dat is dus zo ongeveer alles, denk ik bij mezelf. Ik vouw mijn gebalde linkervuist open en kijk neer op mijn ring. Ik heb een enorme brok in mijn keel, en mijn stem komt eruit als een fluistering. 'Het is allemaal verleden tijd,' zeg ik. En ik meen het. Het ís verleden tijd.

'Dat weet ik,' zegt Leo. 'Maar toch spijt het me.'

Ik knipper met mijn ogen en wend mijn blik af, maar ik kan niet genoeg wilskracht opbrengen om mijn hand te verplaatsen. 'Dat hoeft niet,' zeg ik. 'Het is helemaal prima zo.'

Leo's dikke wenkbrauwen, die zo strak van vorm zijn dat ik hem er ooit plagend van heb beschuldigd dat hij ze epileerde, gaan gelijktijdig omhoog. 'Prima?'

Ik weet wat hij probeert te impliceren, dus ik zeg snel: 'Meer dan prima. Het is geweldig zo. Kon niet beter.'

Zijn gezicht krijgt een speelse uitdrukking, zoals hij altijd keek als ik het meeste van hem hield en ik dacht dat we het wel zouden redden samen. Mijn hart krimpt ineen.

'Zeg, Ellen *Graham,* wat denk je ervan, nu alles toch zo *prima* is: zullen we proberen gewoon vrienden te zijn? Denk je dat dat zou lukken?'

In gedachten som ik alle redenen op waarom niet, alle manieren waarop het pijn zou kunnen doen. Toch zie ik mezelf kalm mijn schouders ophalen en hoor ik mezelf mompelen: 'Waarom niet?'

Vervolgens trek ik mijn hand een seconde te laat onder de zijne vandaan.

vier

Ik verlaat het eetcafé als in een roes met een mengeling van melancholie, verontwaardiging en verwachting. Het is een rare en verontrustende mix van emoties die nog eens wordt verergerd door de regen, die nu in ijskoude, diagonale strepen naar beneden komt. Ik overweeg kortstondig om de lange weg naar huis te lopen omdat ik er bijna naar snak om me verkleumd, doorweekt en ellendig te voelen, maar ik bedenk me. Er is niks om in te zwelgen, geen enkele reden om van streek of zelfs maar in mezelf gekeerd te zijn.

Dus loop ik in plaats daarvan met vastberaden tred over de gladde stoepen richting metro. Goede, slechte en zelfs een paar onbeduidende herinneringen aan Leo tollen door mijn hoofd, maar ik weiger om er eentje nauwkeuriger te bekijken. *Lang verleden tijd*, mompel ik hardop terwijl ik de trap naar beneden neem op Union Station. Beneden op het platform loop ik om plassen heen en kijk speurend om me heen naar vormen van afleiding. Ik koop een pakje Butterscotch Life Savers bij een kiosk, laat mijn blik over de koppen van de roddelbladen dwalen, luister mee met een kritisch gesprek over politiek, en kijk naar een rat die in de diepte langs het spoor scharrelt. Alles om maar niet terug te hoeven denken aan mijn gesprek met Leo. Als de sluisdeuren opengaan, zal ik een obsessieve analyse gaan maken van wat er allemaal is gezegd, en van de hardnekkige onderliggende betekenis die altijd zo'n grote rol speelde in de tijd dat we een relatie hadden. *Wat bedoelde hij daarmee? Waarom heeft hij dit niet gezegd? Heeft hij nog steeds gevoelens voor me? Is hij inmiddels ook getrouwd? Zo ja, waarom heeft hij dat dan niet gezegd?*

Ik zeg tegen mezelf dat het er nu allemaal niet meer toe doet. Het doet er al heel lang niet meer toe.

Eindelijk komt mijn metro het station binnenrijden. Het is spitsuur, dus alle wagons zitten volgepakt, en er zijn alleen nog maar staanplaatsen. Ik pers me ergens naar binnen, naast een moeder en haar dochter van basisschoolleeftijd. Ik denk althans dat het haar dochter is – ze hebben dezelfde puntige neus en kin. Het meisje draagt een marineblauwe jas met dubbele revers en gouden ankerknopen. Ze zijn aan het overleggen wat ze zullen eten vanavond.

'Macaroni met kaas en knoflookbrood?' oppert het meisje met een hoopvolle blik.

Ik wacht op een 'Dat hebben we gisteravond ook al gegeten'-achtige, ouderlijke tegenwerping, maar de moeder glimlacht alleen maar en zegt: 'Nou, dat lijkt me precies goed voor een regenachtige dag.' Haar stem is net zo warm en troostrijk als de koolhydraten die ze samen zullen gaan eten.

Ik denk aan mijn eigen moeder, zoals ik dat een paar keer per dag doe, vaak naar aanleiding van veel minder voor de hand liggende prikkels dan de moeder-en-dochter naast me. Mijn gedachten dwalen af naar een steeds terugkerende vraag – hoe zou mijn band als volwassene met haar zijn geweest? Zou ik haar mening op het gebied van hartenkwesties hebben gewantrouwd, opzettelijk rebellerend tegen wat ze voor me wilde? Of zouden we een hechte band hebben gehad, zoals Margot en haar moeder, en elkaar een paar keer per dag gesproken hebben? Ik denk graag dat de band vertrouwelijk zou zijn geweest. Misschien niet zo giechelig hecht dat we elkaars schoenen en kleren zouden dragen (daar was mijn moeder veel te nuchter voor), maar wel emotioneel sterk genoeg om haar te vertellen over Leo en het eetcafé. Zijn hand op de mijne. Hoe ik me nu voel.

Ik puzzel wat dingen in elkaar die ze gezegd zou kunnen hebben, geruststellende pareltjes als: *Ik ben zo blij dat je Andy hebt gevonden. Hij is als de zoon die ik nooit heb gehad. Ik heb die andere jongen nooit zo gemogen.*

Allemaal te voorspelbaar, denk ik bij mezelf, en ik graaf nog dieper, op zoek naar meer. Ik doe mijn ogen dicht en roep een beeld van haar op voordat ze ziek werd, iets wat ik al een tijdje niet meer heb gedaan. Ik kan haar amandelvormige ogen zien, die zo lijken op de mijne, maar in de ooghoeken een klein beetje naar beneden wijzen – slaapkamerogen, noemde mijn vader ze altijd. Ik stel me haar brede, gladde voorhoofd voor. Haar dikke, glanzende haar, altijd geknipt in dezelfde eenvoudige bob die trends en tijdperken overstijgt, net lang genoeg om het in een kort staartje naar achteren te trekken als ze in huis of in de tuin aan het werk was. Het kleine spleetje tussen haar voortanden en de manier waarop ze het onwillekeurig bedekte met haar hand als ze heel hard lachte.

Daarna roep ik een beeld op van haar strenge maar rechtvaardige blik – zoals het een wiskundelerares op een middelbare school betaamt – en hoor deze woorden uitgesproken worden met haar zware Pittsburghse dialect: *Luister eens, Ellie. Je gaat niet een of andere idiote betekenis toekennen aan deze ontmoeting zoals je de eerste keer met hem hebt gedaan. Het heeft niets te betekenen. Niets. Soms is er geen enkele betekenis in het leven.*

Ik wil graag naar mijn moeder luisteren. Ik wil geloven dat ze me advies geeft vanaf een of andere plek heel ver van hier, maar desondanks voel ik mezelf bezwijken, zwichten voor de herinnering aan die eerste toevallige ontmoeting in het New York State Supreme Court in Centre Street toen Leo en ik allebei waren opgeroepen voor juryplicht op dezelfde dinsdag in oktober. Gevangenen die samen opgesloten zaten in een kamer zonder ramen met een slechte akoestiek, metalen klapstoelen, en ten minste een medeburger die was vergeten deodorant op te doen. Het was allemaal zo volstrekt willekeurig en, zoals ik heel onnozel een hele tijd heb gedacht, romantisch vanwege de willekeur.

Ik was pas drieëntwintig, maar voelde me veel ouder door de vage angst en gedesillusioneerdheid die hoort bij het verlaten van het veiligheidsnet van het studentenleven en de abrupte overgang naar de echte wereld, vooral als je geen richting of plan hebt, geen geld of geen moeder. Margot en ik waren de zomer daarvoor net naar New York verhuisd, direct nadat we afgestudeerd waren, en zij had een dijk van een marketingbaan op het hoofdkantoor van J. Crew in de wacht gesleept. Ik had een aanbod voor een startersfunctie bij Mellon Bank in Pittsburgh, dus ik was van plan geweest om terug te gaan naar mijn geboortestad en in te trekken bij mijn vader en zijn nieuwe vrouw, Sharon, een lieve maar ietwat ordinaire vrouw met grote tieten en een coupe soleil. Maar Margot haalde me over om in plaats daarvan met haar mee te gaan naar New York, hield bezielende speeches over de Big Apple en zei dat als ik het daar kon maken, ik het overal kon maken. Ik stemde met tegenzin in, omdat ik de gedachte om afscheid te nemen van Margot net zomin kon verdragen als de gedachte om een andere vrouw de scepter te zien zwaaien in mijn huis – mijn móéders huis.

Dus Margots vader huurde een verhuisbedrijf om onze studentenkamer in te pakken, kocht enkele reis vliegtickets naar New York voor ons, en hielp ons bij het betrekken van een snoezig twee-slaapkamerappartement op Columbus en Seventy-ninth, Margot met een gloednieuwe zakengarderobe en krokodillenlederen attachékoffer; ik met mijn nutteloze graad in de filosofie en een stapel T-shirts en afgeknipte spijkerbroeken. Mijn bankrekening was slechts 433 dollar groot, en ik had de gewoonte om nooit meer dan vijf dollar tegelijk te pinnen, een bedrag waar ik schokkend genoeg niet eens een broodje pastrami van kon kopen in de stad. Maar Margot kreeg sinds kort een maandelijkse toelage uit het trustfund dat haar opa en oma van moederskant voor haar hadden opgericht, en ze verzekerde me dat alles wat van haar was, ook van mij was, want waren we per slot van rekening niet meer als zussen voor elkaar dan vriendinnen?

'Laat me alsjeblieft niet in een krot wonen omdat jij anders de helft van de huur niet kunt betalen,' zei ze dan, schertsend, maar ook tamelijk serieus. Geld was iets waarover Margot niet hoefde na te denken, maar waarover ze ook niet wílde nadenken of praten. Dus leerde ik mijn trots in te slikken en mijn prikkende warme nek te negeren als ik weer eens geld van haar moest lenen. Ik zei tegen mezelf dat schuld een verspilde emotie was, en dat ik haar op een dag terug zou betalen – indien niet met geld, dan toch op een andere manier.

Gedurende bijna een maand tijdens die eerste, bruisende zomer in de stad, pimpte ik mijn cv met overdrijvingen en hippe lettertypes en solliciteerde ik op elke kantoorbaan die ik kon vinden. Hoe saaier de functieomschrijving, hoe geschikter de baan leek, aangezien ik volwassen zijn destijds gelijk stelde aan een zekere mate van pantykousjes-misère. Ik werd talloze keren uitgenodigd voor een gesprek, maar ik moet een waardeloze sollicitant zijn geweest, want ik bleef altijd met lege handen achter. Dus uiteindelijk nam ik genoegen met een baantje als serveerster bij L'Express, een café op Park Avenue South dat zichzelf omschreef als een *bouchon Lyonnaise*. Het waren lange uren – ik draaide vaak de late-avonddienst – en mijn voeten deden permanent pijn, maar het was niet allemaal ellende. Het verdiende verrassend goed (mensen geven 's avonds hogere fooien), leerde een aantal toffe mensen kennen, en leerde alles wat ik ooit had willen weten over charcuterie en kaasplankjes, port en pruimen.

Tegelijkertijd begon ik te fotograferen. Het begon als hobby, een manier om mijn dagen te vullen en de stad te leren kennen. Ik zwierf door allerlei buurten – de East Village, Alphabet City, SoHo, Chinatown, Tribeca – en schoot foto's met een 35-millimeter camera die mijn vader en Sharon me voor mijn afstuderen hadden gegeven. Maar al snel kreeg fotograferen een grotere betekenis voor me. Het werd iets wat ik niet alleen heerlijk vond om te doen, maar wat ik ook daadwerkelijk nodig had, een beetje zoals schrijvers praten over hun drang om woorden op papier te zetten, of fervente hardlopers die elke ochtend gewoon hun rondje moeten rennen. Ik kreeg een kick van fotograferen; het gaf me een doel, zelfs wanneer ik me, letterlijk, eenzamer en doellozer voelde dan ooit. Ik begon mijn moeder meer te missen dan ik in mijn studententijd had gedaan, en voor het eerst in mijn leven hunkerde ik echt naar een relatie. Afgezien van een wilde, aan stalken grenzende verliefdheid op Matt Iannotti in de tweede klas, was ik nooit echt met jongens bezig geweest. Ik had wel eens verkering gehad en was in mijn studententijd met twee vriendjes naar bed geweest, de ene serieus, de andere niet echt, maar ïk had bij benadering nog nooit echt van iemand gehouden. Evenmin had ik die woorden ooit opgeschreven of tegen iemand uitgesproken – mijn familie, of Margot als we allebei te veel gedronken hadden, niet meegerekend. Ik had er allemaal geen problemen mee, tot dat eerste jaar in New York. Ik wist niet zo goed wat er was veranderd in mijn hoofd, maar misschien kwam het doordat ik nu echt volwassen was – en doordat ik werd omringd door miljoenen mensen, inclusief Margot, die allemaal duidelijk gedefinieerde dromen schenen te hebben, plus iemand om van te houden.

Dus stak ik al mijn energie in fotografie. Ik spendeerde elke cent aan filmrolletjes en ieder vrij moment aan het maken van foto's of het bestuderen van boeken in de bibliotheek of de boekhandel. Ik verslond zowel naslagwerken over technieken als verzameld werk van grote fotografen. Mijn favoriete boek – dat ik van Margot kreeg voor mijn drieëntwintigste verjaardag – was *The Americans* van Robert Frank, en bevatte een reeks foto's die hij in de jaren vijftig al rondtrekkend door het land had gemaakt. Ik was betoverd door zijn zwart-witbeelden, die stuk voor stuk een verhaal op zich waren. Ik had het gevoel dat ik ze kende, de gedrongen man die over een jukebox heen gebogen stond, de elegante vrouw die over haar schouder staarde in een lift, en het kindermeisje met de donkere huid dat een roomwitte baby wiegde in haar armen. Ik besloot dat dit gevoel dat je oprecht meende een persoon te kennen, meer nog dan iets anders, het kenmerk was van een geweldige foto. *Als ik zulke foto's zou kunnen maken,* dacht ik bij mezelf, *dan zou ik een gelukkig en tevreden mens zijn, zelfs zonder vriendje.*

Achteraf gezien is het me volkomen duidelijk wat mijn volgende stap had moeten zijn, maar Margot moest eraan te pas komen om me erop te wijzen – een van de vele dingen waar je vriendinnen voor nodig hebt. Ze was net terug van een zakenreis naar Los Angeles, rolde haar koffer naar binnen en bleef staan bij de keukentafel om een van mijn meest recente foto's te bekijken. Het was een kleurenfoto van een ontredderd tienermeisje dat op een stoeprand zat in Bedford Avenue in Brooklyn, de inhoud van haar tasje verspreid over de straat om haar heen. Ze had lang, krullend rood haar en was beeldschoon zoals ze daar zat, onopgemaakt en puur – iets wat ik destijds niet helemaal zag omdat ik zelf ook nog zo jong was. Het meisje reikte met haar ene hand naar een gebarsten spiegeltje, en met de andere hand raakte ze heel licht haar voorhoofd aan.

'Wauw,' zei Margot, de foto voor haar gezicht houdend. 'Dat is een fantástische foto.'

'Dank je,' zei ik bescheiden – maar trots. Het was ook een fantastische foto.

'Waarom is ze zo triest?' vroeg Margot.

Ik haalde mijn schouders op en zei tegen haar dat ik zelden praatte met de mensen waar ik een foto van maakte. Alleen als ze zagen dat ik een foto van hen nam en zelf het initiatief namen voor een gesprek.

'Misschien is ze haar portemonnee kwijt,' zei Margot.

'Misschien is het net uit met haar vriendje,' zei ik.

Of misschien is haar moeder net overleden.

Margot bleef aandachtig naar de foto kijken en merkte op dat de knalrode kniekousen van het meisje de foto een soort ouderwetse uitstraling gaven. 'Alhoewel,' voegde ze eraan toe, fashionista die ze was, 'kniekousen komen wel weer in de mode. Of je het leuk vindt of niet.'

'Niet,' zei ik. 'Maar het staat genoteerd.'

En dat is het moment waarop ze tegen me zei: 'Je foto's zijn briljant, Ellen.' Haar hoofd bewoog ernstig op en neer terwijl ze haar zachte, honingkleurige haar in een wrong draaide en deze vastzette met een vulpotlood. Het was een onwijs stoere techniek die ik wel honderd keer had geprobeerd te evenaren, maar bij mij zag het er dan toch nooit hetzelfde uit. Als het ging om haar of mode of make-up, pakte alles wat ik van Margot kopieerde op de een of andere manier verkeerd uit. Ze knikte nog een keer en zei: 'Je moet je professioneel met fotografie gaan bezighouden.'

'Denk je?' vroeg ik nonchalant.

Gek genoeg was het iets waar ik nooit over na had gedacht, al weet ik niet zo goed waarom. Misschien was ik bang dat mijn enthousiasme groter zou zijn dan mijn talent. Ik kon de gedachte niet verdragen om te falen in iets wat ik zo ontzettend graag deed. Maar ik hechtte erg veel waarde aan Margots mening. En al was ze soms nog zo onoprecht met haar typisch zuidelijke complimentjes, tegen mij deed ze nooit zo. Tegen mij nam ze nooit een blad voor de mond – het kenmerk van ware vriendschap.

'Ik weet het zeker,' zei ze. 'Je moet ervoor gaan. Probeer er je werk van te maken.'

Dus ik volgde Margots advies op en begon uit te kijken naar een nieuwe baan in de fotografie. Ik solliciteerde op elke vacature voor assistent-fotograaf die ik maar kon vinden – inclusief een paar bij smakeloze bruidsfotografen op Long Island. Maar aangezien ik geen gedegen opleiding had gehad, werd ik andermaal overal afgewezen en nam ik uiteindelijk een baantje als filmontwikkelaar in een klein, boetiekachtig fotolab met apparatuur uit de vorige eeuw. Ik moest toch ergens beginnen, hield ik mezelf voor, toen ik op mijn eerste dag de bus nam naar de deprimerende Second Avenue en mijn boterham met pindakaas en jam uitpakte in een tochtig achterkamertje dat stonk naar sigaretten en bleekwater.

Het bleek echter de ideale startersbaan te zijn dankzij Quynh, het Vietnamese meisje dat getrouwd was met de zoon van de eigenaar. Quynh sprak gebrekkig Engels, maar ze was een waar genie op het gebied van kleuren, en ze leerde me meer over afdrukken dan ik op welke school dan ook had kunnen leren (en meer dan ik uiteindelijk ook daadwerkelijk leerde toen ik fotografie ging studeren). Elke dag keek ik hoe Quynh met haar dunne, vaardige vingers de film in de machines voerde en aan de knoppen draaide – een beetje geel erbij, een beetje minder blauw, net zolang tot het resultaat perfect was, terwijl ik steeds meer in de ban raakte van mijn prille, nieuwe beroep.

Op dat punt in mijn leven was ik dus toen ik die beruchte oproep kreeg om mijn juryplicht te vervullen. Hoewel ik nog steeds behoorlijk arm was, was ik tevreden, gelukkig en hoopvol, en stond ik niet bepaald te springen om mijn baan (en mijn salaris) in de ijskast te zetten vanwege mijn juryplicht. Margot opperde dat ik Andy, die net begonnen was aan zijn postdoc rechten op Columbia University, om advies kon vragen om eronderuit te komen. Dus ik belde hem, en hij verzekerde me dat het een makkie zou zijn.

'Je mag niet liegen bij *voir dire*,' zei hij terwijl ik luisterde, onder de indruk van deze term. 'Maar je kunt wel je vooringenomenheid aandikken. Zeg gewoon dat je een bloedhekel hebt aan advocaten, dat je politieagenten wantrouwt of dat je een afkeer hebt van rijke mensen, afhankelijk van waar ze naar op zoek zijn.'

'Nou,' zei ik. 'Ik heb inderdááád een afkeer van rijke mensen.'

Andy grinnikte. Hij kon aan mijn stem horen dat ik een grapje maakte, maar hij moet ook van Margot geweten hebben dat ik altijd platzak was. Hij schraapte zijn keel en vervolgde ernstig: 'Duidelijke lichaamstaal kan soms ook al voldoende zijn. Kijk chagrijnig en pissig omdat je daar bent. Alsof je belangrijker dingen te doen hebt. Hou je armen over elkaar geslagen. Geen van beide partijen zal een ongeduldig jurylid willen hebben.'

Ik zei dat ik zijn advies zeker ter harte zou nemen. Alles om zo snel mogelijk verder te kunnen met mijn normale leven – en mijn broodnodige loonstrookje.

Maar dat alles veranderde in een flits toen ik Leo voor het eerst zag, een moment dat voor altijd in mijn geheugen staat gegrift.

Het was nog vroeg op de ochtend, maar ik was al door de stapel tijdschriften in mijn boodschappentas heen, had al honderd keer op mijn horloge gekeken, en Quynh gebeld vanuit een telefooncel om te melden wat de stand van zaken was, toen ik weer plaatsnam op mijn stoel, de zaal rondkeek en hem zag zitten, een paar rijen schuin voor me. Hij zat de achterpagina van de *New York Post* te lezen terwijl zijn hoofd op en neer bewoog op de maat van de muziek op zijn Discman. Ineens had ik de krankzinnige neiging om te willen weten waar hij naar luisterde. Om de een of andere reden stelde ik me voor dat het de Steve Miller Band was, of Crosby, Stills and Nash. Iets mannelijks wat makkelijk in het gehoor lag voor bij zijn verschoten Levi's, marineblauwe fleecetrui en zwarte, losjes gestrikte Adidas gymschoenen. Toen hij opkeek naar de klok aan de muur, bewonderde ik zijn profiel. Zijn geprononceerde neus (Margot zou hem later als uitdagend bestempelen), hoge jukbeenderen, en de manier waarop zijn golvende, donkere haar tegen de gladde, olijfkleurige huid van zijn nek aan krulde. Hij was niet uitgesproken groot of klein, maar hij had een brede rug, en schouders die er heel sterk uitzagen. Ik stelde me hem voor terwijl hij aan het touwtje springen was in een kale, primitieve sportschool of terwijl hij de trappen voor het gerechtsgebouw op rende, à la Rocky, en besloot dat hij eerder sexy was dan knap. Sexy in de zin van ik-durf-te-wedden-dat-hij-goed-is-in-bed. De gedachte overviel me een beetje, want het was niet mijn gewoonte om wildvreemde mannen op zo'n strikt fysieke manier te beoordelen. Zoals de meeste vrouwen, vond ik het belangrijker om iemand eerst beter te leren kennen – aantrekkingskracht gebaseerd op karakter. Bovendien hield ik helemaal niet zo van seks. Nóg niet.

Alsof hij mijn gedachten kon lezen, draaide Leo zich om op zijn stoel en schonk me een wrange, intelligente blik die zei: 'Betrapt,' of misschien alleen maar: 'Juryplicht is een ramp, vind je niet?' Hij had diepliggende ogen (zo diepliggend dat ik niet goed kon zeggen wat voor kleur ze hadden) die er op de een of andere manier mysterieus uitzagen, zelfs onder het gele tl-licht. Ik hield zijn blik vast gedurende een gevoelsmatig gevaarlijke seconde en deed vervolgens alsof ik geconcentreerd zat te luisteren naar de monoloog van de bureaucraat voor in de zaal die voor de vijfde keer stond uit te leggen wat een geldig medisch excuus inhield.

Later zou Leo tegen me zeggen dat ik eruit had gezien alsof ik in verwarring was gebracht, terwijl ik dat fel ontkende en volhield dat ik hem amper had opgemerkt. Hoe het ook zij, we zouden het er later allebei over eens zijn dat dat het moment was waarop de juryplicht niet meer alleen maar een corvee was.

In het daaropvolgende uur was ik me scherp bewust van iedere, geringste beweging van Leo. Ik zag hoe hij zich uitrekte en gaapte. Ik zag hoe hij zijn krant dubbelvouwde en onder zijn stoel neerlegde. Ik zag hem de zaal uit slenteren en terugkomen met een pakje pindakaascrackers die hij openlijk opat, ondanks de 'eten en drinken verboden'-bordjes die overal in de zaal hingen. Hij keek niet één keer achterom, maar ik had het gevoel dat hij zich ervan bewust was dat ik naar hem zat te kijken, en dat gaf me een merkwaardige kick. Het was niet zo dat ik het een idioot stempel als liefde op het eerste gezicht wilde geven – ik geloofde niet in dat soort dingen – maar ik wist wel dat ik op een onverklaarbare en voor mij onbekende manier geïntrigeerd was.

En toen vervulde de juryplicht-goede-fee mijn wens. Onze namen werden opgelezen, samen met nog een heleboel andere namen, en we kwamen uiteindelijk naast elkaar te zitten in een jurybank, slechts centimeters van elkaar verwijderd. Er was niets groots of meeslepends of filmsetachtigs aan de kleine rechtszaal, maar toch hing er een soort spanning alsof er iets plechtigs en belangrijks op het punt stond te gebeuren, een spanning die maakte dat het vreselijk intiem voelde om zo dicht naast Leo te zitten. Vanuit mijn ooghoek kon ik zijn stevige onderarm met een netwerk van blauwe aderen zien, en ik werd overvallen door een fladderig verlangen dat me deed denken aan mijn tienerverliefdheid op Matt en mijn euforie toen hij op een ochtend naast me zat in onze muffe aula tijdens een glansloze lezing over alle manieren waarop drugs ons leven konden verwoesten. Ik weet nog dat ik zat te genieten van de royale dosis Aramis die Matt had opgedaan (een geur die ik er nog steeds direct uitpik in een mensenmenigte) en dat ik moest lachen om zijn grapjes over alle manieren waarop een joint je leven juist kon verbeteren. Ik bedacht dat Leo eigenlijk wel een oudere broer van Matt had kunnen zijn, en ik vroeg me af of ik dan misschien toch een type had, ondanks het feit dat ik tegen Margot altijd het tegendeel beweerde. Zo ja, dan was hij het helemaal. En na deze constatering richtte de officier van justitie zijn aandacht op Leo en zei gemaakt vrolijk: 'Jurylid nummer negen. Goedemorgen.'

Leo gaf hem een gereserveerd maar respectvol knikje.

'Waar woont u, meneer?' vroeg de officier.

Ik ging rechtop zitten in mijn stoel, hopend dat zijn stem in overeenstemming zou zijn met zijn uiterlijk. Er is niks erger dan een man met een hoge, ijle stem, op de voet gevolgd door tengere polsen, afhangende schouders en een slappe handdruk.

Uiteraard stelde Leo niet teleur. Hij schraapte zijn keel, en daar klonk zijn diepe, zelfverzekerde stem met een New Yorks accent. 'Morningside Heights.'

'Bent u daar ook opgegroeid?'

'Nee, ik kom uit Astoria,' zei Leo. 'Geboren en getogen.'

Yes! Queens! dacht ik bij mezelf, want ik was al hard op weg om mijn hart te verliezen aan de buitenste wijken van de stad. Misschien omdat Brooklyn en de Bronx en Queens me deden denken aan thuis – authentieke arbeidersbuurten. Misschien omdat mijn foto's die niet in het rijke hart van New York waren genomen altijd boeiender waren.

De officier ging verder met de vraag wat Leo voor werk deed, terwijl ik bij mezelf dacht dat *voir dire* beter was dan een eerste afspraakje. Iemand anders stelde de vragen terwijl jij mocht meeluisteren. En hij moest de waarheid vertellen. Perfect.

'Ik ben schrijver... Verslaggever,' zei Leo. 'Ik werk voor een kleine krant.'

Perféct, dacht ik opnieuw. Ik stelde me hem voor, zwervend door de straten met een notitieboekje met spiraal, midden op de dag een praatje makend met oude kerels in donkere kroegen voor een artikel over hoe de stad haar karakter en haar ruigheid aan het verliezen is.

En zo ging het de daaropvolgende minuten verder terwijl ik

zat te zwijmelen bij Leo's antwoorden, niet alleen vanwege de inhoud maar ook vanwege de nuchtere en tegelijk kleurrijke manier waarop hij ze bracht. Zo kwam ik te weten dat hij drie jaar had gestudeerd maar was gestopt 'toen het geld op was'. Dat hij geen enkele advocaat kende – behalve ene Vern van de basisschool 'die nu letselschade-advocaat was, maar ondanks zijn beroep een heel fatsoenlijke kerel. Sorry, vat het vooral niet op als een belediging'. Dat zijn broers en zijn vader allemaal brandweerman waren, maar dat hij het familieberoep nooit 'bijster fascinerend' had gevonden. Dat hij nooit getrouwd was geweest en geen kinderen had 'voor zover hij wist'. Dat hij nooit slachtoffer was geweest van een geweldsmisdrijf, 'tenzij je het verliezen van een vechtpartij hier en daar meerekent'.

En met Leo's laatste bijdehante opmerking loste mijn verlangen om weggestuurd te worden volledig op. In plaats daarvan omhelsde ik mijn burgerplicht met nieuwe hartstocht. Toen het mijn beurt was om vragen te beantwoorden, deed ik alles wat Andy me had aangeraden níét te doen. Ik was vriendelijk en bereidwillig. Ik schonk de beide advocaten mijn beste klaar-over-glimlach om hen te laten zien wat een ideaal, onbevooroordeeld jurylid ik zou zijn. Ik dacht heel even aan mijn werk en hoezeer Quynh me daar nodig had, maar besloot toen hoogmoedig dat ons strafrechtstelsel en de grondwet waarop dit berustte een offer waard was.

Dus toen Leo en ik een aantal vragenronden later werden geselecteerd als jurylid negen en tien, was ik door het dolle heen, een toestand die periodiek terugkeerde in de zes dagen van getuigenissen die daarop volgden, ondanks de levendige details van een gewelddadige steekpartij met stanleymessen in Spanish Harlem. Er was een jongen van tweeëntwintig bij om het leven gekomen, en een andere stond terecht voor moord, en ik zat maar te hopen dat het een hele poos zou duren om de bewijslast te controleren. Ik kon er niks aan doen. Ik snakte naar nog meer dagen aan Leo's zijde, de kans om met hem te praten. Ik snakte ernaar om hem een beetje beter te leren kennen. Ik moest weten of mijn verliefdheid – hoewel die term de lading niet helemaal dekte – gegrond was. Al die tijd was Leo vriendelijk maar ontoegankelijk. Hij hield zijn koptelefoon op waar mogelijk, deed niet mee aan de koetjes-en-kalfjes gesprekken over van alles en nog wat, behalve de zaak, die de rest van de juryleden met elkaar voerden buiten de rechtszaal, en hij lunchte elke middag in zijn eentje in plaats van met ons mee te gaan naar de traiteur naast het gerechtsgebouw. Zijn gereserveerdheid maakte hem alleen nog maar leuker in mijn ogen.

Toen, op een ochtend, vlak voor het slotpleidooi, toen we onze plaats in de jurybanken innamen, keerde hij zich naar me toe en zei: 'Dit is het dan.' Toen glimlachte hij een oprechte, lome glimlach – bijna alsof we samen een geheim hadden. Mijn hart sloeg over. En toen, alsof dat moment er een voorbode van was geweest, hadden we daadwerkelijk een geheim samen.

Het begon tijdens de beraadslagingen, toen duidelijk werd dat Leo en ik allebei dezelfde kijk hadden op de getuigenis. In het kort kwam het erop neer dat we allebei voorstander waren van vrijspraak. De moord zelf was niet aan de orde – de verdachte had bekend en de bekentenis was onbetwist – dus het ging puur om de vraag of hij had gehandeld uit zelfverdediging. Leo en ik vonden van wel. Althans, om iets nauwkeuriger te zijn, we vonden dat er voldoende gerede twijfel bestond dat de verdachte níét had gehandeld uit zelfverdediging – een subtiel onderscheid dat, griezelig genoeg, minstens de helft van onze medejuryleden niet scheen te snappen. We bleven erop wijzen dat de verdachte geen strafblad had (wat praktisch een wonder was in de ruige buurt waar hij woonde), en dat hij doodsbang was voor het slachtoffer (die de meest meedogenloze bendeleider in Harlem was geweest en de verdachte maandenlang had bedreigd – zodanig zelfs dat deze naar de politie was gestapt om bescherming te vragen). En, tot slot, dat de verdachte het stanleymes puur bij zich had gehad in zijn professionele hoedanigheid van verhuizer. Dit alles bij elkaar maakte dat wij van mening waren dat de verdachte in paniek was geraakt toen hij door het slachtoffer en maar liefst drie van zijn gang-bangvriendjes in het nauw was gedreven, en had uitgehaald in door paniek ingegeven zelfverdediging. Het leek een plausibel scenario – en zeker plausibel genoeg om in aanmerking te komen voor de kwalificatie 'gerede twijfel'.

Na drie lange dagen van alsmaar in hetzelfde enerverende kringetje praten, bevonden we ons nog steeds in een patstelling met de rest van de juryleden, en zaten we 's nachts in ons eigen isolement in een deprimerende Ramada Inn in de buurt van JFK Airport. We mochten wel tv kijken – kennelijk was de zaak niet nieuwswaardig – maar we mochten geen telefoontjes plegen, en evenmin mochten we de zaak met elkaar bespreken, tenzij het in de rechtszaal was tijdens de officiële beraadslagingen.

Dus toen op een avond de telefoon ging in mijn hotelkamer, schrok ik op en vroeg me af wie het zou kunnen zijn, heimelijk hopend dat het Leo was. Misschien had hij mijn kamernummer onthouden toen we eerder die avond waren teruggekomen van ons groepsdiner onder toezicht van een gerechtsdienaar. Ik zocht op de tast naar de telefoon en fluisterde 'Hallo' in de hoorn.

Leo antwoordde met een eveneens gefluisterd hallo. Toen zei hij, alsof daar enige verwarring over mogelijk was geweest: 'Je spreekt met jurylid nummer negen. Met Leo.'

'Dat weet ik,' zei ik, en ik voelde het bloed van mijn hoofd naar mijn ledematen razen.

'Hoor eens,' zei hij (na drie dagen beraadslagen wist ik dat hij zijn zinnen begon met 'hoor eens,' een eigenaardigheid die ik enig vond). 'Ik weet dat ik je eigenlijk niet mag bellen... maar ik word helemaal gek hier...'

Ik wist niet precies wat hij daarmee bedoelde – dat hij gek werd van het isolement of dat hij gek werd omdat hij zo naar mij verlangde. Ik ging ervan uit dat het het eerste moest zijn. Het laatste was te onwaarschijnlijk mooi om waar te zijn.

'Ja. Ik weet wat je bedoelt,' zei ik, en ik deed mijn best om mijn stem in bedwang te houden. 'Die getuigenis laat me niet los. Het is allemaal zo frustrerend.'

Leo ademde uit in de telefoon en zei na een lange stilte: 'Ik bedoel, hoe afschuwelijk moet het zijn als je lot in handen ligt van een dozijn debielen?'

'Een dozíjn debielen?' zei ik, in een poging om grappig en ad rem te zijn. 'Spreek voor jezelf, vriend.'

Leo lachte terwijl ik in bed lag te gloeien van opwinding. Toen zei hij: 'Oké. Tien debielen. Of op zijn minst acht.'

'Ja,' zei ik. 'Ik weet het.'

'Ik bedoel, serieus,' vervolgde hij. 'Die mensen zijn echt niet te filmen. De helft van hen is helemaal niet onbevooroordeeld – en verder zijn het watjes zonder ruggengraat die het eens zijn met om het even wat hun lunchmaatjes vinden.

'Ik weet het,' zei ik opnieuw, en ik voelde me licht in mijn hoofd. Ik kon niet geloven dat we eindelijk een echt gesprek aan het voeren waren. En dan nog wel in het donker, onder de dekens. Ik deed mijn ogen dicht en stelde me hem voor in zijn bed. Ik stond er versteld van dat ik zo kon verlangen naar iemand die praktisch een vreemde voor me was.

'Ik had het nooit gedacht,' zei Leo, 'maar als ik terecht moest staan, dan liever voor een rechter dan voor een jury.'

Ik zei dat ik hem daar misschien wel gelijk in moest geven.

'Jezus. Ik zou nog liever een corrupte rechter hebben die steekpenningen aannam van mijn vijanden dan dit stelletje mislukkelingen.'

Ik lachte terwijl hij verder ging met grapjes maken over de volstrekt irrelevante anekdotes die een paar van onze medejuryleden hadden verteld. Hij had gelijk. Het was de ene gedachtekronkel na de andere daar in dat claustrofobische kamertje – een gevecht waarbij ze elkaar om de oren sloegen met ervaringen die op geen enkele manier verband hielden met de beraadslagingen.

'Sommige mensen horen zichzelf gewoon erg graag praten,' zei ik. Om er vervolgens aan toe te voegen: 'Maar jij schijnt niet een van hen te zijn, meneer Uit-de-hoogte.'

'Ik ben niet uit de hoogte,' zei Leo onovertuigend.

'Echt wel,' zei ik. 'Meneer Koptelefoon-op zodat je met niemand hoeft te praten.'

'Ik praat nu toch,' zei Leo.

'Dat zou tijd worden,' zei ik, bij mezelf denkend dat het makkelijk was om dapper te zijn in het donker, aan de telefoon.

Er volgde een langgerekte stilte die warm en verboden voelde. Toen sprak ik uit wat we allebei wel wisten – dat we enorm in de problemen zouden komen als Chester de gerechtsdienaar, onze babysit, ons betrapte op het voeren van een telefoongesprek. En nog wel over de zaak, nota bene.

'Ja, je hebt gelijk,' zei Leo. Toen voegde hij er heel langzaam en nadenkend aan toe: 'En ik vermoed dat we zelfs nog veel meer gedonder zouden krijgen als ik je nu een bezoekje zou komen brengen, hè?'

'Wat zei je?' vroeg ik, ook al had ik hem heel goed verstaan, luid en duidelijk.

'Mag ik naar je toe komen?' zei hij nogmaals, zijn toon een tikje suggestief.

Ik ging abrupt rechtop zitten en streek de lakens om me heen glad. 'En Chester dan?' vroeg ik, me op een prettige manier zwak voelend.

'Die is al naar bed. De gangen zijn verlaten. Dat heb ik al gecontroleerd.'

'Echt waar?' zei ik. Iets anders kon ik even niet bedenken.

'Ja. Echt waar... Dus?'

'Dus?' echode ik.

'Dus mag ik naar je toe komen? Ik wil gewoon... met je praten. Persoonlijk. Alleen.'

Ik geloofde er niks van dat dat het enige was wat hij wilde – en een groot deel van mij hoopte ook dat dat niet zo was. Ik bedacht hoeveel gedonder ervan zou komen als we betrapt werden tijdens een robbertje jury-rollebollen, en dat we het aan de verdachte verschuldigd waren om ons aan de regels te houden – dat ons roekeloze gedrag zou kunnen leiden tot een procedurefout. Ik bedacht hoe onsexy mijn Steelers T-shirt en katoenen slipje waren en dat ik niks leukers bij me had in mijn haastig ingepakte koffer. Ik dacht aan de universele vrouwenwijsheid dat als ik ja zei – en er vervolgens wel iets gebeurde – Leo misschien alle respect voor me zou verliezen en dat het dan al voorbij zou zijn voordat het echt begonnen was.

Dus ik deed mijn mond open, klaar om te protesteren of op

zijn minst een ontwijkend antwoord te geven. Maar in plaats daarvan ademde ik een hulpeloos 'ja' in de telefoon. Het zou de eerste van vele keren zijn dat ik geen nee kon zeggen tegen Leo.

vijf

Het is helemaal donker tegen de tijd dat ik onze rustige, door bomen geflankeerde straat in Murray Hill in loop. Andy komt pas veel later thuis, maar voor een keer vind ik het niet erg dat hij noodgedwongen zulke lange dagen maakt bij het vooraanstaande advocatenkantoor waar hij werkt. Ik zal nog tijd hebben om te douchen, een paar kaarsen aan te steken, een fles wijn open te trekken, en precies de juiste muziek te vinden om de laatste restjes van het verleden uit mijn gedachten te wissen – iets vrolijks wat op geen enkele manier verband houdt met Leo. 'Dancing queen' zou perfect zijn, denk ik glimlachend bij mezelf. Er is absoluut níets aan ABBA wat associaties met Leo oproept. Hoe het ook zij, ik wil dat de avond helemaal over Andy en mij gaat. Over óns.

Als ik uit de koude regen het gebouw van bruinrode zandsteen binnenstap, slaak ik een zucht van opluchting. Ons gebouw is allesbehalve luxueus, maar ik vind het prachtig zoals het is. Ik ben dol op de sjofele lobby met de krakende visgraatvloeren en de koperen kroonluchter die dringend een poetsbeurt nodig heeft. Ik hou van het rijk geschakeerde Perzische tapijt dat een subtiele mottenballengeur afgeeft. Ik hou zelfs van de claustrofobisch kleine lift die altijd op het punt lijkt te staan om het te gaan begeven. Maar bovenal hou ik ervan omdat het ons eerste huis samen is.

Vanavond kies ik voor de trap, die ik met twee tred
neem terwijl ik me een dag in de verre toekomst voo
op Andy en ik terugkeren naar deze plek met onze –
geboren – kinderen om hen te laten zien waar 'papa ...
vroeger gewoond hebben'. Om tegen hen te zeggen: 'Ja, met het
geld van papa's familie hadden we ons een luxe appartement
met portier in de Upper East Side kunnen veroorloven, maar hij
heeft dit uitgekozen, in deze rustige buurt, omdat het meer karakter had... Net zoals hij mij heeft verkozen boven al die zuidelijke schonen met blauwe ogen.'

Ik bereik de derde verdieping, draai mijn sleutel om in het slot
en kom tot de ontdekking dat Andy al thuis is. Dat gebeurt
praktisch nooit. Ik voel me schaapachtig en beschaamd tegelijk
als ik de deur openduw, door onze keuken heen een blik in de
woonkamer werp, en mijn echtgenoot languit op de bank zie liggen, zijn hoofd rustend op een kussen van oranje chenille. Hij
heeft zijn jasje en stropdas al naar de grond verbannen, en zijn
blauwe overhemd is bij de boord losgeknoopt. In eerste instantie denk ik dat hij slaapt, maar dan zie ik een van zijn blote voeten mee bewegen op de maat van Ani DiFranco's *As is*. Het is
mijn cd – en zo radicaal anders dan Andy's gebruikelijke, vrolijke Top 40-deuntjes (of zijn sentimentele countrymuziek) dat ik
vermoed dat onze stereo-installatie op shuffle staat. Andy
schaamt zich niet voor zijn muzikale smaak, en als ik zit te luisteren naar mijn favorieten, zoals Elliot Smith of Marianne
Faithfull, rolt hij met zijn ogen als de teksten wel erg woest worden en maakt hij grapjes in de trant van: 'Let maar niet op mij,
hoor, ik ga even een fles vergif naar binnen klokken bij de gootsteen.' Maar ondanks onze verschillende smaak, hoef ik mijn
muziek nooit zachter of uit te zetten voor hem. Andy is het tegenovergestelde van een controlfreak. Een advocaat uit Manhattan met een surfers-mentaliteit van maak-je-niet-druk en le-
ven-en-laten-leven.

Secondenlang blijf ik naar Andy staan kijken, zoals hij daar
ligt in de zacht amberkleurige gloed van het lamplicht, en ik
word vervuld met iets wat enkel als opluchting omschreven kan

,vorden. Opluchting dat ik hier ben, dat dít mijn leven is. Als ik nog een paar stappen zet in de richting van de bank, schieten Andy's ogen open. Hij rekt zich uit, glimlacht en zegt: 'Hé, liefje.'

'Hé,' zeg ik, hem stralend aankijkend terwijl ik mijn tas laat vallen op onze ronde, retro eettafel die we hebben gevonden op een vlooienmarkt in Chelsea. Margot en haar moeder hebben er bijna net zo'n hartgrondige hekel aan als aan de kitscherige snuisterijen die zich verzamelen op ieder leeg oppervlak in ons appartement. In onze vensterbank prijkt een kokosnootaap met een bril van ijzerdraad. Aan onze computermonitor hangt een ketting van een recente Mardi Gras. Over onze aanrecht paradeert een verzameling peper-en-zoutstelletjes. Ik ben veel netter en georganiseerder dan Andy, maar van nature zijn we allebei verzamelaars – wat volgens Margot het enige gevaarlijke aspect is van onze relatie.

Met een zucht gaat Andy rechtop zitten en zwaait zijn lange benen op de grond. Dan werpt hij een blik op zijn horloge en zegt: 'Je belt niet. Je schrijft niet. Waar ben je de hele dag geweest? Ik heb het een paar keer op je mobieltje geprobeerd...'

Zijn toon is ontspannen – totaal niet beschuldigend – maar toch voel ik me ergens een beetje schuldbewust als ik zeg: 'Overal en nergens. Van hot naar her aan het sjezen met de metro. Mijn telefoon stond uit.'

Daar is geen woord van gelogen, denk ik bij mezelf. Maar toch weet ik dat ik iets verzwijg voor mijn man, en ik overweeg heel even om mijn voorgenomen geheimhouding overboord te gooien en hem het hele verhaal te vertellen. Wat er vandaag werkelijk is gebeurd. Hij zou zeer zeker geïrriteerd zijn – en waarschijnlijk een beetje gekwetst dat ik Leo naar het eetcafé heb laten komen voor een ontmoeting. Zo zou ik me ook voelen als Andy het goed zou vinden dat een ex-vriendin een kop koffie met hem kwam drinken terwijl hij net zo makkelijk tegen haar had kunnen zeggen dat ze de boom in kon. De waarheid zou misschien zelfs tot een bescheiden ruzie hebben geleid – onze eerste ruzie sinds we getrouwd zijn.

Aan de andere kant is het niet waarschijnlijk dat Andy zich

bedreigd zal voelen door Leo of vijandige gevoelens jegens hem zal koesteren. Hij kijkt simpelweg op hem neer op die typerende, nonchalante manier waarop praktisch iedereen neerkijkt op de ex-wederhelft van hun wederhelft. Met een milde mengeling van jaloezie en competitiviteit die slijt met de jaren. Sterker nog, Andy is zo relaxt dat hij waarschijnlijk helemaal niets van dat alles zou voelen, ware het niet dat ik de fout had gemaakt om iets te veel te onthullen tijdens een van onze nachtelijke gesprekken in de beginperiode van onze relatie. Om precies te zijn, had ik het woord *intens* gebruikt om te omschrijven wat Leo en ik hadden gedeeld. Het leek me niet echt een enorme onthulling, aangezien ik ervan uit was gegaan dat Margot Andy wel het een en ander over Leo en mij had verteld, maar ik wist onmiddellijk dat het nieuws voor hem was toen hij zich omrolde in bed om me aan te kijken, zijn blauwe ogen fonkelend op een manier die ik nog niet kende.

'Intens?' zei hij met een gekwetste uitdrukking op zijn gezicht. 'Wat bedoel je precies met *intens*?'

'Ach, ik weet niet...' zei ik.

'*Seksueel* intens?'

'Nee,' zei ik vlug. 'Dat bedoel ik niet.'

'In de zin van dat jullie *onafscheidelijk* waren, altijd samen? Dag en nacht?'

'Nee,' zei ik weer. Mijn gezicht werd warm van schaamte bij de herinnering aan de avond dat Margot me ervan had beschuldigd dat ik haar liet stikken voor Leo. Dat ik een van die meiden was die een man boven een vriendschap plaatste. *En dan nog wel zo'n onbetrouwbare man met nul huwelijkspotentie*, had ze er vol afkeer aan toegevoegd. Zelfs toen, ergens diep vanbinnen, had ik al geweten dat ze gelijk had, maar ondanks mijn schuldgevoel en mijn gezonde verstand, had ik mezelf gewoon niet in de hand. Als Leo me wilde zien, liet ik alles – en iedereen – vallen.

'Wat bedoel je dan?' drong Andy aan. 'Je hield onmetelijk veel van hem?' Zijn stem droop van speels sarcasme, maar zijn gekwetste blik bleef.

'Nee, ook niet op die manier intens,' zei ik, worstelend om een manier te vinden om een afstandelijke, niet-hartstochtelijke draai te geven aan het woord *intens*. Hetgeen een onmogelijke opgave is. Het is net zoiets als een vrolijke noot stoppen in het woord *verdriet*, of een hoopvolle draai geven aan *gedoemd*.

Ik zocht nog een paar seconden koortsachtig naar de juiste woorden voordat ik uiteindelijk kwam met een zwak: 'Ik bedoelde geen intens... Ik neem het terug... Het was een slechte woordkeuze.'

Het wás ook echt een slechte woordkeuze. Maar alleen omdat het waar was – intens was precies hoe het tussen Leo en mij was geweest. Bijna ieder moment dat we deelden, voelde intens, en dat was begonnen met die allereerste nacht in mijn donkere hotelkamer toen we in kleermakerszit tegenover elkaar op mijn bed zaten zodat onze knieën elkaar raakten, mijn handen in de zijne, terwijl we praatten tot de zon opkwam.

'Te laat,' zei Andy, en hij schudde grijnzend zijn hoofd. 'Er wordt niks teruggenomen. Deze kun je niet schrappen uit de boeken, Dempsey.'

En dus was het inderdaad te laat.

Gelukkig was Andy niet iemand die aan een dood paard bleef trekken, dus Leo's naam viel sinds die dag praktisch nooit meer. Maar als iemand het woord *intens* gebruikte, wierp Andy me, nog lange tijd daarna, een veelbetekenende blik toe, of hij kwam met een kwinkslag over mijn 'o-zo-smeulende, immer-hartstochtelijke' ex-vriendje.

Ik heb nu geen zin in dat soort opmerkingen – schertsend of anderszins. Bovendien, redeneer ik terwijl ik mijn jas uittrek en aan onze wiebelige kapstok hang, als de rollen omgekeerd waren, zou ik het liever niet weten als hij een toevallige ontmoeting had gehad met Lucy, zijn meest dierbare ex, die tegenwoordig les geeft op een chique school voor snobs in Atlanta. Volgens Margot was Lucy het toonbeeld van intelligentie en degelijkheid, terwijl ze er ook nog eens uitzag alsof ze de stand-in van Salma Hayek zou kunnen zijn. Het was een citaat waar ik best buiten had gekund.

Met deze redenering in mijn achterhoofd, besluit ik voor eens en voor altijd dat het voor iedereen beter is als ik mijn onbelangrijke geheimpje geheimhoud. Ik plof naast Andy op de bank neer en leg mijn hand op zijn been. 'Waarom ben je eigenlijk zo vroeg thuis?' vraag ik hem.

'Omdat ik je miste,' zegt hij glimlachend.

'Kom op,' zeg ik, en ik voel me verscheurd. Zijn antwoord doet me deugd, maar ik hoop dit keer bijna dat er meer achter zit. 'Je bent nog nooit zo vroeg thuis geweest.'

'Ik miste je echt,' zegt hij lachend. 'Maar ik heb ook mijn zaak kunnen schikken.'

'Dat is fantastisch,' zeg ik. Ik weet hoezeer hij had opgezien tegen de nog veel langere dagen van een volwaardige rechtszaak. Ook ik had ertegen opgezien.

'Ja. Wat een opluchting. Nu ligt er slaap voor me in het verschiet... Enfin, dus ik zat te denken dat we misschien wel uit eten konden gaan. Een beetje chic, misschien? Heb je daar zin in?'

Ik werp een blik uit het raam en zeg: 'Later op de avond misschien... Het komt nu echt met bakken uit de hemel... Ik geloof dat ik voorlopig liever even thuisblijf.' Ik schenk hem een verleidelijke glimlach terwijl ik mijn laarzen uit schop en schrijlings op zijn schoot ga zitten met mijn gezicht naar hem toe. Ik buig me naar voren en druk een kus op zijn kaak, en daarna eentje in zijn nek.

Andy glimlacht, doet zijn ogen dicht en fluistert een geamuseerd: 'Wat zullen we nou krijgen?'

Van al zijn vertederende uitdrukkingen is dit een van mijn favorieten, maar op dit moment wekken zijn woorden een zekere onrust in mijn hart. Is het feit dat ik het initiatief neem tot het voorspel werkelijk reden voor een *Wat zullen we nou krijgen?* Zijn we niet af en toe spontaan als het gaat om seks? Mijn hersens draaien op volle toeren om er een paar recente, stomende voorbeelden bij te halen, maar teleurstellend genoeg kan ik me de laatste keer dat we ergens anders dan in bed seks hebben gehad niet voor de geest halen. Ik verzeker mezelf dat dit volkomen normaal is voor een getrouwd stel – zelfs voor een gelukkig getrouwd stel. Andy en ik hangen dan misschien niet aan de kroon-luchters en we gaan ook niet als beesten tekeer in iedere kamer van het huis, maar je hoeft elkaar niet tegen wil en dank op de aanrecht of de hardhouten vloeren te nemen om ook lichamelijk een sterke relatie te hebben. Seks op harde oppervlakken mag er in de film immers wel stomend uitzien, maar in het echte leven is het oncomfortabel, overgewaardeerd en gekunsteld.

Al was er natuurlijk die ene keer met Leo in zijn kantoor...

Ik doe wanhopig mijn best om de herinnering weg te duwen door Andy nog een keer te kussen, op de mond dit keer. Maar zoals het altijd gaat als je probeert ergens niet aan te denken, wordt het beeld alleen nog maar levendiger. En dus ben ik op-eens het ondenkbare aan het doen. Ik kus mijn echtgenoot ter-wijl ik in gedachten een andere man voor me zie. Terwijl ik in gedachten *Leo* voor me zie. Ik kus Andy nog harder in een wan-hopige poging om Leo's gezicht en lippen uit te wissen. Het werkt niet. Ik ben alleen maar bezig om Leo nog harder te kus-sen. Ik maak de knopen van Andy's overhemd open en laat mijn handen over zijn buik en borst glijden. Ik trek mijn eigen trui uit. We houden elkaar vast, huid tegen huid. Ik zeg Andy's naam hardop. Leo is er nog steeds. Zijn lichaam tegen het mijne.

'Hmm, Ellen,' kreunt Andy, en zijn vingers strelen mijn rug.

Leo's hete handen boren zich in mijn rug met idioot veel kracht, met gretigheid.

Ik doe mijn ogen open en zeg tegen Andy dat hij me aan moet kijken. Dat doet hij.

Ik kijk in zijn ogen en zeg: 'Ik hou van je.'

'Ik ook van jou,' zegt hij liefdevol. Zijn gezichtsuitdrukking is ernstig, eerlijk, oprecht. Zijn gezicht is het gezicht waar ik van houd.

Ik knijp mijn ogen dicht en concentreer me op Andy, die ik hard voel worden tegen mijn dij. We hebben allebei onze broek nog aan, maar ik ga stevig midden op zijn schoot zitten en druk me tegen hem aan terwijl ik nogmaals zijn naam zeg. De naam van mijn man. *Andy*. Er bestaat geen enkele onduidelijkheid over met wie ik hier ben. Van wie ik houd. Dit werkt een tijdje.

En het blijft ook werken als Andy me meevoert naar onze slaapkamer, waar de alles-of-niets radiator ofwel comateus is, ofwel aan alle kanten stoom uitbraakt. Op dit moment is de temperatuur ronduit tropisch te noemen in onze slaapkamer. We duwen ons donzen dekbed aan de kant en schuiven tussen onze zachte lakens. We zijn nu helemaal uitgekleed. Dit bed is heilig. Leo is weg. Hij is nergens meer te bekennen.

En toch, als Andy een paar seconden later in me glijdt, ben ik ineens weer terug in Leo's appartement op de avond dat het vonnis niet-schuldig eindelijk werd uitgesproken. Hij is ongeschoren en zijn ogen staan een tikje glazig doordat we uitbundig hadden gedronken op het vonnis. Hij omhelst me stevig en fluistert in mijn oor: 'Ik weet niet precies wat het is aan jou, Ellen Dempsey, maar ik móét je gewoon hebben.'

Op diezelfde avond gaf ik mezelf helemaal aan hem, wetend dat ik van hem zou zijn voor zolang als hij me wilde hebben.

En, zoals later zou blijken, zelfs nog langer dan dat.

zes

D e volgende ochtend belt Margot royaal voor zonsopkomst – of, zoals Andy zou zeggen, voordat een weldenkend mens zijn ogen opendoet. Andy raakt zelden geagiteerd, maar er zijn drie dingen waar hij zich enorm over kan opwinden: mensen die voordringen in een rij, gekissebis over politiek in een sociale setting, en zijn zus die 's morgens veel te vroeg belt. 'Allejézus, wat is er aan de hand?' zegt hij na de tweede keer overgaan. Zijn stem is krasserig, zoals dat 's morgens altijd het geval is na een paar biertjes, die we de avond ervoor hebben genuttigd in een bistro op Third Avenue, in combinatie met een hamburger en de allerlekkerste dunne frieten in de wijde omtrek. Het was gezellig, en we hebben zelfs nog meer gelachen dan anders, maar ons avondje uit noch de seks was voldoende om Leo overboord te kieperen. Hij bleef hardnekkig de hele avond bij me, opmerkingen makend over de chagrijnige man aan het tafeltje naast ons en de Joni Mitchell-muziek op de achtergrond. Terwijl ik van mijn derde biertje dronk en luisterde naar Andy's verhalen over zijn werk, merkte ik dat mijn gedachten afdwaalden naar de ochtend waarop Leo me had verteld dat mijn gezicht zijn favoriete gezicht was van de hele wereld. Hij zei het zomaar, plompverloren, volstrekt nonchalant en niet-sentimenteel terwijl we koffie zaten te drinken. Ik had geen make-up op, mijn haar was naar achteren getrokken in een paardenstaart, en de zon scheen door zijn woonkamerraam in mijn ogen. Maar ik geloofde hem. Ik kon zien dat hij het meende.

'Dank je,' zei ik blozend, terwijl ik bij mezelf dacht dat zijn gezicht ook verreweg mijn favoriet was. Ik vroeg me af of dit, meer nog dan iets anders, een bewijs was van ware liefde. Toen zei hij: 'Het zal me nooit gaan vervelen om naar je te kijken... Nooit.'

En het is deze herinnering, misschien wel mijn allerbeste herinnering aan Leo, die opnieuw mijn hoofd vult terwijl het luide gerinkel in onze slaapkamer aanhoudt. Andy kreunt als de beller het uiteindelijk opgeeft, een paar seconden wacht en het vervolgens opnieuw probeert.

'Laat hem maar op de voicemail gaan,' zeg ik, maar Andy reikt over me heen en grist de telefoon van mijn nachtkastje. Om de beller te kunnen identificeren kijkt hij op de nummerweergave – hetgeen volstrekt overbodig is. Een absoluut noodgeval uitgezonderd, kan het alleen maar Margot zijn. En jawel, de naam van haar man, Webb Buffington, licht op in het scherm, plus de toevoeging Atlanta, Georgia, waar ze tot mijn grote teleurstelling vorig jaar naartoe terug zijn verhuisd. Ik heb altijd geweten dat die verhuizing onvermijdelijk was, vooral nadat ze Webb had leren kennen, die ook uit Atlanta kwam. Al hield Margot nog zoveel van New York en haar carrière, diep vanbinnen is ze een meisje uit het zuiden en verlangde ze wanhopig naar een traditioneel leven van huisje-boompje-beestje en alles wat daarbij hoort. Bovendien was Webb, om zijn eigen woorden te gebruiken: 'Helemaal klaar met de stad.' Hij wilde golfen, hij wilde auto rijden, hij wilde ruimte voor al zijn dure elektronische speeltjes.

Uit het telefoontje van vanochtend moge duidelijk zijn dat Margot en ik elkaar nog steeds dagelijks spreken, maar ik mis de contactmomenten met haar. Ik mis het samen brunchen in de weekends en het samen borrelen na het werk. Ik mis het delen van de stad – en een aantal gezamenlijke vrienden. Andy mist haar ook, behalve op momenten als deze, wanneer zijn slaap eronder te lijden heeft.

Ruw drukt hij op de knop om op te nemen en blaft in de telefoon: 'Jezus, Margot. Weet je wel hoe laat het is?'

Ik kan haar hoge stem horen zeggen: 'Ik weet het. Ik weet het. Het spijt me écht, Andy. Maar dit keer heb ik een goede reden. Eerlijk waar. Geef me Ellen even. Alsjeblieft?'

'Het is nog niet eens zeven uur,' zegt hij. 'Hoe vaak moet ik je nog uitleggen dat je ons niet wakker moet bellen? Dat het enige prettige aspect van mijn baan het late tijdstip is waarop ik moet beginnen? Zou je dit ook doen als Ellen met iemand anders getrouwd was? En zo niet, wordt het dan niet eens tijd dat je jezelf de vraag stelt of je niet wat meer respect moet tonen voor je eigen broer dan voor een willekeurige andere gozer?'

Ik glimlach om de *willekeurige andere gozer* en denk bij mezelf dat de gozer niet willekeurig zou zijn als ik met hem getrouwd was. Dan denk ik weer aan Leo en krimp ineen, wetend dat hij nooit alleen maar een willekeurige gozer voor me zal zijn. Ik begrijp echter wel wat Andy bedoelt, en ik weet zeker dat Margot het ook begrijpt, maar hij geeft haar de kans niet om antwoord te geven. In plaats daarvan duwt hij mij de telefoon in handen en begraaft met een theatraal gebaar zijn hoofd onder zijn kussen.

'Hé, Margot,' zeg ik zo zacht mogelijk.

Ze gooit er een plichtmatige verontschuldiging uit en jubelt dan: 'Ik heb nieuws!'

Het zijn letterlijk dezelfde woorden en dezelfde zangerige, vertrouwelijke toon die ze gebruikte toen ze me belde op de avond dat Webb en zij zich hadden verloofd. Of, zoals Webb het relaas van hun verloving graag vertelt, voordat ze zelfs maar ja tegen hem had gezegd. Hij overdrijft natuurlijk, hoewel ze mij wel als eerste heeft gebeld, nog voordat ze haar moeder had gebeld, hetgeen mij een soort voldoening gaf die ik niet helemaal goed kon plaatsen. Ik denk dat het iets te maken had met het feit dat ik zelf geen moeder meer heb en de geruststelling dat vrienden een familielid kunnen vervangen, zelfs in de afwezigheid van de dood.

'O mijn god, Margaret,' zeg ik nu, klaarwakker en niet meer bekommerd om Andy die probeert te slapen.

Andy komt met zijn hoofd onder zijn kussen vandaan en vraagt met een berouwvolle, bijna bezorgde uitdrukking op zijn gezicht: 'Is alles goed met haar?'

Ik knik vrolijk, geruststellend, maar hij blijft angstig kijken en fluistert: 'Wat is er aan de hand?'

Ik hou een vinger in de lucht. Ik wil bevestiging, ook al bestaat er bij mij geen enkele twijfel over wat haar nieuws zal zijn. Dat toontje van haar is gereserveerd voor welgeteld twee dingen: bruiloften en baby's. Ze had minstens drie keer promotie gemaakt bij J. Crew en daar had ze elke keer heel blasé over gedaan. Het was niet zozeer bescheidenheid, maar meer het feit dat ze nooit echt veel om haar werk heeft gegeven, ook al was ze er nog zo goed in. Misschien omdat ze wist dat het een zelfopgelegde houdbaarheidsdatum had. Dat ze rond haar dertigste op enig moment vrijwillig ontslag zou nemen om aan de volgende fase te beginnen, te weten: trouwen, terugkeren naar Atlanta en een gezin stichten.

'Is het écht zover?' vraag ik, in gedachten een sprongetje makend in de tijd om me Margot voor te stellen met een dikke buik in een designer positiejurk.

'Is wat zover?' vraagt Andy geluidloos.

Ik kijk hem aan en vraag me af waar hij dán denkt dat we het over hebben. Ineens voel ik een golf van genegenheid voor zijn jongensachtige onnozelheid. *Ja, Andy, ze gaat vandaag kaneelkoekjes bakken. Ja, Andy, ze gaat een minivleugel kopen.*

'Echt wel!' krijst Margot. 'Ik ben zwánger! Ik heb net een test gedaan!'

'Wauw,' zeg ik, een tikje overweldigd, ook al wist ik dat ze ermee bezig waren en dat Margot bijna altijd krijgt wat ze wil – deels dankzij haar vasthoudende type A-persoonlijkheid, maar bovenal omdat ze gewoon een van die gelukkige mensen is voor wie alles van een leien dakje gaat. Kleine dingen, grote dingen, er-tussenin dingen. Ik ken haar al vijftien jaar, en letterlijk de enige tegenslag waar ik getuige van ben geweest, de enige keer dat ze het echt moeilijk heeft gehad, was toen haar opa overleed tijdens ons laatste collegejaar. En de dood van een grootouder kan niet als een serieuze beproeving worden gerekend. Althans, niet als je de vroegtijdige dood van een ouder hebt meegemaakt.

Ik zeg dit alles over Margot zonder afgunst. Ja, mijn moeder overleed op haar eenenveertigste, en ja, ik sta gekleed in afdankertjes op de schoolfoto's, maar ik zou desondanks niet willen zeggen dat ik een moeilijke jeugd heb gehad. En mijn volwassen leven is beslist zeer goed geweest, tot dusverre althans. Ik ben niet werkloos of stuurloos of depressief. Ik ben niet ziek of alleen. Bovendien, zelfs als dat allemaal wél het geval zou zijn, is er simpelweg geen competitie tussen mij en mijn beste vriendin. Ik heb die vrouwen nooit begrepen, die moeizame, gecompliceerde vriendschappen die er in overvloed lijken te zijn. Ben ik af en toe jaloers op Margot – vooral als ik haar samen met haar moeder zie? Zou ik willen dat ik haar gevoel voor mode had en haar zelfvertrouwen en de stempels in haar paspoort? Ja, natuurlijk. Maar dat wil nog niet zeggen dat ik die dingen ooit van haar zou afpakken – of dat ik haar haar geluk op wat voor manier dan ook misgun. Bovendien zijn we tegenwoordig familie van elkaar. Wat van haar is, is nu daadwerkelijk ook van mij.

Dus ondanks het feit dat dit heuglijke nieuws verre van onverwachts komt, ben ik er stil van, en licht in mijn hoofd, en dolblij. Per slot van rekening is er een enorm verschil tussen graag kinderen wíllen en daadwerkelijk die positieve uitslag krijgen op een zwangerschapstest. Weten dat je over een paar maanden iemands moeder zult worden – of in mijn geval: iemands tante.

'Gefeliciteerd,' zeg ik geëmotioneerd.

'Is ze zwanger?' raadt Andy eindelijk, zijn ogen wijd opengesperd.

Ik knik en glimlach. 'Ja... Ben je nog steeds pissig, oom Andy?'

Hij grijnst en zegt: 'Geef me die telefoon.'

Ik overhandig hem de telefoon.

Hij zegt: 'Maggie Beth! Had dat dan gewoon meteen gezegd!'

Ik hoor haar zeggen: 'Je weet best dat ik het eerst aan Ellen moest vertellen.'

'Ik ben nota bene je eigen vlees en bloed!'

'Er is er maar één van jullie die altíjd blij is als ik bel, onge-acht het tijdstip,' zegt ze.

Andy negeert haar speelse steek onder water en zegt: 'Ver-domme, dit is geweldig nieuws. Ik ben zo blij dat we volgend weekend jullie kant op komen. Ik kan niet wachten om je in mijn armen te sluiten.'

Ik gris de telefoon weer terug en vraag haar of ze de uitgere-kende datum al weet; of ze denkt dat het een jongetje of een meisje wordt; of ze al namen heeft bedacht; of ik een feestje voor haar moet organiseren in de stad of in Atlanta.

Ze antwoordt eenentwintig september; ze denkt een meisje; nog geen namen; en een feestje zou overal leuk zijn.

'Wat zei Webb?' vraag ik, me ineens bedenkend dat er ook nog een andere partij bij betrokken is.

'Hij is blij. Verbaasd. Een beetje bleek.' Margot lacht. 'Wil je hem even spreken? Hij zit hier naast me.'

'Tuurlijk,' zeg ik, ook al ben ik niet in de stemming om met hem te praten. Als ik eerlijk ben, ben ik nooit echt in de stem-ming om met Webb te praten – ook al is hij nooit anders dan vriendelijk tegen me geweest, hetgeen meer is dan ik kan zeggen over een aantal van de kerels waar Margot een relatie mee heeft gehad. Ze valt altijd op arrogante types, en ook Webb heeft be-slist alles in zich om arrogant te zijn. Om te beginnen is hij een super succesvolle sportagent en voormalig semi-beroemd tennis-prof – hij is in ieder geval bekend in tenniskringen en heeft ooit Agassi verslagen tijdens een jeugdtoernooi. En bovenop zijn suc-ces en zijn rijkdom heeft hij ook nog eens een klassiek knap uiter-lijk om voor in katzwijm te vallen, met angstaanjagend mooi haar en tanden die zo gelijkmatig en wit zijn dat ik altijd moet denken aan een oude tandpastareclame als hij bulderend van het lachen zijn hoofd in zijn nek gooit. Hij heeft een zware, harde stem en is nadrukkelijk aanwezig – en hij is het type man dat weet hoe hij een speech in mooie volzinnen moet geven waar de dames van onder de indruk zijn, maar hij weet net zo goed hoe hij een schuine mop moet vertellen waar de heren om bulderen van het lachen. Kortom: Webb zou alle reden moeten hebben om onverdraaglijk arrogant te zijn. Maar dat is hij niet. In plaats daarvan is hij bescheiden, makkelijk in de omgang en attent.

Desondanks voel ik me om de een of andere reden niet op mijn gemak bij hem – misschien omdat we bijna niets gemeen hebben, behalve Margot. Gelukkig heb ik dit nooit aan haar opgebiecht toen ze net een relatie kregen – waarschijnlijk omdat ik al direct vermoedde dat hij 'de Ware' was. Het was voor het eerst dat ik Margot onbezorgd tot over haar oren verliefd had gezien, voor het eerst dat zij iemand net zo leuk vond – of zelfs nog leuker – dan andersom. Ik besprak het onderwerp ook niet met Andy, misschien omdat hij zo'n enorme fan van Webb leek te zijn, en misschien omdat ik niet zo goed wist wat ik niet leuk aan hem vond.

Maar ik heb wel een keer aan mijn zus opgebiecht hoe ik over hem dacht, kort voor Margots bruiloft, toen ik een keer een weekend in Pittsburgh was. We zaten te lunchen bij Eat'n Park, onze favoriete hangplek toen we op de middelbare school zaten, en nog steeds om sentimentele redenen onze vaste keuze als ik in Pittsburgh ben. Bij ieder tafeltje horen meerdere herinneringen, en we kozen de tafel die het dichtst bij de deur was, en die herinneringen opriep aan haar eindexamenetentje met een gozer die nu in de bak zit voor het een of ander, de avond dat mijn vader spontaan een bloedneus kreeg (waarvan we eerst allemaal dachten dat het ketchup was) en de keer dat ik vijf chili hot dogs at voor een weddenschap. Terwijl Suzanne en ik onze dubbele hamburger opleukten met een heel scala aan sauzen en andere smaakmakers, informeerde ze naar Margots bruiloft met een zekere minachting die ik altijd meende te bespeuren als ze het over de Grahams had – minachting die, naar mijn mening, zowel ongerechtvaardigd als een tikje kleinzielig was. Maar ondanks haar toon kon ik ook horen dat Suzanne gefascineerd was door Margot op dezelfde schaamteloze en oppervlakkige manier waarop we vroeger gefascineerd waren door Luke en Laura uit *General Hospital* en Bo en Hope uit *Days of our lives*.

'Dit is zó stupide,' zei Suzanne altijd als we naar de stellen uit onze favoriete soaps zaten te kijken. Dan rolde ze met haar ogen en wees ze op alle onwaarschijnlijkheden en inconsequenties van de romances op het scherm, maar toch zat ze aan de buis gekluisterd, hunkerend naar meer.

Op dezelfde manier wilde Suzanne nu, onder het genot van een hamburger, alle details weten over Margots naderende bruiloft, speurend naar potentiële drama's.

'Dat was een korte verloving, vind je niet?' vroeg ze met opgetrokken wenkbrauwen. 'Zou ze misschien zwanger zijn?'

Ik schudde lachend mijn hoofd.

'Waarom dan die haast?'

'Ze zijn verliefd,' zei ik, bij mezelf denkend dat hun hele verlovingstijd een sprookje was geweest, inclusief de korte duur ervan. Ze hadden zich nog eerder verloofd dan Andy en ik, ondanks het feit dat Andy en ik al langer verkering hadden.

'Hoe groot is de ring?' vroeg ze, een tikje kritisch.

'Gigantisch,' zei ik. 'Kleurloos, volmaakt.'

Suzanne liet dit even op zich inwerken en zei: 'Wat is Webb eigenlijk voor rare naam?'

'Een familienaam. Afkorting van Webster.'

'Zoals in de tv-serie,' zei ze lachend.

'Precies,' zei ik.

'Vind je hem aardig?' vroeg ze.

Gezien haar stemming overwoog ik te liegen en te antwoorden met een volmondig ja, maar ik kan gewoon nooit liegen tegen Suzanne. In plaats daarvan vertelde ik haar dus de waarheid – dat hij weliswaar de ideale man leek, maar dat ik niet helemaal wild was van het idee dat Margot met hem ging trouwen. Ik voelde me egoïstisch en onaardig na deze bekentenis, en des te meer toen Suzanne informeerde: 'Waarom? Laat ze je stikken voor hem?'

'Nee. Nooit,' zei ik, hetgeen de waarheid was. 'Zo is ze niet.'

'Wat is dan het probleem?...Vind je hem intimiderend?'

'Nee,' zei ik vlug, en ik voelde dat ik in de verdediging schoot. Ik hield van mijn zus, maar dit was geen ongewone dynamiek tussen ons sinds ik naar New York was verhuisd en zij was achtergebleven in onze geboortestad. Zij ging subtiel in de aanval, en ik schoot subtiel in de verdediging. Het was bijna alsof ze het me kwalijk nam dat ik Pittsburgh voorgoed had verlaten. Of erger nog: alsof ze veronderstelde dat ik me superieur voelde – wat absoluut niet waar was. In alle belangrijke opzichten voelde ik me nog precies dezelfde persoon die ik altijd was geweest. Ik maakte alleen meer mee. Ik had een vernisje van gesofisticeerdheid en levenservaring dat je krijgt van het wonen in een grote stad en, als ik eerlijk ben, van het verkeren in de kringen van de Grahams. 'Intimiderend in welke zin?'

'Ik weet het niet. Zijn uiterlijk? Zijn geld? Zijn gelikte manier van doen?'

'Hij is niet echt gelikt,' zei ik, terwijl ik me probeerde voor de geest te halen wat ik Suzanne in het verleden over Webb had verteld. Ze had een feilloos geheugen – dat ze vaak tegen me gebruikte. 'Hij is eigenlijk heel gewoon.'

'Een gewone multimiljonair, hm?' zei ze.

'Nou, ja, eigenlijk wel,' zei ik, bij mezelf denkend dat ik inmiddels wel had geleerd dat je mensen met geld niet allemaal over een kam kon scheren. Rijke mensen had je, net als arme mensen, in allerlei soorten en maten. Sommigen werkten hard, anderen waren lui. Sommigen waren nieuwe rijken, anderen waren geboren met een gouden lepel in hun mond. Sommigen bescheiden en ingetogen, sommigen pretentieuze opscheppers. Maar Suzannes kijk op dit soort dingen had zich nooit verder ontwikkeld sinds de tijd dat we naar *Dallas* en *Dynasty* en *Love Boat* keken (mijn zus en ik keken erg veel tv in onze jeugd, in tegenstelling tot Andy en Margot, die een maximum van een half uur per dag kregen opgelegd). Voor Suzanne was iedere 'rijke' (een term die ze neerbuigend gebruikte) hetzelfde: egoïstisch, zonder ruggengraat, en waarschijnlijk 'een leugenachtige slang van een Republikein'.

'Oké,' zei ze. 'Misschien ben je dan gewoon geïntimideerd door het feit dat hij thuishoort in Margots wereld, en jij... niet.'

Ik vond het een onaangename en bekrompen opmerking, en dat zei ik ook tegen haar. Ik vertelde haar dat ik al lang en breed over dergelijke onvolwassen onzekerheden heen was, en dat de intimidatiefactor al sinds mijn studententijd geen rol meer speelde, vanaf het moment dat Margot bij een studentenvereniging was gegaan en was meegezogen in een zee van blonde, BMW-rijdende debutantes, en ik ten onrechte had gevreesd dat dit ten koste zou gaan van onze vriendschap. Bovendien, zo zei ik tegen mijn zus, was het duidelijk dat ik wel degelijk thuishoorde in Margots wereld. Ze was mijn beste vriendin en huisgenote. En ik zou nota bene naar alle waarschijnlijkheid met haar broer gaan trouwen.

'Oké. Het spijt me,' zei Suzanne op een toon die klonk alsof het haar helemaal niet speet. Ze haalde haar schouders op en nam een hap van haar hamburger. Ze kauwde en slikte bedachtzaam, nam een grote slok cola door haar rietje en zei met een mengeling van ergernis en sarcasme: 'Het was maar een theorie. Vergeef het me, alsjeblieft.'

Ik vergaf het haar, aangezien ik nooit lang boos kon blijven op Suzanne – maar ons gesprek zou me nog lang bijblijven. Sterker nog, de volgende keer dat Andy en ik uit eten gingen met Webb en Margot, was ik als de dood dat mijn zus gelijk had. Misschien was ik inderdaad de vreemde eend in de bijt. Misschien zou Margot uiteindelijk inzien hoe verschillend we waren en zou Webb haar definitief van me afpakken. Misschien was Webb in werkelijkheid wel een elitaire snob, en wist hij het gewoon goed te verbergen.

Maar naarmate de avond vorderde, en ik hem en zijn manier van doen aandachtig bestudeerde, besloot ik dat Suzanne er werkelijk naast zat. Er was helemaal niets onaangenaam aan Webb. Hij was werkelijk een aardige kerel. Er was gewoon sprake van een onverklaarbaar ontbreken van een klik tussen ons. Webb gaf me hetzelfde gevoel dat ik als kind had als ik bij een vriendinnetje logeerde en een rare geur bespeurde in hun kelder, of een onbekend merk ontbijtgranen in hun kast. Ik vond hem niet intimiderend, ik vond hem niet aanstootgevend, ik had geen enkele bedenking over hem als het ging om Margot. Hij bezorgde me gewoon een vaag gevoel van... heimwee. Maar waarnaar, dat wist ik niet precies.

Desondanks was ik vastbesloten om in elk geval een oppervlakkige band met Webb te krijgen. Of op zijn minst het stadium te bereiken waarbij we samen in een kamer konden zijn zonder dat ik me ongemakkelijk voelde en wanhopig zat te wachten tot er een derde partij terug zou keren.

Dus als Margot de telefoon nu doorgeeft aan Webb, en hij een zelfverzekerd: 'Hé daar,' in de hoorn bast, krik ik mijn eigen volume op tot het niveau van zijn uitbundigheid en geef hem een enthousiast 'Gefeliciteerd! Ik ben zo blij voor jullie!'

'We zijn zelf ook heel blij... sinds vijfenveertig seconden! Die vriendin van je laat er geen gras over groeien, hè?'

Ik lach en vraag me af of hij onze permanente, open telefoonverbinding en ons voornemen om elkaar minstens een keer in de maand op te zoeken irritant of juist amusant vindt. Dan zeg ik: 'Ik verheug me erop om jullie volgend weekend te zien. Dan gaan we het vieren.'

'Ja, het wordt vast gezellig,' zegt hij. 'En jij, Andy en ik zullen ons moeten opofferen en ook voor Margot moeten drinken.'

Ik grinnik geforceerd en zeg dat we dat inderdaad zullen moeten doen. Dan geeft Webb de telefoon weer terug aan Margot, en ze zegt dat ze van me houdt. Ik zeg dat ik ook van haar houd. Andy zegt tegen me dat ik tegen haar moet zeggen dat hij van haar houdt. En we zeggen allebei dat we van de baby die op komst is houden. Dan hang ik op en ga weer liggen naast Andy. We liggen met onze gezichten naar elkaar. Onze voeten raken elkaar. Zijn hand rust op mijn heup, net onder mijn oversized T-shirt. We glimlachen naar elkaar maar zeggen niets, allebei bezig het grote nieuws te verwerken. Nieuws dat veel groter voelt dan, laten we zeggen, een ex-vriendje tegen het lijf lopen in de stad.

En dus word ik, voor de allereerste keer sinds ik dat kruispunt in de stad heb verlaten, overspoeld door een soort toekomstperspectief. Een toekomstperspectief dat niet is ingegeven door seks. Of door een gezellig avondje uit. Of door een nacht slapen naast mijn aanbiddelijke echtgenoot en om de zoveel uur wakker worden om zijn geruststellende, regelmatige ademhaling te horen. Leo heeft geen plaats in dit moment, denk ik bij mezelf. Hij maakt geen deel uit van Andy's familie. Onze familie.

'Wil jij er ook een?' vraagt Andy, terwijl zijn hand naar mijn rug glijdt en me daar zachtjes begint te masseren.

'Een wat?' vraag ik, ook al weet ik best wat hij bedoelt.

'Een baby,' zegt hij. 'Ik weet dat Margot en jij graag dingen samen doen.'

Ik kan niet horen of hij een grapje maakt of dat hij me een voorstel doet of dat hij het theoretisch bedoelt, dus ik mompel alleen maar: 'In de toekomst.'

Andy's hand gaat steeds langzamer bewegen en blijft uiteindelijk stil liggen. Dan doet hij zijn ogen dicht om nog een paar minuten te slapen, terwijl ik naar zijn trillende oogleden kijk en me een voorstelling probeer te maken van de toekomst, elke dag, met Andy.

zeven

In de daaropvolgende week verdwijnt de gedachte aan Leo bijna helemaal naar de achtergrond, iets wat ik toeschrijf aan mijn genoeglijke leven met Andy, Margots opwindende nieuws en misschien bovenal mijn werk. Het is verbluffend wat een productieve, voldoening schenkende werkweek kan doen voor je psyche, en ik prijs mezelf buitengewoon gelukkig (of zoals Margot zou zeggen: gezegend, om maar eens een leuke, spirituele draai te geven aan de oorsprong van geluk) dat ik werk heb waar ik me heerlijk in kan verliezen. Ik heb wel eens gelezen dat je weet dat je je roeping hebt gevonden als de tijd vliegt wanneer je aan het werk bent, en hoewel dit voor mij niet elke dag het geval is, ken ik dat gevoel van ergens helemaal in opgaan maar al te goed.

Ik ben tegenwoordig eigenaar van mijn eigen eenvrouwszaak, en werk als freelance fotografe. Ik heb een agent die opdrachten voor me boekt – variërend van reclamecampagnes voor astronomische bedragen, soms wel een paar duizend dollar voor een of twee dagen werken, tot kleinere, redactionele opdrachten, die ik eigenlijk vanuit creatief oogpunt veel leuker vind.

Portretfotografie vind ik nog het allerleukste – misschien wel omdat ik niet zo'n extrovert type ben. Ik leg niet makkelijk contact met vreemden, hoewel ik wel graag zou willen dat ik dat kon, en om een portretfoto van iemand te maken, móét ik wel die diepte ingaan. Ik vind het leuk om iemand te ontmoeten voor een ontspannen middag en elkaar beter te leren kennen onder het genot van een lunch of een kop koffie, om vervolgens aan de slag te gaan. Ik houd van het proces van gissen en missen, van het experimenteren met verschillende posities en belichtingen tot het helemaal naar mijn zin is. Er is niets wat meer voldoening geeft dan het vastleggen van dat ene, volmaakte beeld. Mijn interpretatie van een andere ziel. Ik houd ook van de gevarieerdheid van het werk. Het fotograferen van een ondernemer voor *Business Week*, bijvoorbeeld, voelt heel anders dan foto's maken voor een artikel in het *New York Times* lifestyle-katern of een reportage in een glossy tijdschrift als *Town & Country*, en de mensen die ik fotografeer zijn net zo verschillend als de opdrachtgevers. In de afgelopen weken heb ik een bestsellerauteur, de cast van een arthouse-film, een jonge, talentvolle basketballer en zijn legendarische coach, en een chef-pâtissier in spe gehad.

Kortom: ik heb een lange, lange weg afgelegd sinds de tijd dat ik filmrolletjes ontwikkelde op Second Avenue, en het enige wat ik nog steeds jammer vind aan mijn ontmoeting met Leo – afgezien van het feit dat die ontmoeting überhaupt heeft plaatsgevonden – is dat ik niet de kans heb gehad om hem te vertellen over mijn carrière. Uiteraard vind ik het belangrijker dat hij weet van Andy dan van mijn werk, maar het allerliefste zou ik willen dat hij het allebei wist. Aan de andere kant weet hij misschien meer dan hij heeft laten doorschemeren. Misschien heeft hij mijn website al gevonden of is hij per toeval op een van mijn prominentere projecten gestuit, en is dat de reden dat hij niet naar mijn werk heeft geïnformeerd. Ik heb zelf immers schaapachtig gespeurd naar artikelen van zijn hand, en ze gelezen met een bizarre mengeling van afstandelijkheid en belangstelling, trots en minachting. Het is een kwestie van nieuwsgierigheid – en iedereen die zegt dat-ie totaal geen belangstelling heeft voor de bezigheden van zijn of haar belangrijkste ex, is naar mijn idee een leugenaar of mist een zekere emotionele diepgang. Ik zeg niet dat het gezond is om geobsedeerd te zijn door het verleden, en alle details van iedere ex uit te vlooien. Maar het is niet meer dan menselijk om een incidentele, vluchtige belangstelling te hebben voor iemand van wie je ooit hebt gehouden.

Dus ervan uitgaande dat Leo inderdaad op mijn website of mijn werk is gestuit, hoop ik dat hij daaruit concludeert dat onze breuk een katalysator is geweest in mijn leven – een springplank naar grotere en betere dingen. In sommige opzichten zou hij daarin wel eens gelijk kunnen hebben, hoewel ik niet denk dat je de schuld voor je eigen gebrek aan ambitie volledig bij iemand anders kunt leggen – hetgeen zeer zeker een trend was tijdens onze relatie.

Tot op de dag van vandaag krimp ik ineen als ik eraan terugdenk hoe gezapig ik werd op carrièregebied in de tijd dat Leo en ik samen waren. Mijn liefde voor fotografie is nooit helemaal verdwenen, maar ik was er wel veel minder mee bezig – zoals alles in mijn leven ondergeschikt werd aan onze relatie. Leo was het enige waar ik aan kon denken, het enige wat ik wilde doen. Ik was zo volledig vervuld van hem dat ik gewoonweg geen energie over had om foto's te maken. Geen tijd of zin om zelfs maar over mijn volgende stap op de carrièreladder na te denken. Ik weet nog dat ik elke ochtend de bus nam naar het fotolab, lang nadat ik alles al had geleerd wat er maar te leren viel van Quynh, en dingen tegen mezelf zei als: 'Ik hoef niet op zoek te gaan naar een andere baan. Geld is niet belangrijk voor me. Ik ben tevreden met een eenvoudig bestaan.'

Na mijn werk ging ik rechtstreeks naar Leo's huis in Queens, immer beschikbaar voor hem, om enkel naar mijn eigen appartement terug te keren als hij andere plannen had of als ik een nieuwe voorraad schone kleren nodig had. Op de weinige avonden dat we niet samen waren, ging ik soms uit met Margot en onze vriendenclub, maar ik bleef liever thuis om over Leo te dagdromen of ons volgende gezamenlijke avontuur te plannen of cassettebandjes te maken met een compilatie van liedjes die cool genoeg, intelligent genoeg, gevoelig genoeg leken voor mijn coole, intelligente, gevoelige vriendje. Ik wilde Leo zo graag plezieren, hem imponeren, ervoor zorgen dat hij mij net zo hard nodig had en liefhad als ik hem.

In eerste instantie leek het te werken. Leo was net zo smoor-
verliefd als ik, maar dan op een minder sentimentele mannen-
manier. Hij liet zijn werk nooit helemaal versloffen, zoals ik
deed, maar hij was ook al wat ouder, en was al bezig carrière te
maken, hetgeen belangrijke opdrachten en harde deadlines met
zich meebracht. Hij deelde zijn beroepsleven echter wel met me,
en sleepte me mee naar zijn interviews of nam me in het weekend mee naar zijn kantoor, waar ik zijn administratie voor hem
deed of simpelweg naar hem zat te kijken terwijl hij zijn verhalen typte (of me verleidde op zijn bureau). En hij was net als ik
bereid om zijn familie en vrienden te verwaarlozen, er de voorkeur aan gevend om zijn tijd alleen met mij door te brengen, met
zijn tweetjes.

Zo ging het maandenlang, en het voelde heerlijk, magisch. We
raakten nooit uitgepraat. Ieder afscheid werd eindeloos gerekt,
of het nou aan de telefoon was of persoonlijk, alsof het misschien wel de allerlaatste keer was dat we elkaar zouden spreken. We offerden slaap op voor gesprekken, elkaar eindeloos
vragen stellend over onze respectievelijke verledens. Geen enkel
detail uit onze kinderjaren was te triviaal, hetgeen altijd een onmiskenbaar teken is dat iemand verliefd is – of op zijn minst geobsedeerd. Leo haalde zelfs een foto van mij, zes jaar oud en
voortandloos, uit een album in mijn slaapkamer. 'Wat een schatje,' was zijn commentaar, en het kiekje kreeg een plaats op het
prikbord in zijn keuken.

Ik gaf me helemaal bloot aan hem, hield niks voor hem geheim,
had geen verdedigingsmechanisme paraat. Ik onthulde al mijn
onzekerheden, van onbelangrijke maar gênante dingen – dat ik
bijvoorbeeld altijd een hekel heb gehad aan mijn knieën – tot diepere kwesties – bijvoorbeeld dat ik me soms inferieur voelde aan
Margot en onze andere bereisde, welgestelde vrienden in de stad.
Het allerbelangrijkste echter, was dat ik hem over mijn moeder
vertelde, inclusief ongecensureerde details over haar dood waar
ik nog nooit eerder met iemand over had gepraat. Dat ze er zo
uitgemergeld uitzag dat het beelden van de Holocaust opriep.
Dat ik had gezien hoe mijn vader met zijn hand haar keel schoon-

maakte op een avond dat ze letterlijk geen lucht kreeg – een beeld dat me tot op de dag van vandaag niet meer loslaat. Dat ik op een gegeven moment zelfs bad dat het einde snel zou komen – en niet alleen om haar uit haar lijden te verlossen, maar ook omdat ik wilde dat de wijkverpleegkundigen en de geur van ziekte uit ons huis zouden verdwijnen, en dat mijn vader niet bang meer hoefde te zijn voor haar dood en niet meer telkens als ik binnenkwam zijn notitieboekje met aantekeningen voor de begrafenis hoefde te verstoppen. En hoe vreselijk schuldig ik me vervolgens voelde op het moment dat het uiteindelijk gebeurde, bijna alsof ze door mijn toedoen eerder was gestorven dan anders het geval zou zijn geweest. Ik vertelde Leo dat ik me soms bijna schaamde vanwege het feit dat ik geen moeder had, en dat het was alsof ik, ongeacht wat ik verder met mijn leven deed, altijd in een hokje gestopt zou worden, dat mensen altijd medelijden met me zouden hebben vanwege dat ene feit.

En Leo luisterde en troostte me en zei precies de goede dingen – dat ik haar weliswaar op jonge leeftijd was kwijtgeraakt, maar dat ze toch de basis had gelegd voor wie ik nu was. Dat ik mijn herinneringen aan haar altijd met me mee zou blijven dragen, en dat de leuke momenten langzaam maar zeker het einde zouden verdringen. Dat mijn beschrijvingen en verhalen zo levendig waren dat hij het gevoel had dat hij haar had gekend.

De bekentenissen waren overigens niet eenzijdig. Leo deelde zijn geheimen op zijn beurt ook met mij – voornamelijk verhalen over zijn gestoorde familie: over zijn passieve moeder, die huisvrouw was en geen enkel gevoel van eigenwaarde had, en zijn bekrompen, dominante vader wiens goedkeuring hij nooit echt wist te winnen. Hij vertelde me dat hij wou dat hij het geld had gehad om naar een grote universiteit van naam te gaan en daadwerkelijk af te studeren, en dat ook hij zich soms geïntimideerd voelde door de rijkeluiskindjes die in Manhattan de dienst uitmaakten met hun diploma's van dure scholen voor journalistiek. Ik vond het moeilijk te geloven dat zo'n geweldig iemand als Leo onzekerheden had, maar zijn kwetsbaarheid maakte alleen maar dat ik nog meer van hem ging houden.

En dan was er nog, naast al het andere, en misschien nog wel belangrijker dan al het andere, de chemie tussen ons. De lichamelijke verbondenheid. De waanzinnige, belachelijke seks die poëzie en porno tegelijk was – zo totaal anders dan alles wat ik daarvoor had gekend. Voor het eerst in mijn leven was ik helemaal niet geremd of onzeker als het ging om seks. Niets ging te ver. Er was niets wat ik niet wilde doen voor hem, bij hem, met hem. We bleven alsmaar zeggen dat het onmogelijk nog beter kon worden. Maar op de een of andere manier werd het dat wel, telkens weer.

Kortom: we waren als yin en yang, onverzadigbaar en misselijkmakend hartstochtelijk verslaafd en verliefd – zodanig dat het te mooi leek om waar te zijn. En daarom had het me dus ook niet moeten verbazen dat het inderdáád te mooi was om waar te zijn.

Ik kan niet precies zeggen wanneer het gebeurde, maar toen we ongeveer een jaar samen waren, begonnen er dingen te veranderen. Er gebeurde niks dramatisch – geen verwijdering vanwege een of andere levenskwestie, geen grote ruzie met akelige woorden die niet meer teruggenomen konden worden. Er was niemand die loog of bedroog of naar de andere kant van het land verhuisde of een ultimatum stelde voor de volgende fase. In plaats daarvan was er enkel een verschuiving waar ik niet zo goed mijn vinger op kon leggen, een subtiele verandering in de machtsverhoudingen. Zo subtiel zelfs, dat ik een tijd lang dacht dat ik spoken zag – maar na een poosje wist ik dat ik het me niet verbeeldde. Leo hield nog steeds van me; hij zei dat het zo was, en hij zou die woorden nooit uitspreken als hij ze niet meende. Maar onze gevoelens raakten beslist uit balans. Misschien maar een heel klein beetje, maar dat is het probleem met liefde – zelfs minimale verschillen zijn goed merkbaar, en af te lezen aan kleine maar onmiskenbare gedragsveranderingen. Kleine dingetjes, zoals bijvoorbeeld dat hij me niet meteen terugbelde, maar pas een paar uur later, of soms wel een hele dag later. Hij ging weer regelmatig stappen met zijn vrienden, en hij ging bij een ijshockeyteam dat speelde op zaterdagavond. We begonnen 's avonds tv te kijken in plaats van gewoon te praten, en soms was hij te moe voor seks, iets wat ondenkbaar was geweest in het begin van onze relatie, toen hij me vaak midden in de nacht wakker maakte om me overal aan te raken. En áls we vrijden, was er na afloop maar al te vaak een gevoel van afstand. Een soort verwijdering als hij bij me vandaan rolde of voor zich uit staarde, verdiept in zijn eigen, persoonlijke gedachten, een andere mysterieuze plek.

'Waar denk je aan?' vroeg ik dan, een vraag die we over en weer tot vervelens toe stelden, en waarop de ander altijd tot in de kleinste details antwoord gaf. Een vraag die hem nu leek te irriteren.

'Niets,' snauwde hij dan.

'Niets?' zei ik dan, bij mezelf denkend dat dat onmogelijk is. Je denkt altijd íéts.

'Ja, Ellen. Niets,' zei hij dan terwijl ik paniekerig registreerde dat hij niet zijn gebruikelijke koosnaampje, Ellie, gebruikte. 'Soms denk ik wel eens gewoon niets.'

'Oké,' zei ik dan, vastbesloten om hem zijn ruimte te geven of me nergens druk over te maken, terwijl ik ondertussen onophoudelijk en hardnekkig alles wat hij deed analyseerde en druk aan het speculeren was over wat er scheelde. Werkte ik hem op zijn zenuwen? Voldeed ik niet aan zijn ideaalbeeld? Had hij nog steeds gevoelens voor zijn ex-vriendin, een Israëlische kunstenares die zes jaar ouder was dan hij (hetgeen haar twaalf keer zo ervaren maakte als ik)? Was ik net zo goed in bed als zij? Hield hij net zoveel van mij als hij ooit van haar had gehouden – en belangrijker nog, hield hij nog net zoveel van mij als hij ooit van mij had gehouden?

In eerste instantie waren deze vragen allemaal innerlijke vraagstukken, maar geleidelijk aan kwamen ze naar de oppervlakte, soms midden in een felle ruzie, andere keren als ik gefrustreerd in huilen uitbarstte. Ik verlangde zekerheden, vuurde vragen af, ik dreef hem in het nauw, begon ruzies over alles en niets. Op een avond, toen ik alleen was in zijn appartement, neusde ik zelfs in zijn lades en las een paar pagina's uit zijn dagboek – het heilige boek vol met kaartjes en krantenknipsels, foto's en overdenkingen. Een boek dat hij overal mee naartoe nam en dat me elke keer dat hij het opensloeg, vervulde van liefde voor hem. Het was een enorme vergissing – niet vanwege wat ik vond of niet vond, maar omdat ik er een akelige, holle pijn aan overhield, een bijna vies gevoel. Zó iemand was ik nu dus, zo'n soort stel waren we nu. Ik probeerde het uit mijn hoofd te zetten en het achter me te laten, maar ik kon gewoonweg niet leven met wat ik had gedaan – met waar hij me toe had gedréven. Dus een paar dagen later stortte ik in en biechtte alles op, wat leidde tot een knetterende ruzie waarin ik hem zover kreeg dat hij toegaf dat hij dacht dat hij zich nooit permanent zou kunnen binden. Aan mij. Aan wie dan ook.

'Waarom niet?' vroeg ik, kapot van verdriet en frustratie.

'Het huwelijk is gewoon niks voor mij,' zei hij, nonchalant zijn schouders ophalend.

'Waarom niet?' drong ik aan. Altijd maar aandringen.

Hij zuchtte en zei dat het huwelijk in wezen een contract was tussen twee mensen – en contracten worden getekend als twee mensen elkaar niet helemaal vertrouwen. 'En dat doe jij dus duidelijk ook niet,' zei hij, mij alle schuld in de schoenen schuivend.

Ik bood mijn excuses aan en huilde en zei tegen hem dat ik hem natuurlijk wel vertrouwde en dat ik geen idee had wat me had bezield en dat ik trouwen niet belangrijk vond, maar dat ik gewoon bij hem wilde zijn, voor altijd.

Zijn gezicht kreeg een staalharde uitdrukking, en hij zei: 'Ik ben negenentwintig. Ik wil niet praten in termen van voor altijd.'

'Oké,' zei ik, en ik voelde een soort beginnende kruiperigheid ontstaan. 'Het spijt me.'

Hij knikte en zei: 'Oké. Zullen we het er maar gewoon niet meer over hebben?'

Ik knikte ook en deed alsof ik gesust was. Een paar minuten later lagen we te vrijen, en ik overtuigde mezelf ervan dat alles wel goed zou komen. We maakten gewoon een moeilijke periode door, het waren groeipijnen, en ik moest geduld hebben, mee veren, de dalen op de koop toe nemen. Ik hield mezelf voor dat liefde soms een uitputtingsoorlog is, en dat ik met pure wilskracht onze problemen kon oplossen, genoeg van hem kon houden voor ons allebei.

Maar een paar dagen later kregen we onze allerlaatste ruzie, die alleen voor wat betreft de datum dramatisch was: het was oudejaarsavond van het nieuwe millennium.

'Oudejaarsavond is zo burgerlijk,' hield Leo al wekenlang vol, elke keer dat ik hem smeekte om mee te gaan naar het feestje waarvan ik Margot had beloofd dat ik het zou bijwonen. 'Je weet dat ik een hekel heb aan dat soort dingen. En deze millennium-hype is ondraaglijk. Het is gewoon een jaarwisseling als alle andere.'

'Ga alsjeblieft mee,' zei ik. 'Het is belangrijk voor Margot.'

'Laat Margot dan lekker helemaal uit haar dak gaan op dat feest.'

'Het is belangrijk voor míj.'

Ik onderhandelde, smeekte. 'Dan gaan we gewoon maar heel even. Een uurtje of twee. En dan gaan we daarna naar huis.'

'We zullen wel zien,' capituleerde hij uiteindelijk – een antwoord dat bijna altijd nee betekent.

Maar op de bewuste avond klampte ik me vast aan het vertrouwen dat hij me zou verrassen en toch zou komen opdagen. Ik stelde me een nevelige scène voor met licht van achteren. Onze ogen die elkaar ontmoetten en de menigte die uiteen week op het moment dat hij mijn lippen vond, om klokslag middernacht. Net als in *When Harry met Sally*. Ik stond de hele avond naar de klok en naar de deur te kijken, en voelde me over het algemeen terneergeslagen maar toch hoopvol. Totdat het een minuut voor twaalf werd en ik alleen in een hoekje stond, luisterend naar de opzwepende remix van '1999' van Prince, en daarna het misselijkmakende aftellen van de laatste tien seconden. Daar trof een dronken, giechelige Margot me een paar minuten later aan. Ze omhelsde me stevig, riep brallend dat ze zoveel van me hield en dat we zoveel hadden om naar uit te kijken. Maar vervolgens ging ze weer terug naar haar eigen date en ging ik alleen naar huis, waar ik ging slapen met mijn telefoon naast mijn kussen, wachtend en zelfs biddend.

Maar Leo belde die avond niet meer. En de volgende ochtend evenmin. Rond het middaguur, toen ik het niet meer uithield, nam ik de metro naar zijn appartement. Hij was thuis en zat de krant te lezen en naar MTV te kijken.

'Je bent niet gekomen,' zei ik, pathetisch en tegen beter weten in.

'Het spijt me,' zei hij, maar hij klonk allesbehalve alsof het hem speet. 'Ik was het wel van plan. Ik ben rond half elf in slaap gevallen.'

'Ik was helemaal alleen om middernacht,' zei ik, verontwaardigd en vol zelfmedelijden.

'Ik ook,' antwoordde hij lachend.

'Het is niet grappig,' zei ik, nu meer boos dan gekwetst.

'Moet je horen, ik heb niet beloofd dat ik zou komen,' zei hij geagiteerd.

Ik bond onmiddellijk in, keek met mijn hoofd op zijn schouder met hem naar een voetbalwedstrijd op tv, en vervolgens aten we Griekse omeletten – Leo's specialiteit – gevolgd door seks op de bank. Maar toen hij na afloop abrupt opstond en zei dat hij weg moest om aan een verhaal te gaan werken, raakte ik weer helemaal overstuur.

'Het is nieuwjaarsdag,' jammerde ik, de klank van mijn eigen stem verafschuwend.

'Ik heb nog steeds deadlines,' antwoordde hij op effen toon.

Ik keek naar hem, een en al verbitterde verontwaardiging en wanhopig verdriet, en toen deed ik mijn mond open en sprak die beruchte woorden.

'Dit werkt niet,' zei ik, diep vanbinnen gelovend dat ik hem alleen maar uit zijn tent wilde lokken, de grens wilde opzoeken, een andere tactiek wilde proberen om hem weer aan me te binden. 'Ik denk dat we er beter een punt achter kunnen zetten.'

Ik verwachtte weerstand, een ruzie, op zijn minst een stevige discussie. Maar in plaats daarvan beaamde Leo direct dat ik gelijk had. Hij deed het op een tedere manier, bijna liefdevol, zodat ik me nog ellendiger voelde dan wanneer hij boos had gereageerd. Hij sloeg zijn armen om me heen, zijn opluchting bijna voelbaar.

Ik had geen andere keus dan erin mee te gaan. Het was per slot van rekening mijn eigen voorstel geweest.

'Dag, Leo,' zei ik, en ik klonk veel dapperder dan ik me voelde.

'Dag, Ellen,' zei hij, en hij had nog het fatsoen om verdriet te veinzen.

Ik aarzelde, maar ik wist dat er geen weg terug meer was. Dus verliet ik zijn appartement, in shock, en nam een taxi naar huis in plaats van de metro.

Toen ik mijn appartement binnenstapte, zat Margot in de woonkamer een tijdschrift te lezen. 'Gaat het wel goed met je?' vroeg ze.

Ik zei tegen haar dat ik het niet wist.

'Wat is er gebeurd?'

'We hebben er een punt achter gezet.'

Ik overwoog of ik nog meer zou zeggen en alle onaangename details zou opbiechten, maar ik voelde dat ik dichtklapte, als een oester, en in de verdediging schoot.

'Wat erg voor je,' zei ze. 'Wil je erover praten?'

Ik schudde mijn hoofd en zei: 'Ik weet het niet... Het is heel erg... ingewikkeld.'

En het voelde ook ingewikkeld, zoals iedere breuk ingewikkeld voelt als je er middenin zit. Terwijl de wrede werkelijkheid in feite meestal heel simpel is. En het gaat ongeveer zo: een persoon houdt op met houden van de ander – of hij realiseert zich simpelweg dat hij eigenlijk nooit echt van de ander heeft gehouden en zou willen dat hij die woorden terug kon nemen, die belofte vanuit het hart. Achteraf zie ik wel dat dat waarschijnlijk het geval was bij Leo en mij – de simpelste verklaring is vaak de juiste, zei mijn moeder vroeger altijd tegen me. Maar destijds geloofde ik niet dat dat het geval zou kunnen zijn.

In plaats daarvan hoopte ik wat alle vrouwen in zo'n situatie hopen: dat hij van gedachten zou veranderen, tot inkeer zou komen, dat hij zich zou realiseren wat hij had met mij en tot de ontdekking zou komen dat ik onmisbaar voor hem was. Ik dacht alsmaar – en dat zei ik ook hardop tegen Margot en mijn zus – 'Niemand zal ooit van hem houden zoals ik van hem houd,' iets waarvan ik nu inzie dat het allesbehalve een aanbeveling is voor een man. Voor om het even wie.

Erger nog, de akelige volkswijsheid 'liefhebben is loslaten' spookte alsmaar door mijn hoofd. Ik haalde me de gelamineerde versie op posterformaat van deze spreuk voor de geest, die mijn zus in haar middelbareschooltijd in haar slaapkamer ophing na een buitengewoon pijnlijke breuk. De woorden stonden geschreven in paarse letters in oprechte-deelneming-stijl, compleet met arend in vlucht en bergtoppanorama. Ik weet nog dat ik bij mezelf dacht dat een arend van zijn levensdagen niet uit vrije wil terugkeert in gevangenschap.

'Vergis je niet, hij is überhaupt nooit van jou geweest,' wilde ik altijd tegen Suzanne zeggen.

Maar nu – nu was Leo die arend. En ik wist zeker dat hij de enige uitzondering zou zijn op de regel. De enige vogel die terug zou keren.

Dus ik wachtte stoïcijns, me wanhopig vastklampend aan de gedachte dat onze breuk slechts van tijdelijke aard was. En, ongelofelijk maar waar, mijn gevoelens voor Leo werden er alleen maar sterker op na de breuk. Als ik geobsedeerd was door Leo toen we nog samen waren, dan verdronk ik in hem nu het voorbij was. Ik was elke minuut van de dag met hem bezig terwijl ik een cliché werd van de vrouw met een gebroken hart. Ik kwelde mezelf met zijn oude berichten op mijn antwoordapparaat en trieste, verbitterde liedjes als 'The last day of our acquaintance' van Sinead O'Connor. Ik zwolg in bed en barstte in tranen uit op de meest onverwachte en onhandige momenten. Ik schreef en herschreef lange brieven aan hem waarvan ik wist dat ik ze nooit zou versturen. Ik verwaarloosde mijn uiterlijk volkomen (tenzij je zielige zwelgsessies bij kaarslicht in de badkuip meerekent) en jojode tussen helemaal niets eten en me volproppen met ijs, Doritos, en het ultieme cliché, chocola.

Zelfs in mijn slaap kon ik niet aan Leo ontsnappen. Voor het eerst in mijn leven herinnerde ik me levendige details van mijn dromen, dromen die altijd over hem gingen, over ons. Soms waren het akelige dromen over bijna-missers en slechte communicatie en zijn kille, langzame verwijdering. Maar soms waren het fantastische dromen – Leo en ik die de tijd verdreven in rokerige cafés of die woest en zwetend de liefde bedreven in zijn bed – en in sommige opzichten waren die fijne dromen nog pijnlijker dan de nachtmerries. Dan werd ik wakker en dacht ik een paar vluchtige seconden lang dat we weer bij elkaar waren. Dat de breuk de droom was en dat ik alleen maar mijn ogen open hoefde te doen om hem naast me in bed aan te treffen. In plaats daarvan kwam de harde realiteit dan weer om de hoek kijken. Leo ging verder met zijn leven zonder mij, en ik was alleen.

Na weken, misschien wel maanden, van dit soort melodrama, greep Margot in. Het was op een zaterdag, vroeg in de avond, en ze was er zojuist voor het zesde weekend op rij niet in geslaagd om me over te halen om met haar mee te gaan stappen. Ze kwam uit haar slaapkamer en zag er stralend uit in een hippe, paarsblauwe trui, een strakke spijkerbroek en zwarte puntlaarzen. Ze had haar steile haar gekruld en een laagje glinsterend, geparfumeerd poeder aangebracht langs haar sleutelbeen.

'Je ziet er fantastisch uit,' zei ik tegen haar. 'Waar ga je naartoe?'

'Stappen met de meiden,' zei ze. 'Heb je echt geen zin om mee te gaan?'

'Echt niet,' zei ik. '*Pretty in pink* is vanavond op tv.'

Ze sloeg haar armen over elkaar en tuitte haar lippen. 'Ik weet niet waarom je zo blijft zitten kniezen. Je hebt nooit echt van hem gehouden,' zei ze ten slotte, zo achteloos alsof ze beweerde dat Harrisburg de hoofdstad is van Pennsylvania.

Ik keek haar aan alsof ze gek was. Natuurlijk hield ik van Leo. Was mijn intense verdriet niet het bewijs van diepe liefde?

Ze vervolgde: 'Het was niet meer dan begeerte, lust. Die dingen worden vaak door elkaar gehaald.'

'Het was liefde,' zei ik, bij mezelf denkend dat de lust slechts een component was van onze liefde. 'Ik houd nog steeds van hem. Ik zal áltijd van hem blijven houden.'

'Nee,' zei ze. 'Je hield alleen van het idee van liefde. En nu houd je van het idee van een gebroken hart... Je gedraagt je als een tiener met liefdesverdriet.'

Het was de ultieme klap voor een vrouw van begin twintig.

'Je vergist je,' zei ik, mijn ijskoude beker roomijs-met-brokken-chocola omklemmend.

Ze zuchtte en wierp me een doordringende, moederlijke blik toe. 'Heb je nooit gehoord dat liefde geacht wordt een beter mens van je te maken? Je naar een hoger plan te tillen?'

'Ik was een beter mens toen ik met Leo was,' zei ik, een stuk chocola opgravend. 'Hij heeft me naar een hoger plan getild.'

Ze schudde haar hoofd en begon te preken, haar zuidelijke accent geprononceerder dan anders, zoals altijd wanneer ze ergens onvermurwbaar in is. 'Je was juist helemaal niemand toen je met Leo was... Hij maakte je afhankelijk, onzeker, ruggengraatloos en eendimensionaal. Ik kende je gewoon niet meer. Volgens mij was die hele relatie... ongezond.'

'Je was gewoon jaloers,' zei ik zacht, bij mezelf denkend dat ik niet precies wist of ik bedoelde dat ze jaloers was omdat zij geen Leo had – of dat ze jaloers was omdat hij haar plaats als belangrijkste persoon in mijn leven had ingenomen. Beide theorieën leken plausibel, ondanks het feit dat ze, zoals altijd, zelf ook een vriendje had.

'Jaloers. Ik dácht het niet, Ellen.' Ze klonk zo overtuigend, zo geamuseerd haast, alleen al bij de gedachte dat ze jaloers zou zijn op wat ik had met Leo, dat mijn gezicht begon te gloeien terwijl ik dit punt verder liet voor wat het was en enkel nog een keer zei: 'Hij maakte wel degelijk een beter mens van me.'

Het was de enige keer dat we echt bijna ruzie kregen, en ondanks mijn opkomende woede, was ik ook nerveus en slaagde ik er niet in om haar in de ogen te kijken.

'O ja?' zei ze. 'Nou, als dat zo is, Ellen, laat me dan maar eens één goede foto zien die je hebt gemaakt toen je met hem was. Laat maar zien hoe hij je inspireerde. Bewijs dat ik het mis heb.'

Ik zette mijn ijs neer, bovenop haar aprilnummer van *Town & Country*, en beende naar mijn rolluikbureau in de hoek van onze woonkamer. Ik trok een la open, griste er een manilla-envelop vol met foto's uit, en legde ze met een theatraal gebaar in een waaier op onze salontafel.

Ze pakte ze op, bladerde erdoorheen met dezelfde afwezige blik als waarmee je een pak kaarten schudt tijdens een potje gedachteloos patiencen.

'Ellen,' zei ze uiteindelijk. 'Deze foto's... Ze zijn gewoon niet... zo heel goed.'

'Hoe bedoel je, ze zijn niet zo heel goed?' vroeg ik, over haar schouder mee kijkend terwijl ze de foto's van Leo bestudeerde. Een lachende Leo. Een mijmerende Leo. Een slapende Leo op zondagochtend, opgekruld naast zijn hond, Jasper. Ik voelde een steek van verlangen naar de knorrige boxer die ik eigenlijk nooit echt leuk heb gevonden.

'Oké,' zei ze uiteindelijk, stoppend bij een foto van Leo die ik de zomer daarvoor had gemaakt. Hij droeg een korte broek en een T-shirt met 'Atari' erop, achterover geleund op een bankje in Central Park, en staarde recht in de camera, naar míj. Alleen zijn ogen glimlachten.

'Neem deze nou, bijvoorbeeld,' zei ze. 'De belichting is goed. Leuke compositie, dat wel, maar hij is gewoon... een beetje saai. Hij is knap en zo, maar wat dan nog? Het is een tamelijk knappe kerel op een bankje, verder gebeurt er helemaal niets op die foto... Het is... hij is véél te gekunsteld, niet naturel.'

Ik hapte naar adem – inwendig althans. Deze belediging was misschien nog wel érger dan voor een tiener met liefdesverdriet uitgemaakt worden. 'Gekúnsteld?' zei ik, nu echt pissig.

'Ik zeg niet dat jíj gekunsteld bent,' zei ze. 'Maar híj is het beslist wel. Kijk maar naar zijn gezichtsuitdrukking... Hij is gemaakt, zelfingenomen, arrogant. Hij weet dat er een foto van hem wordt gemaakt. Hij weet dat hij aanbeden wordt. Hij is een en al "Kijk mij nou zwoel kijken." Serieus, Ellen. Ik vind deze foto verschríkkelijk. Ieder kiekje dat je in het jaar voor Leo hebt gemaakt is interessanter dan dit.'

Ze gooide de foto weer op de salontafel, waar hij met de goede kant naar boven terechtkwam. Ik keek ernaar en kon bijna, bíjna, zien wat ze bedoelde. Ik voelde een steek van iets wat wel schaamte leek, vergelijkbaar met wat ik voelde toen ik mijn tenenkrommende haiku's uit mijn middelbareschooltijd over de branding op Jersey Shore later terug las. Haiku's die ik ooit vol trots instuurde naar een literair tijdschrift – en ik was dan ook oprecht verbijsterd toen de afwijzingen kwamen over de post. Margot en ik staarden elkaar een hele tijd aan. Het was waarschijnlijk het meest ingrijpende, meest oprechte moment van onze vriendschap, en op dat moment hield ik van haar en haatte ik haar tegelijk. Zij was uiteindelijk degene die de stilte verbrak.

'Ik weet dat het pijn doet, Ellen... Maar het is tijd om verder te gaan met je leven,' zei ze, met kordate bewegingen een nette stapel makend van de foto's om ze vervolgens weer terug te doen in de envelop. Kennelijk was Leo de energie die ervoor nodig was om zijn gezicht doormidden te scheuren niet meer waard.

'Hoe moet ik dat dan doen?' vroeg ik zacht. Het was geen retorische vraag – ik wilde wérkelijk weten wat ik nou precies geacht werd te doen en hoe ik dat moest aanpakken.

Ze dacht even na en gaf me toen instructies. 'Vanavond mag je nog in je joggingpak op de bank hangen met Molly Ringwald. Maar morgenochtend sta je op en ga je uitgebreid onder de douche. Je föhnt je haar, doet wat make-up op. Vervolgens pak je je camera en ga je weer aan de slag... Hij komt niet meer terug. Dus ga je eigen ding doen... Het is de hoogste tijd.'

Ik keek haar aan en wist dat ze gelijk had. Ik wist dat ik opnieuw op een kruispunt stond in mijn leven, en dat ik opnieuw Margots raad moest opvolgen en me op de fotografie moest storten.

Dus de volgende dag kocht ik een nieuwe camera – de beste die ik me kon veroorloven met mijn magere krediet – en schreef me in voor een cursus algemene fotografie op het New York Institute of Photography. In de loop van dat jaar leerde ik alle ins en outs van de apparatuur, alles van lenzen en filters tot flitsers, wolfraam en stroboscooplampen. Ik leerde alles over diafragma, sluitertijd en belichting, en over filmrolletjes en ISO-waarden, witbalans en histogrammen. Ik leerde de theorie over compositie, kleuren, patronen en inlijsten, plus de Gulden Snede (iets wat ik volgens mij instinctief wist) en hoe je denkbeeldige lijnen kunt gebruiken voor een krachtiger beeld. Ik had al een heleboel geleerd over afdrukken, maar ik kon mijn techniek oefenen op veel geavanceerdere apparatuur. Ik volgde een cursus portretfotografie en verdiepte me in belichting en positionering. Ik volgde cursussen productfotografie, voedselfotografie, architectuurfotografie, landschapsfotografie, en zelfs sportfotografie. Ik verdiepte me in digitale fotografie, Adobe Photoshop en leerde de taal van megapixels en chipgrootte (hetgeen in die tijd het nieuwste van het nieuwste was). Ik volgde zelfs een cursus over de zakelijke kant en de marketing van de fotografie.

Met iedere nieuwe week, iedere nieuwe techniek die ik leerde, iedere foto die ik maakte, voelde ik me een stukje beter. Deels kwam dat door het verstrijken van de tijd, een essentiële voorwaarde voor ieder emotioneel herstel. Deels kwam het echter ook doordat de ene passie geleidelijk aan de plaats innam van een andere passie. En hoewel één gebroken hart me nog geen deskundige maakt op dit gebied, geloof ik wel dat je beide dingen nodig hebt – tijd en een emotionele vervanging – voor een volledig herstel.

Toen, ongeveer negen maanden post-Leo, had ik eindelijk het gevoel dat ik er klaar voor was – in technisch én in emotioneel opzicht – om met mijn portfolio de boer op te gaan en te gaan solliciteren naar een echt assistentenbaantje. Via een vriend van een vriend hoorde ik dat een commerciële fotograaf die luisterde naar de naam Frank Brightman op zoek was naar een tweede assistent. Frank deed voornamelijk mode- en reclamefotografie, maar af en toe ook wel wat redactioneel werk. Hij had een uitgesproken filmische stijl die realisme ademde – een stijl die ik bewonderde maar waarvan ik me ook kon voorstellen dat ik haar op een dag zou kunnen evenaren, althans, een eigen interpretatie er aan geven.

Voordat ik mezelf op andere gedachten kon brengen, belde ik Frank over de vacature, en hij nodigde me uit voor een sollicitatiegesprek in zijn kleine studio in Chelsea. Ik was direct onder de indruk van Frank, en tegelijkertijd wist hij me op mijn gemak te stellen. Hij had prachtig zilvergrijs haar, onberispelijke kleding, en hij was vriendelijk en bescheiden. Zijn manier van doen had iets subtiel vrouwelijks, waardoor ik het idee kreeg dat hij homo was – iets wat op dat punt in mijn leven, als meisje uit een arbeidersstad met een conservatieve zuidelijke schoolopleiding, nog steeds voelde als een mondaine nouveauté.

Ik keek hoe Frank van zijn cappuccino dronk terwijl hij mijn amateuristische portfolio – in een album van imitatieleer – bekeek. Hij bladerde het door en mompelde goedkeurend. Toen sloeg hij het album dicht, keek me in de ogen en zei dat hij weliswaar kon zien dat ik talent had, maar dat hij de dingen niet mooier wilde maken dan ze waren – hij had al een eerste assistent en had voornamelijk een bediende nodig. Iemand die de rekeningen betaalde, koffie haalde en veel zou moeten staan wachten. 'Beslist glamourloos werk,' besloot hij.

'Dat kan ik wel,' zei ik ernstig. 'Ik heb als serveerster gewerkt. Ik ben heel goed in staan. Ik ben heel goed in koffie halen.'

Frank bleef stoïcijns en vertelde dat hij in korte tijd vier tweede assistenten had versleten. Hij zei dat ze allemaal betere papieren hadden dan ik, maar dat ze stuk voor stuk lui en onbetrouwbaar waren geweest. Toen zweeg hij even en zei dat hij kon zien dat ik anders was.

'Jij hebt iets oprechts over je,' zei hij. 'En het bevalt me wel dat je uit Pittsburgh komt. Dat is een degelijke stad zonder fratsen, Pittsburgh.'

Ik bedankte hem en schonk hem een altijd-tot-uw-dienst glimlach.

Frank glimlachte terug en zei: 'Je hebt de baan. Als je zorgt dat je er elke dag bent, stipt op tijd, dan zullen we het prima met elkaar kunnen vinden.'

En dat is precies wat ik deed. In de twee jaar die daarop volgden, was ik er elke dag. Ik deed gewillig en met veel plezier wat me werd opgedragen door Frank en zijn eerste assistent, een grillige oudere vrouw die Marguerite heette. Frank en Marguerite waren de creatieve genieën terwijl ik alle randvoorwaarden voor mijn rekening nam. Ik regelde de verzekeringspapieren voor de grotere shoots – en soms huurde ik zelfs politie in. Ik zorgde voor de gehuurde apparatuur en zette lampen en statieven op volgens Franks gedetailleerde instructies, zodat menige werkdag voor mij al bij het ochtendgloren begon. Ik laadde filmrolletjes (tegen het eind van mijn aanstelling zei Frank dat hij nog nooit iemand zo snel had zien laden, hetgeen voelde als de hoogst mogelijke lof) en deed letterlijk duizenden lichtmetingen. Kortom: ik leerde de ins en outs van de commerciële fotografie terwijl ik er meer en meer van overtuigd raakte dat ik op een dag voor mezelf zou beginnen.

En dat was het moment in mijn leven waarop Andy op mijn pad kwam.

Ze zeggen dat timing alles is, en achteraf gezien kan ik zeggen dat ik een groot aanhanger ben van deze theorie. Als Andy me eerder mee uit had gevraagd, zou ik de uitnodiging misschien als een daad van medelijden hebben beschouwd, iets wat Margot hem had opgedragen. Ik zou botweg nee hebben gezegd, en omdat Andy niet bepaald een assertief type is, zou het daar waarschijnlijk bij gebleven zijn. En belangrijker nog, ik zou geen tijd hebben gehad om er een paar betekenisloze maar o zo belangrijke flirts tussenin te proppen, die meestal maar een of twee afspraakjes duurden.

Maar als hij zijn eerste zet later had gedaan, zou ik misschien cynisch zijn geworden – een lastige opgave voor een vrouw van onder de dertig, maar eentje waartoe ik mezelf keihard in staat achtte. Of ik zou misschien al een serieuze relatie met iemand anders zijn begonnen – misschien wel iemand zoals Leo, want ze zeggen dat je over het algemeen telkens weer voor hetzelfde type valt. Of ik zou misschien te zeer door mijn werk in beslag genomen zijn geweest.

In plaats daarvan was ik optimistisch, tevreden, zelfstandig en zo gesetteld als je maar kunt zijn als je jong en single bent en in een grote stad woont. Ik dacht nog steeds veel vaker aan Leo (en 'waar het mis was gegaan') dan ik wilde toegeven – zelfs tegenover mezelf, en van de gedachte aan hem kreeg ik nog steeds een steen op mijn borst en een knoop in mijn maag. Maar ik had geleerd om te gaan met die emoties, ze een plekje te geven. De ergste pijn was gesleten met het verstrijken van de tijd, zoals dat altijd het geval is, voor iedereen. Ik zag Leo voornamelijk voor wat hij was – een verloren liefde die nooit meer terug zou komen, en dit verlies had naar mijn idee een wijzere, meer complete vrouw van me gemaakt. Met andere woorden: ik was rijp voor een nieuwe relatie, een betere man.

Ik was klaar voor Andy.

acht

Ik zal nooit het moment vergeten waarop ik erachter kwam dat Andy belangstelling voor me had als meer dan alleen maar de beste vriendin van zijn zus, en zelfs als meer dan een goede vriendin van hem. Interessant genoeg gebeurde het niet in New York, ook al zagen Margot en ik Andy vrij regelmatig, meestal als hij in de kroeg een biertje ging drinken met zijn vrienden, die het goed konden vinden met die van ons.

Nee, ik was in Atlanta, bij Margot en Andy thuis voor Thanksgiving, waar we de avond daarvoor met zijn drieën naartoe waren gevlogen. Het was royaal nadat we klaar waren met het feestmaal dat Margots moeder, Stella, had bereid (Gloria, de huishoudster van de Grahams sinds jaar en dag, had een week vrij gekregen), en de afwas was al grotendeels afgespoeld en in de vaatwasser gezet. Andy en ik waren alleen in de keuken nadat ik had aangeboden het kristal en het zilver af te wassen (en niemand had bezwaar gemaakt, waardoor ik me nog veel meer in hun midden opgenomen voelde), waarop Andy haastig had aangeboden om af te drogen – iets wat ik buitengewoon sympathiek vond in een traditionele familie waarin de mannen volledig vrijgesteld leken te zijn van huishoudelijke taken.

Ondertussen waren Margot, haar ouders en haar broer James met zijn allen naar de 'televisiekamer' gegaan om naar *The*

Shawshank Redemption te kijken. Overigens waren er nog een stuk of drie andere kamers die respectievelijk spelletjeskamer, bibliotheek en familiekamer heetten. Het was een kast van een huis, vol met antiek, Perzische tapijten, olieverfschilderijen en andere waardevolle erfstukken die tijdens exotische reizen en door overleden familieleden waren verzameld. En toch, ondanks de deftige inrichting, voelde het in elke kamer knus en gezellig, hetgeen ik toeschreef aan de warme, zachte verlichting en de overvloed aan makkelijke stoelen waar je je in kon opkrullen. Stella geloofde niet in een heleboel dingen – kant-en-klare dressings voor de sla, dubbele achternamen, en het doorgeven van cadeaus, bijvoorbeeld – en één daarvan was oncomfortabele stoelen. 'Er is niets wat een etentje zo grondig kan verpesten als harde stoelen,' heeft ze ooit een keer achteloos tegen me gezegd. Als ze met dit soort pareltjes kwam, had ik altijd het gevoel dat ik ze moest opschrijven in een notitieboekje om ze later nog eens terug te kunnen lezen.

Maar in een huis vol schitterende, gezellige kamers, was de keuken waarschijnlijk mijn favoriet. Ik hield van de karamelkleurige muren, de natuurstenen aanrechtbladen, en de zware koperen potten en pannen die aan haken boven het kookeiland hingen. Ik was betoverd door het raam met een weids uitzicht over het terras achter het huis en de stenen haard waar iedereen zich altijd omheen verzamelde. Het was het soort ruime, lichte keuken dat je altijd in films ziet. De keuken van een groot en gelukkig gezin, met een sterke en tegelijkertijd traditionele moeder aan het roer; een knappe, liefhebbende vader; een bevallige, goed geklede dochter, en een paar vrolijke zonen die even naar binnen wippen om houten pollepels in pruttelende pannen te steken op het extra grote Viking-fornuis, en de kookkunst van hun geliefde moeder – of geliefde huishoudster – te prijzen. Alles aan die keuken was perfect – net als het gezin dat erbij hoorde.

Ik weet nog dat ik dat stond te denken terwijl ik mijn handen in het hete, schuimende water stak en er twee zilveren theelepeltjes uit viste. Ik stond te denken dat ik bofte om daar te mogen zijn, dat dit precies was hoe Thanksgiving hoorde te voelen – behalve het feit dat het buiten bijna vijftien graden was, misschien.

Mijn eigen familie had me teleurgesteld dat jaar – hetgeen niet ongebruikelijk was sinds de dood van mijn moeder. Mijn vader heeft nog wel een paar jaar geprobeerd om onze tradities in ere te houden, maar Sharon bracht daar uiteindelijk verandering in – niet met kwade opzet, maar simpelweg omdat ze haar eigen kinderen had en de dingen op haar eigen manier deed. In dat bewuste jaar waren mijn vader en zij naar Cleveland gegaan voor een bezoek aan Sharons zoon, Josh, en diens kersverse echtgenote, Leslie, die een voormalig cheerleader was van Ohio State, een feit waar Sharon buitengewoon en bovenmatig trots op was. Dit betekende dat Suzanne en ik op onszelf aangewezen waren, en hoewel ik altijd sceptisch was geweest over het vermogen van twee zussen, allebei single, om een bevredigende Thanksgiving te creëren, een feestdag die in het teken stond van eten terwijl we geen van tweeën handig waren in de keuken, was ik bereid om het te proberen. Maar Suzanne niet. Ze gaf me te kennen dat ze niet van plan was om 'aan de feestdagen mee te doen' dit jaar. Ik wist niet precies wat dat betekende, maar ik was gewend geraakt aan haar buien, en ik wist dat het onverstandig was om haar een traditionele Thanksgiving door de strot te duwen. Ik was dus meer dan dankbaar toen Margot me uitnodigde om met haar mee te gaan naar haar ouders.

Dit stond ik nu te vertellen aan Andy, die had geïnformeerd naar mijn familie, terwijl ik mijn best deed om niet bitter te klinken en mijn vader en mijn zus te verraden. Of nog erger: om niet te klinken als Margots zielige, meisje-met-de-zwavelstokjes vriendin.

Andy, die net een blauw schort met ruches voor had gebonden, meer voor het komische effect dan uit praktische overwegingen, luisterde aandachtig en zei: 'Nou, ik ben heel blij dat je er bent. Hoe meer zielen, hoe meer vreugd, zeg ik altijd.'

Ik glimlachte en dacht bij mezelf dat een heleboel mensen die uitdrukking bezigen, maar dat de Grahams het ook daadwerkelijk menen. Tot dusverre waren er vandaag al minstens een stuk of zes vrienden langsgewipt, waaronder Margots ex van de middelbare school, Ty, die twee dozijn van de befaamde, pastelkleurige koekjes van Henri's had meegebracht, een vermaarde bakker uit Atlanta. Margot ontkende het, maar Ty was duidelijk nog steeds verliefd op haar – of in ieder geval zeer gecharmeerd van haar familie. Ik begreep het volkomen.

'Weet je,' zei ik tegen Andy, 'de meeste gezinnen zijn niet zo.'

'Zo wat?'

'Harmonieus,' zei ik. 'Gelukkig.'

'We hebben je gefopt,' zei Andy. 'Het is allemaal maar een façade.'

Heel even werd ik ongerust, voelde ik me bijna gedesillusioneerd. Was er een duister familiegeheim waar ik niks vanaf wist? Een of andere vorm van mishandeling? Witteboordencriminaliteit? Of nog erger, een definitieve, geen-enkele-hoop-meer diagnose, zoals de diagnose die voor mijn familie alles anders had gemaakt? Ik wierp een blik op Andy, zag zijn joviale gezichtsuitdrukking, en werd overspoeld door opluchting. Mijn beeld van de Grahams, van een warm gezin dat er ook nog eens warmpjes bij zat, bleef ongeschonden.

'Nee hoor. We zitten allemaal goed in ons vel... Behalve James,' zei hij, verwijzend naar zijn jongere broer, de sympathieke mislukkeling van het gezin, die op dat moment in het gastenverblijf in de tuin woonde en om die reden de bijnaam Kato Kaelin droeg. James was net voor de zoveelste keer zijn baan kwijtgeraakt – hij had meer 'godsonmogelijke bazen' gehad dan iedereen die ik kende – en had onlangs voor minstens de derde keer zijn dure, gratis auto in de prak gereden. Toch leek zelfs dat alleen maar meer kleur te geven aan het geheel, en schudde de rest van de familie simpelweg toegeeflijk en ongelovig het hoofd om James' fratsen.

Andy en ik waren een paar minuten stil. Af en toe raakten onze ellebogen elkaar terwijl we werkten, totdat hij ineens, uit het niets, zei: 'Zeg, heb je eigenlijk nog wel eens iets gehoord van die vent waar je verkering mee hebt gehad? Leo, was het niet?'

Mijn hart sloeg over. Ik had die ochtend toevallig nog aan Leo gedacht, en me afgevraagd of hij bij zijn familie zou zijn in Queens, of dat hij net als Suzanne de feestdagen links liet liggen.

Ik achtte hem wel in staat tot een vergelijkbare stunt, vooral als hij een dringende deadline moest halen. Maar toch, denken aan hem was één ding, over hem praten was iets heel anders. Ik haalde adem, zorgvuldig mijn woorden kiezend. Ik had het gevoel dat ik een publieke verklaring ging afleggen, en hoewel ik nauwkeurig wilde zijn, wilde ik ook sterk overkomen. 'Nee,' zei ik uiteindelijk. 'Het was een radicale breuk.'

Dit was een beetje overdreven als je bedacht hoe lang ik erom had gerouwd, maar ik redeneerde dat het van Leo's kant wel degelijk een radicale breuk was. Bovendien, als je nooit meer, zelfs niet één keer, contact met iemand opneemt na een definitieve breuk, is het dan niet per definitie radicaal? Ongeacht hoe je je voelt vanbinnen? Ik dacht aan die ene keer dat ik Leo bijna had gebeld. Het was direct na elf september. Er was hooguit een week verstreken, maar het land – en de stad al helemaal – was nog steeds gehuld in die afschuwelijke waas van angst en verdriet. Ik wist dat Leo's huis en kantoor totaal niet bij het World Trade Center in de buurt lagen, en dat hij zelden in dat deel van de stad hoefde te zijn. Maar toch. Je hoorde zoveel idiote verhalen die dag – verhalen over mensen die op plaatsen waren waar ze normaal gesproken nooit kwamen – dat ik het ergste begon te vrezen. Bovendien, zo redeneerde ik tegen Margot, kreeg ik een heleboel telefoontjes van oude vrienden, en zelfs van vage kennissen, die wilden weten of alles goed met me was. Was dat niet het minste wat ik kon doen? Ik mocht dan misschien wel bittere gevoelens hebben gekoesterd jegens Leo, maar ik wilde wel dat hij in leven was. Mijn logica wilde er niet in bij Margot, die me ervan overtuigde dat ik onder geen voorwaarde contact mocht opnemen met Leo, en dat deed ze met één simpel, onweerlegbaar argument: 'Hij belt jou toch ook niet om te horen of alles goed met je is?'

Ik deed nog een scheutje afwasmiddel in het water, zodat de geur van citroen de keuken vulde, terwijl Andy knikte en zei: 'Een radicale breuk is altijd goed.'

Ik mompelde instemmend. 'Ja. Ik heb nooit iets begrepen van die mensen die nog steeds dikke maatjes zijn met hun ex.'

'Precies,' zei Andy. 'Dan is er iemand die het vuurtje nog steeds brandend houdt.'

'Zoals Ty,' zei ik lachend.

'Pre-cies,' zei Andy. 'Ik bedoel, kom op, man, laat die droom een keer los.'

Ik lachte en dacht bij mezelf dat ik de droom over Leo absoluut los had gelaten, al had ik in feite niet veel keus gehad.

'Oké,' zei Andy in een onomwonden aanloop naar zijn volgende vraag. 'En is er op dit moment een man in je leven?'

Ik schudde mijn hoofd. 'Nee, niet echt. Af en toe een afspraakje hier en daar – voornamelijk dankzij Margot. Ik geloof dat ze me al heeft proberen te koppelen aan iedere vrijgezelle heteroman in de mode-industrie... Maar niets serieus... En jij?'

Ik stelde de vraag hoewel ik wel ongeveer wist wat zijn status was – hij was weer vrijgezel na een kortstondige affaire met een Broadway-actrice die Felicia heette. Margot wist er het fijne niet van, alleen dat ze uit elkaar waren en dat het zo goed als zeker voornamelijk Andy's beslissing was geweest. Felicia scheen te veel kuren te hebben – zelfs als ze niet op de planken stond, was ze een en al theater.

Andy bevestigde wat ik al wist met een opgewekt 'Vrijgezel,' terwijl ik hem een kristallen wijnglas aanreikte.

Hij schonk me een zijdelingse glimlach die me ineens het gevoel gaf dat hij misschien wel andere bedoelingen had dan alleen maar gezellig keuvelen en helpen met de afwas. Zou Margots broer werkelijk in mij geïnteresseerd kunnen zijn? Onmogelijk, was mijn eerste gedachte. Het maakte niet uit dat Andy benaderbaar, vriendelijk en in zekere zin prettig gestoord was; hij bleef Margots knappe, succesvolle, oudere broer, hetgeen hem voor mijn gevoel op de een of andere manier onbereikbaar maakte, of op zijn minst verboden terrein. Dus zette ik iedere romantische gedachte over Andy resoluut uit mijn hoofd terwijl we ons ritme van wassen en spoelen en drogen voortzetten. En toen ineens waren we klaar, een feit dat ik tot mijn verbazing met enige spijt constateerde.

'Dat was het wel ongeveer,' zei Andy, die zijn handen afdroogde, het schort losmaakte en het netjes opgevouwen op de aanrecht neerlegde. Ik trok de stop uit de gootsteen en keek hoe het water wegliep, eerst langzaam maar daarna steeds sneller. Ik droogde mijn handen af en veegde de aanrecht schoon met een handdoek met een geborduurde G erop. Ik had het gevoel dat ik tijd aan het rekken was, maar ik wist niet zo goed waarom.

Toen keek Andy me aan en zei: 'Zo. Ellen?'

Ietwat nerveus meed ik zijn blik en antwoordde: 'Ja?'

Andy schraapte zijn keel terwijl hij stond te friemelen met een doos lucifers op de aanrecht en zei: 'Als we weer terug zijn in de stad... heb je dan zin om een keer met me uit te gaan? Ergens een hapje eten of zo... Wij met zijn tweetjes?'

Er was geen twijfel mogelijk – Andy vroeg me mee uit. Mijn hersens draaiden op volle toeren en probeerden te bedenken wat de consequenties zouden zijn van uitgaan met de broer van mijn beste vriendin. Was het geen riskant voorstel? Stel dat het iets zou worden en uiteindelijk toch stuk liep? Zou Margot dan partij kiezen? Zou onze vriendschap het overleven? Of zou het in ieder geval zo pijnlijk zijn dat ik nooit meer bij haar ouders over de vloer zou kunnen komen? En dus overwoog ik, in die ene seconde, om nee te zeggen of een of ander smoesje te verzinnen en ieder potentieel belangenconflict te voorkomen. Er waren duizenden begeerlijke vrijgezellen in Manhattan; waarom dan hieraan beginnen?

In plaats daarvan keek ik in zijn blauwe ogen, ijzig van kleur maar warmer dan alle bruine ogen die ik ooit had gezien, en zei weifelend, behoedzaam: 'Ik denk dat dat misschien wel een goed plan is.'

Andy sloeg zijn armen over elkaar, leunde achterover tegen het kookeiland en glimlachte. Ik glimlachte terug. Toen, op het moment dat we Margot de keuken binnen hoorden komen, knipoogde hij ondeugend naar me en fluisterde: 'En denk je eens in. Als alles goed gaat... dan heb je de familie in ieder geval al ontmoet.'

Naarmate het weekend vorderde, groeide mijn opwinding terwijl Andy en ik menige veelbetekenende blik wisselden, vooral de volgende avond, toen Stella voorzichtig begon te informeren naar het liefdesleven van haar zoons.

'Is er dan helemaal níémand op wie je een oogje hebt?' vroeg ze terwijl we zaten te scrabbelen aan de leren tafel in de spelletjeskamer.

James lachte en zei: 'Ja hoor, mam. Er zijn een helebóél meisjes op wie ik een oogje heb... als je begrijpt wat ik bedoel.'

'James,' zei Stella, schuddend met haar professioneel gekapte, goudblonde hoofd, ergernis over haar middelste kind veinzend terwijl ze het woord *dwergen* neerlegde met haar overgebleven letters.

'Da's een goeie, mam,' zei Andy vol genegenheid. En daarna tegen mij: 'Weet je dat mama dit spel altijd wint?'

Ik glimlachte. 'Dat heb ik gehoord, ja,' zei ik, zowel onder de indruk van, als enigszins geïntimideerd door, de matriarch van de familie Graham. Het winnen van bordspellen was slechts een van de vele dingen die ik in de loop der jaren over Stella had gehoord die bijdroegen aan de bijna cult-achtige status die ze genoot in haar gezin. Slimme, schitterende, sterke Stella. Charmant en fortuinlijk als ze was, zou ze vast niet sterven aan kanker – dat wist ik zeker – maar eerder in haar slaap in haar eigen bed op de gezegende leeftijd van vierennegentig jaar, met een glimlach om haar lippen en haar volmaakte hoofd op een zijden kussensloop.

'Dat komt doordat ze vals speelt,' zei James met zijn diepe stem, traag en lijzig, zijn accent veel geprononceerder dan bij de rest van de familie – wat ik toeschreef aan zijn algehele luiheid, die zelfs was doorgedrongen tot zijn manier van praten. Hij knipoogde naar me en zei: 'Je moet haar goed in de gaten houden, hoor, Ellen. Ze is zo glad als een aal.'

We moesten allemaal lachen om het krankzinnige idee van de intens keurige Stella Graham die vals zou spelen, terwijl ze opnieuw haar hoofd schudde, waarbij haar lange nek buitengewoon sierlijk oogde. Toen sloeg ze haar armen over elkaar over haar grijze couturejurk, zodat de gouden bedels aan haar armband richting haar elleboog gleden.

'En hoe zit het met jou, Andrew?' vroeg Stella.

Ik voelde mijn gezicht warm worden terwijl ik mijn blik vestigde op haar bedeltje van de Eiffeltoren, ongetwijfeld een cadeautje van Margots vader, die ik tot op de dag van vandaag meneer Graham noem, en die de enige was die niet meedeed met de spelletjes die avond. In plaats daarvan zat hij bij het vuur *The Wall Street Journal* te lezen, raadpleegde zo nu en dan het woordenboek voor ons en speelde voor scheidsrechter bij controversiële woorden.

'Hoe zit wát met mij?' zei Andy, zijn moeders vraag ontwijkend en daarbij zeer geamuseerd kijkend.

'Hij heeft Felicia gedumpt,' merkte Margot op. 'Had ik je dat niet verteld?'

Stella knikte maar hield haar blik op Andy gericht. 'En een verzoening met Lucy zit er niet in? Wat was dat een knap en lief meisje,' verzuchtte ze vol weemoed. 'Ik hield van Lucy.'

James sloeg dubbel van het lachen en gaf toen een imitatie van Ricky Ricardo weg: '*Luuuuu-uuu-cy! Ik ben thuis!*'

We moesten weer allemaal lachen, terwijl Andy me met opgetrokken wenkbrauwen een vluchtige, samenzweerderige blik toewierp. 'Nee hoor. Lucy is verleden tijd,' zei hij, terwijl zijn blote, grote teen onder de tafel mijn kousenvoeten vond. 'Maar ik heb volgende week wel een afspraakje met iemand.'

'Echt waar?' zeiden Margot en Stella tegelijk.

'Jep,' zei Andy.

'Met potentie?' vroeg Margot.

Andy knikte terwijl meneer Graham met milde nieuwsgierigheid opkeek van zijn krant. Margot had me ooit verteld dat haar vaders enige wens was dat Andy op een dag weer in Atlanta zou komen wonen om zijn advocatenkantoor over te nemen – en dat hij een huwelijk met een meisje uit New York als het enige serieuze obstakel voor het verwezenlijken van zijn droom beschouwde.

En jawel, meneer Graham tuurde over de krant heen en zei: 'Is ze toevallig afkomstig uit het zuiden?'

'Neé,' zei Andy. 'Maar ik denk dat jullie haar allemaal heel aardig zouden vinden.'

Ik glimlachte, bloosde, en keek neer op mijn letters. Ik beschouwde het maar als een goed teken dat ik een L, een O, en een T op mijn plankje had.

Dus zo is het begonnen tussen Andy en mij. En daarom voelt een bezoekje aan Margots familie (die ik inmiddels *Andy's* familie noem, een verandering die heeft plaatsgevonden ergens tussen ons eerste afspraakje en ons huwelijk) altijd een beetje als een sentimentele reis voor mij, als het lezen van een oude liefdesbrief of terugkeren naar de plek van een eerste afspraakje. En daar zit ik allemaal aan te denken, ongeveer een week na Margots babynieuws, als Andy en ik naar Atlanta vliegen voor een weekendbezoek.

Het is een vlekkeloze vlucht en er is geen wolkje aan de kobaltblauwe februarihemel, maar ik ben toch een beetje gespannen. Ik ben een nerveuze vlieger. Misschien heb ik die nervositeit wel van mijn moeder, die helemaal weigerde om in een vliegtuig te stappen. Niet dat mijn ouders het zich ooit konden permitteren om ergens naartoe te vliegen, een feit dat me verdriet doet als ik mijn vader en Sharon elke winter in het vliegtuig naar Florida zie stappen, waar ze zich inschepen voor hun protserige cruises door het Caribisch gebied. Ik wil dat mijn vader gelukkig is, maar soms lijkt het niet eerlijk dat Sharon de vruchten plukt van mijn vaders pensioen – en het feit dat ik inmiddels al lang weet dat het leven niet eerlijk is, kan de pijn voor mij niet verzachten.

Hoe het ook zij, de stewardess verkondigt nu opgewekt dat we Hartsfield-Jackson Airport naderen en dat we moeten plaatsnemen op onze stoel, de rugleuning rechtop moeten zetten en de tafeltjes moeten opklappen. Andy volgt de instructies op en legt de kruiswoordpuzzel uit de *USA Today* van zijn tafeltje op zijn schoot. Hij tikt met zijn pen op het papier en zegt: 'Ik moet een ander woord van zes letters hebben voor hoogtepunt.'

'Climax,' zeg ik.

Andy schudt zijn hoofd. 'Past niet.'

Ik probeer het nog een keer. 'Summum?'

Hij knikt. 'Dank je,' zegt hij, en hij kijkt er heel trots bij. Hij is de advocaat, maar ik ben de woordensmid. Net als zijn moeder veeg ik hem nu stelselmatig van het bord met Scrabble en Boggle – eigenlijk met alle bordspellen. Andy vindt het allemaal best – hij bezit nauwelijks enige competitiedrang.

Terwijl het vliegtuig zachtjes begint over te hellen, grijp ik met één hand mijn armleuning beet en met de andere hand Andy's been. Ik doe mijn ogen dicht en denk weer aan dat moment in de keuken, al die jaren geleden. Het mag dan misschien niet zo spannend zijn als het beginnen van een romance met een donkerharige vreemdeling tijdens een periode van eenzame afzondering voor een moordzaak, maar in sommige opzichten was het zelfs beter. Het had substantie. Een lieve, stevige kern. Een basis van vriendschap en familie – de simpele dingen die er werkelijk toe deden, dingen die blijvend waren. Er was niks mysterieus aan Andy, want ik kende hem al tegen de tijd dat hij me mee uit vroeg. Misschien kende ik hem niet zo goed, en wat ik wist, had ik grotendeels van Margot – maar toch kende ik hem in zekere zin. Ik wist fundamentele, belangrijke dingen over hem. Ik wist waar hij vandaan kwam. Ik wist van wie hij hield en wie er van hem hielden. Ik wist dat hij een fijne broer en zoon was. Ik wist dat hij een grappige, aardige, sportieve jongen was. Het type dat helpt met de afwas na het Thanksgiving-diner, bijbedoelingen of niet.

Dus toen Andy en ik een paar dagen later voor het eerst samen uit gingen, waren we al veel verder dan het gemiddelde stel tijdens een eerste afspraakje. We bevonden ons op zijn minst al op vierde-afspraakje terrein, en konden de autobiografische elkaar-beter-leren-kennen fase overslaan en gewoon ontspannen, plezier maken. Er was geen schone schijn, geen huichelarij en geen aanstellerij, iets waaraan ik gewend was geraakt tegen het eind van mijn relatie met Leo – en tijdens zoveel slechte eerste afspraakjes daarna. Alles voelde makkelijk en ongecompliceerd, harmonieus en goed. Ik hoefde me nooit af te vragen wat Andy dacht of hoe hij zich voelde, want hij was een open boek, en zo consequent gelukkig. Bovendien was hij erop gebrand om mij gelukkig te maken. Hij was een beleefde, respectvolle heer uit het zuiden, een romanticus en een *pleaser* van nature.

Ik geloof dat ik ergens diep vanbinnen van het begin af aan wel wist dat onze relatie een bepaalde intensiteit miste, maar het was niet zo dat ik het gevoel had dat er iets ontbrak. Integendeel, het voelde als een enorme opluchting om nooit te hoeven piekeren – een beetje zoals de eerste dag dat je je weer fit voelt na een zware griep. Alleen al de afwezigheid van sombere gevoelens was euforisch. Dit, zo dacht ik bij mezelf terwijl Andy en ik langzaam maar zeker steeds meer naar elkaar toe groeiden, was zoals het moest zijn. Dit was zoals het hoorde te voelen. En belangrijker nog, ik was van mening dat het de enige soort liefde was die niet als een nachtkaars zou uitgaan. Andy was een blijvertje. Samen hadden we potentiële eeuwigheidswaarde.

Ik voel dat het vliegtuig de landing inzet terwijl Andy zijn krant dubbelvouwt en in de sporttas bij zijn voeten stopt. Hij knijpt even in mijn hand. 'Gaat-ie?'

'Jawel,' zeg ik. Dat is het nou precies met Andy, denk ik bij mezelf – ik voel me in ieder geval altijd veilig bij hem.

Seconden later landen we veilig in Atlanta en arriveren een paar minuten te vroeg bij onze gate. Andy staat op om onze jassen te pakken uit de bergruimte boven ons hoofd terwijl ik mijn telefoon aanzet om te zien of Margot heeft gebeld. We hebben gisteravond afgesproken dat we elkaar stipt om half tien in de aankomsthal zouden ontmoeten, maar Margot komt vaak te laat of gooit ineens de plannen om. En jawel, het symbool voor een voicemailbericht knippert op het scherm van mijn telefoon. Eén nieuw bericht. Ik druk op beluisteren en kom al snel tot de ontdekking, met een mengeling van opwinding en vrees, dat het bericht niet van Margot afkomstig is. Het is een bericht van Leo. Leo die, twee weken na onze ontmoeting, kennelijk zijn belofte van een hernieuwde vriendschap nakomt.

Met een rood hoofd kijk ik naar Andy, die nergens vanaf weet. Ik zou het hele bericht makkelijk kunnen beluisteren zonder dat hij het merkt, en ondanks mijn gewetenswroeging wil ik dolgraag weten wat Leo te melden heeft. In plaats daarvan laat ik hem echter niet verder komen dan: 'Hé, Ellen. Met Leo,' voordat ik mijn telefoon uitzet en hem de mond snoer. Ik wil niet hebben dat hij meer zegt dan dat in Andy's geboorteplaats. In Andy's bijzijn. Púnt.

negen

Andy en ik begeven ons naar de bagageband en staan in recordtijd weer buiten, in de aankomsthal. 'Dat loopt gesmeerd,' zegt hij, trots op zijn vermogen om efficiënt te reizen, terwijl we de zilvergrijze Mercedes SUV van Webb en Margot in het oog krijgen.

Tot onze hilariteit lijkt Margot verwikkeld te zijn in een machtsstrijd met een struise politieagente op een fiets, waarvan het zadel er veel te klein uitziet voor haar olifantenheupen. Ze staat Webb en Margot ongetwijfeld uit te leggen dat het verboden is om daar met de auto te staan. Door het half geopende raampje van de auto kan ik zien dat Margot weliswaar haar meest suikerzoete gezicht trekt, maar dat ze vastbesloten is om niet toe te geven en haar plekje kwijt te raken. Haar charme lijkt echter niet het gewenste effect te hebben op de agente. De vrouw, die een matje heeft en zwarte motorlaarzen draagt met dikke rubberen zolen, blaast op haar fluitje en buldert dan: 'Uitsluitend laden en lossen, dame! Doorrijden, nú!'

'Allemachtig,' zegt Margot, haar hand tegen haar borst drukkend, voordat ze opkijkt, ons ziet en verkondigt: 'Nee maar, kijk eens aan! Mijn familie is er al. Nu zijn we aan het laden!'

Ik glimlach en denk bij mezelf dat Margot dus weer zegeviert, elegant als altijd.

De agente draait zich om en kijkt ons woedend aan, voordat ze met woeste bewegingen naar haar volgende slachtoffer peddelt. Ondertussen springt Margot uit de auto. Ze heeft een lange, karamelkleurige kasjmier trui met ceintuur aan, een donkere spijkerbroek die in een paar chocoladebruine, suède laarzen is gestopt, en een grote zonnebril (een accessoire waar ze altijd aan vast heeft gehouden, zelfs in de jaren negentig, toen kleine monturen in de mode waren). Ze ziet er nog net zo modieus uit als toen ze in New York woonde, misschien nog wel modieuzer.

'We zijn zo blij dat jullie er zijn!' jubelt ze, en ze sluit Andy en mij gezamenlijk en met een gracieus gebaar in haar armen. Hoewel ik weet dat het onmogelijk is dat er al iets aan haar te zien is, concludeer ik dat haar zwangerschap inderdaad nog niet zichtbaar is aan haar tengere gestalte en haar dartele bewegingen. Alleen haar borstomvang verraadt haar geheim: haar cup C lijkt nu te neigen naar een cup D. Ik glimlach en denk bij mezelf dat dat typisch iets is wat je alleen bij je beste vriendin ziet. Ik gebaar ernaar en zeg geluidloos: 'Mooi.'

Ze lacht en antwoordt: 'Ja, ze zijn al een beetje groter geworden... Maar dit is voornamelijk een goede kwaliteit push-up beha.'

Andy doet alsof hij ons gesprek gênant vindt en smijt onze extra grote sporttas in de kofferbak van de auto. Een paar tellen later, na een hartelijke begroeting van Webb, laten we het vliegveld achter ons en zoeven we over de snelweg. Margot en ik zitten achterin, en we zitten met zijn allen opgewonden te praten over de baby en hun aanbouw aan de achterkant van het huis, waar de babykamer moet komen.

'Onze aannemer is niet vooruit te branden,' zegt Margot. 'Ik heb tegen hem gezegd dat hij nog niet jarig is als de verbouwing niet klaar is voordat de baby komt.'

'Dan is het van zijn levensdagen nog niet klaar, liefje. Niet met die eindeloze koffiepauzes die die kerels nemen,' zegt Webb, en hij strijkt met zijn hand over zijn geprononceerde kaak heen en weer. Ik zie dat hij ook een karamelkleurige trui aan heeft, en ik vraag me af of Margot en hij hun kleding bewust op elkaar hebben afgestemd. Het is iets wat ze wel vaker doen – het meest monsterlijke voorbeeld daarvan zijn hun oranje voor-hem-en-voor-haar mocassins.

Webb werpt een blik over zijn schouder voordat hij van rijstrook verandert om een trage Volkswagen in te halen en zegt: 'Zeg, heeft Margot jullie al verteld over onze leren vloeren in de kelder?'

'Nee,' zeg ik, kijkend naar Margot terwijl ik me afvraag hoe zoiets tussen de mazen van onze dagelijkse gesprekken door heeft kunnen glippen.

Ze knikt en gebaart naar Webb alsof ze wil zeggen: 'Zijn idee, niet het mijne,' maar ik kan aan haar zien dat ze trots is op het goed ontwikkelde gevoel voor esthetiek van haar man.

'Leren vloeren?' Andy fluit. 'Godallemachtig.'

'Ja. Het zijn decadente jongens, hoor. Wacht maar tot je erop gelopen hebt.'

'Worden ze dan niet helemaal lelijk?' vraag ik, me realiserend dat ik vaak overdreven praktisch klink, prozaïsch zelfs, als Webb in de buurt is.

'Een paar krassen geven zo'n vloer juist karakter,' zegt Webb. 'Bovendien zal er voornamelijk op blote voeten op gelopen worden.'

Margot legt uit: 'We hebben ze gezien in een kuuroord in Big Sur en waren meteen verkocht... Ik ga daar altijd heen voor mijn yoga en om te mediteren.'

Natúúrlijk, denk ik geamuseerd, maar ik zeg: 'Sinds wanneer doe jij aan yoga?'

Margot is nooit zo'n sportief type geweest, en toen ze nog een abonnement op de sportschool had in New York, was ze meer een onderuit-gezakt-op-de-fiets-met-een-tijdschrift-in-de-hand type.

'Sinds de baby,' zegt ze, wrijvend over haar platte buik. 'Ik probeer meer... tot mezelf te komen.'

Ik knik en denk bij mezelf dat deze verandering al voor het babynieuws in gang leek te zijn gezet, rond de tijd dat ze wegging uit New York. Het is niet zo gek – zelfs een weekendje weg heeft een kalmerende uitwerking op mij. En hoewel Atlanta in alle opzichten een grote stad is, voelt het er zo vriendelijk, ontspannen en ronduit groen vergeleken bij New York. Zelfs het centrum, waar we nu langs rijden, ziet eruit als een zeer hanteerbare Fisher Price-stad voor iemand die de skyline van New York gewend is.

Korte tijd later arriveren we in Buckhead, de welvarende buurt in het noorden van Atlanta, waar Andy en Margot zijn opgegroeid. Toen ik de merkwaardig klinkende naam *Buckhead* voor het eerst hoorde, zag ik schilderachtige, rustieke taferelen voor me, maar in werkelijkheid heeft het gebied een zeer kosmopolitische uitstraling. Er zijn twee luxe winkelcentra waar Margot haar broodnodige dosis Gucci en Jimmy Choo haalt, en er zijn ook luxe hotels, appartementengebouwen, galeries, nachtclubs en zelfs vijfsterrenrestaurants. Het is dan ook niet voor niks dat de buurt het Beverly Hills van het zuiden wordt genoemd.

De ware essentie van Buckhead vind je echter in de woonwijken, in de lanen met aan weerskanten bomen, waar sierlijke Georgiaanse herenhuizen staan, en statige neo-klassieke villa's zoals het huis waarin Margot en Andy zijn opgegroeid. Andere huizen, zoals Webb en Margots jaren-dertighuis van rode baksteen, zijn wat minder groot en imposant, maar wel ontzettend charmant.

Als we hun oprit van kinderkopjes oprijden, krijg ik de neiging om de woorden *snoezig* of *verrukkelijk* te gebruiken – die normaal gesproken niet in mijn woordenboek voorkomen.

Webb maakt mijn portier voor me open, en ik bedank hem en verkondig dat ik nu al trek heb in zoete thee. Gezoete ijsthee is een van de dingen die ik zo heerlijk vind aan het zuiden, samen met zelfgebakken koekjes en kaasgrutten. Andy en ik snappen werkelijk niet waarom dit drankje, dat te vinden is in praktisch ieder huishouden en ieder restaurant in het zuiden, inclusief de meeste fastfoodrestaurants, nog niet is opgerukt tot boven de lijn Mason-Dixon.

Margot lacht. 'Nou, dan bof je,' zegt ze. 'Ik heb vanochtend een hele lading gemaakt.'

Ze heeft ongetwijfeld nog meer gemaakt dan alleen maar thee, want Margot is een fantastische gastvrouw, net als haar moeder. En jawel hoor, het is alsof we een kleurenreportage in *Southern*

Living binnenwandelen. Margot noemt de stijl waarin hun huis is ingericht 'tijdloos met een vleugje art deco'. Ik weet niet precies wat dat betekent, maar wat ik er zo leuk aan vind, is dat het mooi is zonder ook maar enigszins voorspelbaar of overdreven traditioneel te zijn. Beneden is het één grote ruimte en lopen haar keuken en haar woongedeelte naadloos in elkaar over met een keur aan zithoekjes. De steeds terugkerende kleuren die ze heeft gebruikt, zijn chocoladebruin en grijsgroen, en de ramen worden omlijst door zijden gordijnen die een vrouwelijk, bijna dromerig effect creëren. Het is duidelijk dat Webb de inrichting van hun huis aan Margot overlaat, want het is beslist niet wat je zou verwachten van een stoere sportagent. Inmiddels zijn zijn ingelijste en gesigneerde shirts en kampioensvaantjes, die alomtegenwoordig waren in zijn vrijgezellenflat in Manhattan, verbannen naar de kelder en zijn robuuste kantoor met donkere lambrisering.

Andy wijst op de crèmekleurige bank in de woonkamer, die is versierd met een zorgvuldig gedrapeerde grijsgroene sprei en bijpassende kussens. 'Is die nieuw?'

Margot knikt. 'Hm-m. Is-ie niet verrukkelijk?'

'Jazeker,' zegt Andy droog, en ik voel dat er een grap aankomt. 'Reken maar dat-ie verrukkelijk is als de kleine er zijn macaroni met tomatensaus overheen gooit.'

'Of háár macaroni met tomatensaus,' zegt Margot terwijl ze ons voorgaat naar de keuken, waar ze een brunch van fruitsalade, spinaziequiche en kaasflensjes klaar heeft staan. 'Ik hoop dat jullie honger hebben.'

'Als een paard,' zegt Andy.

Margot stelt voor om gelijk te gaan eten, aangezien we een vroege reservering hebben bij Bacchanalia, het favoriete restaurant in de stad van de familie Graham.

'Papa en mama gaan ook mee. Ik heb beloofd dat we jullie niet zouden monopoliseren nu wij hier ook wonen.'

'Ja. Dat vroegen Andy en ik ons al af. Vindt ze het vervelend dat we bij jullie logeren?' vraag ik.

'Ze begrijpt het wel,' zegt Margot terwijl ze een dun straaltje frambozencoulis over haar flensjes schenkt. 'Maar ze heeft me ook in niet mis te verstane bewoordingen te kennen gegeven dat haar zoon gewoon onder haar dak zal blijven slapen als hij in Atlanta is voor de feestdagen.' Margot besluit de zin met haar moeders koninklijke Charleston-accent.

Andy rolt met zijn ogen en ik glimlach, dankbaar dat hij weliswaar een plichtsgetrouwe zoon is, maar op geen enkele manier een echt moederskindje. Ik geloof niet dat ik daar tegen zou kunnen. Ik ben onlangs naar een bruiloft geweest waarbij de moeder van de bruidegom na afloop van de receptie van haar zoon afgepeld moest worden terwijl ze snikkend uitriep: 'Ik wil je niet verliezen!' Het hele tafereel grensde aan het ongezonde. Margots theorie over dit onderwerp is dat de kans op dit soort ontwikkelingen groter is als een vrouw alleen maar zonen heeft en geen dochters. Misschien omdat de moeder het podium niet met een andere vrouw heeft hoeven delen, misschien vanwege de uitdrukking: 'Een zoon heb je maar voor even, een dochter heb je voor het leven.' Daar zou ze wel eens gelijk in kunnen hebben, want hoewel Stella haar zonen aanbidt, besteedt ze het grootste deel van haar tijd en energie aan haar dochter.

Als ik Margot in haar keuken zie rondscharrelen, vraag ik of ik haar ergens mee kan helpen. Ze schudt haar hoofd en schenkt thee uit een grote glazen kan in drie glazen met een geslepen bodem, en water in haar eigen glas. Dan roept ze ons aan tafel en spoort Webb aan om een kort dankwoord uit te spreken – een gewoonte die eerder cultureel dan religieus genoemd kan worden, aangezien ze geen van beiden praktiserende gelovigen waren toen ze nog in New York woonden.

Als Webb klaar is met zijn korte, formele gebed en Margot glimlachend 'Eet smakelijk!' zegt, heb ik heel even het gevoel dat we weinig anders gemeen hebben dan ons gezamenlijke verleden. Maar dat gevoel is binnen een paar seconden verdwenen als Margot en ik in sneltreinvaart het ene onderwerp na het andere afhandelen, en alles en iedereen tot in de kleinste details bespreken en analyseren met wat de meeste mensen, Webb en Andy incluis, vermoeiende precisie zouden vinden. Het is de voornaamste reden waarom Margot en ik zulke goede vriendinnen zijn – waarom er überhaupt een klik was tussen ons, ook al zijn we totaal verschillend. We vinden het gewoon heerlijk om met elkaar te praten.

Dus gunnen we de mannen amper de kans om iets te zeggen en bespreken we de roddels uit New York en Atlanta met kritisch enthousiasme. We praten over onze vriendinnen in New York die nog steeds vrijgezel zijn en nog steeds elke avond dronken worden, en vragen ons af waarom ze geen leuke vent ontmoeten, en daarna over de vrouwen bij haar in de buurt, die een fulltime hulp hebben zodat ze elke dag kunnen tennissen, winkelen en uit lunchen gaan.

'Wie zou je liever willen zijn?' vraag ik. 'Als je moest kiezen.'

'Hmm,' zegt Margot. 'Ik weet het niet. Beide extremen zijn een beetje triest.'

'Mis je je werk niet?' vraag ik voorzichtig. Hoewel ik me niet kan voorstellen dat ik ooit mijn carrière zou opgeven, ben ik ook nog geen aanstaande moeder. Dat zou misschien alles anders maken.

Margot schudt haar hoofd. 'Ik dacht echt dat ik het zou missen... maar daar heb ik het gewoon te druk voor.'

'Met tennissen, zeker?' reageert Andy droog.

Margots mond krijgt een verdedigend trekje. 'Ook,' zegt ze. 'Maar ook met het inrichten van het huis... me voorbereiden op de komst van de baby... en al mijn vrijwilligerswerk.'

'Maar ze heeft de Junior League laten vallen,' zegt Webb, die nog een flensje pakt. 'Het werd veel te veel. Zelfs voor haar.'

'Ik heb niet gezegd dat de Junior League me te véél werd,' zegt Margot. 'Ik heb alleen gezegd dat de Atlanta League erg jóng is. Ik voelde me net een oude moederkloek tussen al die jonge meiden van in de twintig, die meestal nog maar net afgestudeerd waren, en nu al getrouwd met hun eerste vriendje.'

Webbs gezicht licht op, en hij zegt: 'Daar zeg je zoiets... Vertel je broer en Ellen eens wie je hebt ingehuurd voor het aanleggen van onze tuin.'

Margot spreekt de naam van haar man uit op gespeeld verwijtende toon, en haar lichte huid wordt knalroze. Ik glimlach geamuseerd, me er altijd weer over verbazend dat zij en Stella zo snel blozen – zelfs plaatsvervangend voor anderen, zo groot is hun inlevingsvermogen. Het is zelfs zo erg dat Stella niet naar prijsuitreikingen kan kijken – ze wordt veel te nerveus van het kijken naar de speeches.

'Vooruit,' zegt Webb grinnikend. 'Vertel het ze maar, liefje.'

Margot tuit haar lippen terwijl Andy uitroept: 'Wie?'

'Portera Brothers,' zegt Webb uiteindelijk, en iedereen in de kamer weet dat dat de achternaam is van Margots eerste vriendje, Ty, die nog steeds ieder jaar langskomt met Thanksgiving.

'*Portera* Brothers?' zegt Andy grijnzend. 'Als in je vriendje Ty?... Ty "*The right stuff*" Portera?'

'*The right stuff*?' zegt Webb.

'Heeft Margot je nooit verteld over het legendarische playbackoptreden van haar vriendje als Jordan Knight op de middelbare school?' vraagt Andy, en hij staat op, draait om zijn as en zingt: '*Oh! Oh! Girl! You know you got the right stuff!*'

'Wacht even, Margot. Je ex-vriendje heeft de Back Street Boys geplaybackt?' zegt Webb, door het dolle heen met deze nieuwe troef.

'Je moet wel weten waar je het over hebt, Webb. Het waren de New Kids on the Block,' zegt Andy. 'En ik geloof dat hij het jaar daarvoor Menudo heeft gedaan, toch, Margot?'

Margot slaat met haar vlakke hand op tafel. 'Nee! Hij heeft Menudo zeer zeker niet gedaan!'

Ik weersta de verleiding om op te merken dat Andy de enige aan tafel is die teksten van de New Kids uit zijn hoofd kent.

'De New Kids, hè? Nou ja, dat verzacht de klap dan wel een beetje,' zegt Webb gniffelend. 'Ik bedoel, misschien is die gozer tegenwoordig wel homo. Of zit hij in een boyband. Of, God verhoede het, allebei.'

Ik glimlach, al rangschik ik deze opmerking in gedachten wel onder het kopje 'Wat maakt dat Webb anders is dan ik' – ik weet vrijwel zeker dat hij geen vrienden heeft die homo zijn.

Webb vervolgt: 'Maar nu even serieus. Vinden jullie het niet ongelofelijk dat Margot haar ex heeft ingehuurd?'

'Ja,' zegt Andy met aangedikte ernst. 'Ik vind het werkelijk, wérkelijk ongelofelijk. Een schande.'

Ik weet dat Andy en Webb maar een grapje maken, maar mijn maag draait toch om bij de gedachte aan het bericht dat in mijn voicemailbox op me wacht. Het bericht dat ik had moeten wissen. Ik kijk neer op mijn bord en druk een steeltje peterselie plat met een tand van mijn vork.

'Kom op, Ellen!' zegt Margot, en ze zet haar ellebogen op tafel – iets wat ze normaal gesproken nooit zou doen. 'Help me eens even!'

Ik zoek krampachtig naar de juiste woorden, iets behulpzaams maar vrijblijvends. Zwakjes zeg ik: 'Ze zijn gewoon vrienden.'

'Gewoon vrienden, hm?' zegt Webb. 'Gaan we op die toer?'

'Lieve Heer,' zegt Margot, en ze staat op om haar bord en dat van Andy af te ruimen.

'Onze Lieve-Heer staat net zomin aan jouw kant als onze Ellen,' zegt Webb. 'Allebei keuren ze dit soort fratsen af.'

'Frátsen? Alsjeblieft, Webb, stel je niet zo aan!... Het is niet grappig, hoor,' zegt Margot als ze terugkomt uit de keuken. 'Ty en ik hebben de overgang naar gewoon vrienden al een eeuwigheid geleden gemaakt. Toen we nog op de middelbare school zaten. En hij doet de tuin van papa en mama nu al meer dan een jaar!'

'En dat moet het beter maken? Dat hij hún tuin ook doet?' zegt Webb hoofdschuddend. Hij kijkt naar mij en zegt: 'Kijk maar uit. Ze zijn allemaal trouweloos. Het hele stel.'

'Hé! Scheer me niet over één kam met mijn ouders en mijn zus,' zegt Andy. 'Ik zou die vent nooit inhuren. Zelfs niet als ik een tuin had.'

'Sorry, kerel,' zegt Webb. 'Ze zijn allemaal trouweloos behalve jij. Zelfs James.'

'James heeft ook geen tuin,' zegt Andy.

'Nee. Maar hij golft met die kerel. Trouweloze schoft,' zegt Webb.

'Het is geen kwestie van loyaliteit naar wie dan ook,' zegt Margot. 'En bovendien, het is niet zo dat hij hier persoonlijk de planten in de grond komt zetten. Daar heeft hij mensen voor in dienst... Zijn bedrijf levert geweldig werk voor een eerlijke prijs. Meer is het niet, Webster Buffington, en dat weet je best.'

'Tuurlijk,' zegt Webb. 'Als je dat maar vaak genoeg tegen jezelf zegt, ga je het misschien nog geloven ook.'

'O, alsje-blíéft zeg, je doet alsof ik zojuist een ingelijste foto van hem op de schoorsteenmantel heb gezet!'

'Dat is geheid de volgende stap,' zegt Webb. Vervolgens wendt hij zich tot mij en zegt: 'Ellen, heb jij nog contact met je ex van de middelbare school?'

Ik schud zeer beslist mijn hoofd.

'Maakt hij... eh, je appartement schoon of doet hij je belastingaangifte of iets dergelijks?' dringt Webb aan.

'Welnee,' zeg ik.

'Heb je überhaupt nog contact met je exen?'

Het woord is nu overduidelijk aan mij, maar ik zeg niets, met stomheid geslagen door deze toevallige samenloop van omstandigheden, en hopend dat iemand me te hulp zal schieten. Helaas. Het wordt doodstil in de kamer. Ik kijk naar Andy, alsof de vraag aan hem werd gesteld.

'Wat?' zegt Andy. 'Je hoeft mij niet zo aan te kijken. Je weet dat ik niet bevriend ben met andere vrouwen, laat staan met exen.'

'Lucy heeft je een paar jaar geleden een kaart gestuurd met Kerstmis,' zeg ik, en ik voel de bekende steek van jaloezie bij de gedachte aan de lieve, hartstochtelijke, kleine Lucy.

'Met een foto van haar kínd erop,' zegt Andy. 'Dat is niet bepaald een verleidelijke uitnodiging... Bovendien, ik heb háár nooit een kerstkaart gestuurd.'

'Nee, maar je stuurt helemaal geen kerstkaarten meer sinds we getrouwd zijn,' zeg ik, en ik sta op om Margot te helpen met afruimen.

Andy haalt zijn schouders op. Als advocaat, weet hij het als geen ander wanneer iemand met een irrelevante opmerking een rookgordijn probeert te creëren. 'Waar het om gaat, is – ik heb geen contact met haar. Punt.'

'En ik heb ook geen contact met mijn exen. Punt,' zegt Webb.

Andy kijkt me verwachtingsvol aan.

'En ik heb ook geen contact met mijn exen,' echo ik beschaamd. *Niet meer.*

'Alsjeblieft zeg, laat het los,' zegt Margot terwijl ze de broodkruimels van Webbs placemat in haar handpalm veegt. Ze kijkt op en vervolgens de tafel rond en voegt eraan toe: 'En als jullie dan toch bezig zijn, is het dan misschien een idee om jullie exen ook los te laten?'

Die middag is Leo's bericht wel het laatste waar ik aan denk als Margot en ik gaan winkelen bij een boetiek die Kangaroo Pouch heet, met als doel de aanschaf van sekse-neutrale kleertjes voor een pasgeborene. Kirrend verbazen we ons over de snoezige, onmogelijk kleine kleertjes en kiezen uiteindelijk een wit gebreid jasje uit en een bijpassende omslagdoek voor als de baby mee naar huis mag, samen met een stuk of zes rompertjes van zachte katoen en een stel handgeborduurde slofjes, mutsjes en sokjes. Ik voel mijn nest-instinct ontwaken en wens voor het eerst oprecht dat ik ook zwanger was. Natuurlijk weet ik best dat verlangen naar een baby terwijl je met je beste vriendin aan het winkelen bent voor de baby-uitzet voor haar eerstgeborene net zoiets is als willen trouwen wanneer je haar in een Vera Wang-jurk een pirouette voor de spiegel in een paskamer ziet maken – en dat er allerlei niet-zo-leuke-of-snoezige dingen aan het moederschap kleven. Maar toch, als we vervolgens een toertje maken langs een paar huizen die te koop staan, 'gewoon voor de lol', bedenk ik onwillekeurig hoe leuk het zou zijn om naar Atlanta te verhuizen, vlakbij Margot te wonen, en onze kinderen – neefjes/nichtjes en vrienden/vriendinnen van elkaar – samen te zien opgroeien in een vrolijke, mooie wereld vol witte camelia's en zoete thee.

Maar tegen de tijd dat Margot en ik ons aan het omkleden zijn voor het diner, zijn de gedachten aan Leo alweer in alle hevigheid terug en is het alsof mijn mobieltje een gat in mijn tasje brandt. Dat gevoel is zo sterk, dat ik er gevaarlijk dichtbij ben om alles aan Margot op te biechten. Ik breng mezelf in herinnering dat ze weliswaar mijn beste vriendin is, maar ook Andy's zus. En bovendien had ze een hekel aan Leo. Een dergelijk gesprek kon onmogelijk goed aflopen.

In plaats daarvan open ik heel terloops de kun-je-vrienden-zijn-met-een-ex discussie weer in een poging af te tasten wat de juiste weg is in mijn ontluikende morele dilemma.

'Zeg,' begin ik, terwijl ik mijn antracietgrijze kokerrok dichtrits. 'Webb maakt zich niet echt druk over Ty, toch?'

Margot lacht en wuift met haar hand. 'Natuurlijk niet. Webb is de meeste zelfverzekerde man die ik ken... en hij voelt zich beslist niet bedreigd door een onbeduidende kalverliefde.'

'Precies,' zeg ik, me afvragend of Andy zich bedreigd zou voelen door Leo – en belangrijker nog, of hij zich bedreigd zou moeten voelen.

Ze houdt twee opties omhoog uit haar garderobekast, een zwarte jersey jurk en een lavendelkleurig gehaakt jasje met een opstaand kraagje, en zegt: 'Welke?'

Ik aarzel, wijs dan naar het jasje en zeg: 'Maar stel nou dat je Brad had ingehuurd om je tuin aan te leggen.'

'Brad Túrner?' zegt ze, alsof ik een andere Brad zou kunnen bedoelen dan de knappe aandelenhandelaar met bril waar ze bijna twee jaar een relatie mee heeft gehad voordat ze Webb leerde kennen.

'Ja,' zeg ik. 'De enige echte.'

Ze knijpt haar ogen tot spleetjes en zegt: 'Oké. Ik zie het al voor me... Brad in zijn dure kostuum achter een grasmaaier.'

'Zou Webb pissig zijn?'

'Misschien,' zegt ze. 'Maar ik zou Brad nooit inhuren. Ik heb niet eens meer contact met hem.'

'Waarom niet?' vraag ik, want dat is immers de kern van de zaak. Waarom hou je contact met bepaalde exen, en met andere niet? Waarom is het oké om met sommige exen vrienden te zijn? Is daar een soort test voor of is het eenvoudiger dan dat?

'Ach, ik weet het niet,' zegt Margot, en ze kijkt bezorgd. Heel even denk ik dat ze me door heeft, maar als ze een zwarte broek en een paar leren schoenen met een open teen en hoge hakken aan schiet, wordt haar gezichtsuitdrukking weer gewoon. Leo is wel de laatste persoon aan wie ze denkt. Ik wou dat ik hetzelfde kon zeggen. 'Waarom? Mis je Brad of zo?'

Ik haal glimlachend mijn schouders op en zeg: 'Ik weet niet... Ik vroeg me gewoon af wat de gouden regel is als het om exen gaat... Ik vind het gewoon een interessant onderwerp.'

Margot denkt hier even over na en beweert dan heel stellig: 'Oké. Als je geen gevoelens meer voor de man hebt, en hij heeft totaal geen gevoelens meer voor jou, en de relatie is eigenlijk toch nooit zo serieus geweest, heb ik absoluut geen problemen met incidenteel vriendschappelijk contact. Of wat onschuldig tuinonderhoud. Vooropgesteld, natuurlijk, dat je huidige gelief-de-*slash*-echtgenoot geen geflipte psychopaat is. Aan de andere kant, als je huidige vent wel een geflipte psychopaat is, heb je wel andere dingen aan je hoofd dan de vraag wie je moet inhuren voor het onderhoud van je tuin.'

'Precies,' zeg ik, tevreden over haar definitie en des te meer over de ruimte die ze daarin zonder het te weten voor mij heeft gecreëerd. 'Goed gesproken.'

Met die woorden zeg ik luchtig tegen Margot dat ik mijn tanden ga poetsen en mijn make-up ga bijwerken, en een paar seconden later heb ik me teruggetrokken in de gastenbadkamer met de deur op slot en de wastafelkraan helemaal open. Zorgvuldig mijd ik mijn eigen spiegelbeeld als ik mijn tasje openmaak en mijn mobieltje eruit haal.

Er is immers helemaal niks mis, zeg ik tegen mezelf, Margots logische en zorgvuldige redenering herhalend, met incidenteel, vriendschappelijk contact als je totaal geen gevoelens meer voor iemand hebt.

tien

*E*llen, met Leo. Luister. Ik heb een vraag voor je. Bel me zodra je kunt.

Leo's bericht, dat maar vier seconden en vijftien woorden lang is, weet me desondanks te intrigeren op een manier die ik alleen maar kan omschrijven als bijzonder verwarrend maar bovenal irritant. Nadat ik een paar minuten voor me uit heb staan staren aan de wastafel, beluister ik het bericht nog een keer, puur om er zeker van te zijn dat ik niets heb gemist. Dat is uiteraard niet het geval, dus ik druk op wissen en zeg hardop: *Ik zou er maar niet op rekenen, vriend.*

Als Leo denkt dat hij jaren voorbij kan laten gaan om me vervolgens doodleuk op te bellen met een of andere zogenaamde vraag in de verwachting dat ik meteen in de telefoon zal hangen omdat ik niet weet hoe snel ik hem terug moet bellen, dan vergist hij zich. In het beste geval is hij arrogant; in het ergste geval ronduit manipulatief.

Verontwaardigd poets ik mijn tanden en breng vervolgens een nieuwe laag roze lippenstift aan op mijn volle onderlip en mijn dunnere bovenlip. Ik hap in een tissue om het teveel te verwijderen, zie dat ik er te veel af heb gehaald en breng opnieuw een laagje aan, dat ik afwerk met een laagje heldere lipgloss. Ik accentueer mijn wangen, voorhoofd en kin met een bronzer en trek met een donker kohlpotlood een lijntje op mijn oogleden. Een vleugje mascara en wat concealer onder mijn ogen, en ik ben klaar om te gaan. Ik ontmoet mijn blik in de spiegel, glimlach een beetje en constateer dat ik er mooi uitzie – alhoewel iedereen er mooi uit zou zien in het zachte licht in Margots badkamer. Net als haar moeder, gelooft Margot niet in fluorescerend licht.

Ik doe de deur naar de aangrenzende logeerkamer open en zeg tegen mezelf dat het afluisteren van mijn voicemail één ding is, maar dat het iets heel anders is om Leo terug te bellen. En ik ben niet van plan om hem op korte termijn terug te bellen, als ik hem al terugbel. Ik kniel bij mijn sporttas en rommel er net zolang in tot ik het kleine, slangenleren handtasje heb gevonden dat ik op het laatste moment nog heb ingepakt. Ik heb het vorig jaar met kerst van Stella gekregen, en ik weet dat het haar groot plezier zal doen om te zien dat ik het gebruik. Ze is een attente, gulle gever, hoewel ik in haar cadeautjes vaak proef dat ze zou willen dat ik me op een bepaalde manier zou gedragen, een beetje meer zoals haar eigen dochter. Met andere woorden: het type vrouw dat instinctief een ander handtasje neemt voor de avond.

Ik doe mijn lipgloss, een spiegeltje en een pakje wintergroene snoepjes voor een frisse adem in het tasje. Er is nog wat ruimte over, dus ik gooi mijn mobieltje erbij, voor het geval dat. Voor welk geval weet ik niet precies, maar je kunt maar beter overal op voorbereid zijn. Vervolgens trek ik een paar zwarte schoenen met hoge hakken aan en ga naar beneden, waar Margot en de mannen zich op barkrukken rond het keukeneiland hebben verzameld en zich te goed doen aan wijn, kaas en gevulde olijven. Ik kijk naar Andy en Margot, die naast elkaar zitten en lachen om Webb die een imitatie van een van zijn klanten weggeeft, en het valt me op dat de gelijkenis tussen hen nog groter is dan anders. Naast hun hartvormige gezicht en hun ronde, goed geplaatste, blauwe ogen, delen ze dezelfde tevreden uitstraling – een bepaalde, authentieke manier van zijn.

Andy's gezicht gaat nog veel meer stralen als hij mij ziet.

'Hé, liefje,' zegt hij, en hij gaat staan om me een kus op mijn wang te geven. Vervolgens fluistert hij in mijn oor: 'Wat ruik je lekker.'

Ter verduidelijking: ik heb een bosbessenvanille bodylotion gebruikt, eveneens met dank aan Stella. 'Dank je, lieverd,' fluister ik terug, en ik voel me vreselijk schuldig tegenover mijn man en zijn moeder.

Ik zeg tegen mezelf dat ik niks heb misdaan – dit is allemaal Leo's schuld. Hij heeft me in een hoek gedreven, een laagje van bedrog gecreëerd tussen mij en de mensen van wie ik houd. Oké, het is een klein geheim in het grote geheel der dingen, maar het is toch een geheim, en het zal groeien – zich vermenigvuldigen – als ik hem terugbel. Dus dat ga ik gewoon niet doen. Ik ga hem niet terugbellen.

En toch, als ik een olijf doorboor met een prikkertje en half sta te luisteren naar weer een verhaal van Webb over een van zijn klanten, dit keer over een voetballer die betrapt is bij een poging om marihuana mee aan boord te nemen in een vliegtuig, merk ik dat ik een klein beetje begin te zwichten. Als ik Leo niet terugbel, zo redeneer ik, zal ik me misschien blijven afvragen wat hij te zeggen heeft, wat hij me in vredesnaam zou willen vragen. En hoe meer ik daarover blijf piekeren, des te ongemakkelijker ik me zal voelen, en des te meer zal hij, en het verleden waarin hij een rol speelde, het heden misschien ondermijnen. Bovendien, niet terugbellen zal misschien een strategische zet lijken en de indruk wekken dat het me op de een of andere manier iets doet. En het doet me niets. He-le-maal niets. Dus ik ga hem gewoon terugbellen, zijn zogenaamde vraag aanhoren en hem vervolgens op mijn beurt meedelen, in vijftien woorden of minder, dat ik ondanks wat ik in het eetcafé heb gezegd al genoeg vrienden heb. Ik heb er geen behoefte aan om een oude vriendschap tot leven te wekken – als er ooit al sprake is geweest van vriendschap tussen ons. Daarna zal ik voor eens en voor altijd klaar met hem zijn. Ik neem een grote slok wijn en denk bij mezelf dat ik nauwelijks kan wachten tot ik terug ben in New York om het gesprek maar achter de rug te hebben.

En toch, ondanks mijn voornemen om Leo met ingang van

maandagochtend uit mijn leven te bannen, kan ik zijn greep op mij deze avond niet van me afschudden, zelfs niet als ik eenmaal bij Bacchanalia ben met de voltallige familie Graham. Sterker nog, ik gedraag me zo afwezig, dat Stella zich op enig moment tot me wendt, vlak na de derde gang van ons fijnproeversmenu compleet met wijnarrangement dat Webb 'briljant' noemt, en zegt: 'Je bent een beetje onrustig vanavond, liefje. Is er iets?'

Haar toon en blik zijn bezorgd, maar ik heb haar vaak genoeg in actie gezien met haar kinderen – of haar man, overigens – om te weten dat het een verhuld standje is. Om het in haar woorden te zeggen: 'aanwezig zijn' als je in gezelschap van anderen verkeert, is van het allergrootste belang – en in onze cultuur van Black Berry's en mobiele telefoons zijn mensen maar al te vaak afwezig en afgeleid van hun directe omgeving. Het is een van de vele dingen die ik bewonder aan Stella – dat ze ondanks haar nadruk op uiterlijk vertoon wel degelijk lijkt te begrijpen waar het werkelijk om gaat.

'Het spijt me, Stella,' zeg ik.

Ik voel me schuldig en beschaamd door haar verwijt, maar haar opmerking heeft het merkwaardige neveneffect dat ik het gevoel heb dat ik een volwaardig familielid ben, alsof ik een van haar eigen kinderen ben. Zo behandelt ze me al jaren, maar nog meer sinds Andy en ik getrouwd zijn. Ik denk terug aan de kerst nadat we ons hadden verloofd, toen ze tijdens een onderonsje haar armen om me heen sloeg en zei: 'Ik zal nooit proberen je moeders plaats in te nemen, maar weet dat je als een tweede dochter voor me bent.'

Beter had ze het niet kunnen zeggen. Stella weet altijd precies wat ze moet zeggen – en belangrijker nog: ze meent altijd wat ze zegt.

Nu schudt ze met haar hoofd en glimlacht als om te zeggen dat het me vergeven is, maar desondanks stamel ik een verklaring. 'Ik ben gewoon een beetje moe. We waren er al behoorlijk vroeg uit... en dan... al dit heerlijke eten.'

'Natuurlijk, liefje,' zegt Stella, en ze verschikt de zijden sjaal die nonchalant om haar slanke hals is geknoopt. Ze is niet iemand die lang boos blijft, de enige goede eigenschap die ze niet heeft weten over te brengen op haar dochter, die indrukwekkend lang en kleinzielig boos kan blijven – soms jarenlang – zeer tot ons aller vermaak.

En met deze gedachte zet ik Leo voor de honderdste keer vandaag uit mijn hoofd en doe ik mijn uiterste best om me te concentreren op ons volgende gespreksonderwerp, dat wordt aangedragen door meneer Graham – de vernieuwde golfbaan op de club. Maar nadat er door de vier mannen aan tafel ongeveer drie minuten is gepraat over *bogies* en *eagles* en *holes-in-one*, een gesprek waar Margot en haar moeder schijnbaar helemaal door gegrepen worden, beginnen mijn gedachten opnieuw af te dwalen en besluit ik dat ik geen seconde langer kan wachten. Ik móét weten wat Leo wil. Nu.

Met wild bonzend hart verontschuldig ik mezelf en begeef me, met mijn tasje in mijn zweterige hand, naar de kleine, chique cadeauwinkel die grenst aan het restaurant en waar de damestoiletten zich bevinden. Ik walg van mezelf. Het is alsof ik zit te kijken naar een van die idiote vrouwen in een horrorfilm – zo'n vrouw die als ze 's avonds laat een verontrustend geluid hoort, besluit dat het, in plaats van 112 te bellen, buitengewoon verstandig is om op blote voeten zelf de pikdonkere tuin in te sluipen om op onderzoek uit te gaan. Er ligt hier namelijk weliswaar geen psychopaat met een bijl op de loer, maar er schuilen wel degelijk onmiskenbare gevaren in deze situatie. Margot, of Stella, zou me elk moment op heterdaad kunnen betrappen. Of Andy zou, voor het eerst, kunnen besluiten om de rekening van mijn mobiele telefoon na te lopen als die aan het eind van de maand binnenkomt, en informeren wie ik met alle geweld ineens had willen bellen in Queens tijdens ons familiediner in Atlanta.

Maar ondanks dergelijke valkuilen heb ik mezelf, tegen beter weten in, toch weer opgesloten in een toilet en probeer ik uit alle macht te bedenken of ik Leo zal bellen of dat ik hem alleen maar een sms zal sturen. In wat voelt als een morele overwinning, besluit ik een haastig berichtje te tikken met twee snelle, gretige duimen. 'Hoi. Je berichtje ontvangen. Wat is het probleem?'

schrijf ik, en ik druk op verzenden voordat ik van gedachten kan veranderen of over mijn woordkeus kan gaan nadenken. Ik doe mijn ogen dicht en schud mijn hoofd.

Ik voel me opgelucht en tegelijkertijd walg ik van mezelf, zoals een verslaafde zich moet voelen na die eerste slok wodka – emoties die een paar seconden later alleen maar sterker worden als mijn telefoon trilt en Leo's nummer op het scherm oplicht. Vlak buiten de toiletten blijf ik staan en doe alsof ik het uitgestalde aardewerk in de etalage van de cadeauwinkel bewonder. Dan haal ik diep adem en neem op.

'Hoi!' zegt Leo. 'Met mij. Ik heb je berichtje gekregen.'

'Ja,' zeg ik, ijsberend en nerveus om me heen kijkend. Nu loop ik niet alleen de kans om door Margot of haar moeder betrapt te worden, maar kan ik ook gezien worden door de mannelijke leden van de familie die een eventuele sanitaire stop gaan maken.

'Hoe is het?' vraagt Leo.

'Prima,' zeg ik gespannen. 'Maar ik kan nu niet praten... Ik zit in een restaurant... Ik was alleen... ik was alleen even benieuwd wat je me wilde vragen.'

'Nou,' zegt Leo, en hij zwijgt even, schijnbaar voor een dramatisch effect. 'Het is nogal een lang verhaal.'

Ik zucht en denk bij mezelf dat meneer kom-direct-ter-zake nu natuurlijk een langdradig voorstel voor me heeft.

'Geef me de verkorte versie,' zeg ik, wanhopig snakkend naar een of andere aanwijzing. Is het iets frivools en vergezochts, zoals een vraag over zijn fototoestel of zoiets? Of is het iets serieus, zoals bijvoorbeeld of ik de boosdoener ben van een soa die hij ooit heeft opgelopen? Of is het iets daar tussenin?

Leo schraapt zijn keel. 'Nou... het heeft met werk te maken,' zegt hij. 'Jouw werk.'

Ik kan een glimlach niet onderdrukken. Dus hij heeft mijn foto's toch gezien. Ik wíst het wel.

'Ja?' zeg ik zo luchtig mogelijk terwijl ik mijn tasje onder mijn zweterige arm klem.

'Nou ja... Zoals ik al zei, het is een lang verhaal, maar...'

Ik loop de paar stappen naar het eetgedeelte en gluur voorzichtig om de hoek. Ik stel vast dat mijn familie nog steeds veilig aan tafel zit. De kust is dus in ieder geval nog een paar seconden veilig. Ik duik weer weg en maak een 'ga door'-gebaar met mijn hand. 'Ja?'

Leo vervolgt: 'Ik heb een potentiële portretopdracht voor je... als je interesse hebt... Je doet toch ook portretten?'

'Jazeker,' zeg ik, mijn nieuwsgierigheid nu enigszins gewekt. 'Wie is het onderwerp?'

Ik stel de vraag maar ben vast van plan om hem teleur te stellen. Om te zeggen dat ik meer dan voldoende opdrachten heb de komende weken. Dat ik tegenwoordig een agent heb die mijn boekingen regelt, dat ik niet meer alles aan hoef te pakken. Dat ik het heb gemaakt – niet in de grote zin van het woord – maar wel groot genoeg. Dus bedankt dat je aan me hebt gedacht, maar toch bedankt. *O, Leo? En nog één ding. Ja. Waarschijnlijk kun je me maar beter niet meer bellen. Je moet het maar niet persoonlijk opvatten. Toedeloe.*

Ik zal het allemaal in één adem zeggen. Ik kan de voldoening nu al proeven.

En dat is het moment waarop Leo nog een keer zijn keel schraapt en er een troefkaart tegenaan gooit. 'Drake Watters,' zegt hij.

'*Drake Watters?*' herhaal ik, verbluft en vol ongeloof, hopend dat hij een andere Drake Watters bedoelt – niet de tienvoudig Grammy-winnende legende en recent genomineerde voor de Nobelprijs voor de Vrede.

Maar er is natuurlijk maar één Drake.

En jawel, Leo zegt: 'Jep,' terwijl ik terugdenk aan mijn middelbareschooltijd en het feit dat ik mínstens één keer per week een Drake T-shirt naar school droeg, in combinatie met mijn opzettelijk gescheurde, *acid-washed*, taps toelopende spijkerbroek en Tretorn-gympen met overal zwarte vredestekens erop. En hoewel ik inmiddels niet meer zo'n grote fan van hem ben, blijft hij absoluut op mijn lijstje staan van 'Iconen die ik dolgraag zou willen fotograferen', samen met Madonna, Bill Clinton, Meryl Streep, Bruce Springsteen, Koningin Elizabeth, Sting en, weliswaar niet van dezelfde orde van grootte als de anderen en om volkomen oppervlakkige redenen: George Clooney.

'Dus, wat zeg je ervan?' vraagt Leo met een zweem van luchtige zelfvoldaanheid. 'Geïnteresseerd?'

Ik schop zachtjes tegen een plint en denk bij mezelf dat ik Leo haat omdat hij me zo in de verleiding brengt. Ik haat mezelf omdat ik zwicht. Ik haat Drake zelfs bijna.

'Ja,' zeg ik, chagrijnig, verslagen.

'Super,' zegt Leo. 'Dus we praten een andere keer verder?'

'Ja,' zeg ik nog een keer.

'Is maandagochtend oké voor jou?'

'Prima,' zeg ik. 'Ik bel je maandag.'

Dan hang ik op en loop terug naar de tafel, waar ik aanschuif met een kakelvers geheim terwijl ik wild enthousiasme veins voor mijn kruidige kardemomflan met gekonfijte kumquats.

elf

Het wordt veel te snel maandagochtend, hetgeen altijd het geval is als je er maar niet in slaagt om een strategie uit te stippelen. Sinds zaterdagavond heb ik iedere mogelijke Drake-Leo strategie al overwogen – variërend van Leo nooit meer terugbellen tot Andy alles vertellen en hem laten beslissen over de fotoshoot, tot een ontmoeting met Leo om persoonlijk alle spannende details van hem te horen over de grootste opdracht van mijn leven tot nu toe.

Maar nu, als ik blijf staan bij de deur van ons appartement nadat ik Andy heb uitgezwaaid voor de rest van de dag, met Drakes betoverende stem in mijn hoofd die 'Crossroads' zingt, een liedje over de rampzalige gevolgen van één avondje ontrouw, weet ik wat me te doen staat. Ik draai me om en ren de woonkamer in, glij op mijn donzige paarse sokken naar het raam voor een laatste glimp van mijn man die over de stoep loopt in zijn charmante, marineblauwe driekwartjas met de roodgeruite sjaal van kasjmier. Als hij verdwijnt in de richting van Park Avenue, kan ik nog net zijn profiel onderscheiden en zie ik dat hij vrolijk met zijn koffertje loopt te zwaaien. Het is dit vluchtige beeld dat mijn besluit definitief maakt.

Langzaam loop ik terug naar de keuken en kijk op de klok op het fornuis. Negen uur tweeënveertig – laat genoeg om iemand te kunnen bellen. Maar ik rek het toch nog een beetje, besluitend dat ik eerst koffie nodig heb. Ons koffiezetapparaat is een paar weken geleden kapot gegaan en we hebben geen fluitketel, dus ik breng een beker kraanwater aan de kook in de magnetron en zoek in de kast naar een pot oploskoffie van het merk dat ik mijn moeder elke ochtend zag gebruiken. Ik staar naar de bekende jongeman op het etiket van Taster's Choice en verbaas me over het feit dat ik hem vroeger altijd zo oud vond lijken. Nu lijkt hij aan de jonge kant – begin veertig, hooguit. Een van de vele slimme trucjes van de tijd.

Ik draai het deksel los en roer twee volle theelepels in mijn beker terwijl ik kijk hoe de bruine kristallen oplossen. Ik neem een slok en word overspoeld door een golf van mijn moeder. Het zijn juist de kleine dingen, zoals oploskoffie, die het gemis het grootst maken. Ik overweeg Suzanne te bellen – die soms dit gemis kan verzachten, simpelweg vanwege het feit dat zij de enige op de hele wereld is die weet hoe ik me voel. Want hoewel we allebei een totaal andere relatie hadden met onze moeder – de hare vaak turbulent omdat ze mijn moeders koppige genen heeft geërfd – zijn we nog steeds twee zussen die te vroeg onze moeder hebben verloren, en dat is een krachtige, sterke, permanente band. Ik besluit echter haar niet te bellen, omdat het soms ook precies andersom werkt, en ik me dan uiteindelijk nog veel verdrietiger voel. Dat kan ik nu niet gebruiken.

In plaats daarvan zoek ik afleiding in het lifestyle-katern van de *Times*, en lees op mijn gemak over de nieuwe leggings-trend die Margot een jaar geleden al heeft voorspeld, terwijl ik kleine slokjes neem van mijn oudbakken smakende koffie en me afvraag hoe mijn moeder dat al die jaren heeft kunnen drinken. Vervolgens maak ik het bed op, pak onze sporttas verder uit, ruim mijn sokkenla op, daarna die van Andy, poets mijn tanden, ga onder de douche en kleed me aan. Omdat ik het gevoel heb dat ik er nog steeds niet helemaal klaar voor ben, zet ik de romans op mijn boekenplank in alfabetische volgorde – een project dat ik al heel lang wil uitvoeren. Ik laat mijn vingers over de keurige rij boekruggen glijden en voel me intens tevreden. Ik geniet van de onderliggende orde, ondanks de chaos in mijn hoofd.

Om vijf voor half twaalf bijt ik eindelijk in de zure appel en pak de telefoon. Tot mijn gelijktijdige opluchting en frustratie, neemt Leo niet op en word ik direct doorgeschakeld naar zijn voicemail. In een adrenalinerush steek ik het verhaaltje af dat ik de afgelopen zesendertig uur in elkaar heb gedraaid, tijdens de kerkdienst en de brunch bij de Grahams, en daarna toen we wat door Buckhead toerden langs nog meer huizen die te koop stonden, en vervolgens tijdens onze kalme vlucht terug naar huis.

De strekking van mijn verhaal is dat ik a) onder de indruk ben dat hij een connectie heeft met Drake Watters (waarom zou ik hem geen onschuldig bot toewerpen?), en b) het enorm waardeer dat hij aan me heeft gedacht, en c) het werkelijk te gek zou vinden om die klus te doen, maar d) me niet 'helemaal prettig voel bij het concept hernieuwde vriendschap en denk dat het beter is als we daar niet aan beginnen.' Op het laatste moment besluit ik e) 'uit respect voor mijn man' weg te laten, aangezien ik niet wil dat Leo denkt dat hij in de categorie Brad 'je-bent-zo-knap-dat-mijn-man-zich-bedreigd-voelt-door-jou' Turner valt in plaats van in de categorie Ty 'je-bent-zo-onschuldig-dat-het-geen-enkel-probleem-is-om-samen-met-jou-in-een-deuk-te-liggen-in-mijn-achtertuin' Portera.

Ik hang op, voel me opgelucht en, voor het eerst sinds ik Leo weken geleden tegen het lijf ben gelopen, bijna onbezorgd. Het telefoontje is dan misschien geen afsluiten in de klassieke zin van het woord, maar het is toch wel een sóórt afsluiten, en belangrijker nog, het is afsluiten op míjn voorwaarden. Het is mijn beslissing geweest. Hetgeen des te betekenisvoller is gezien het feit dat ik het perfecte excuus had – *Drake Watters* nota bene – om Leo te ontmoeten, heerlijk met hem te flirten en zelfs een gesprek met inhoud te beginnen over 'hoe het nou eigenlijk zo ver heeft kunnen komen tussen ons'. Maar ik heb de gelegenheid bewust onbenut gelaten. Radicaal de rug toegekeerd, zelfs. Niet omdat ik een vriendschap met Leo niet áánkan, maar omdat ik er simpelweg geen behoefte aan heb. Einde verhaal.

Ik probeer me Leo voor te stellen terwijl hij mijn bericht beluistert, en vraag me af of hij terneergeslagen zal zijn, een tikje teleurgesteld, of dat het hem koud zal laten. Hij zal in ieder geval verbaasd zijn dat zijn macht, die ooit zo allesomvattend was, totaal uitgewerkt is. Hij zal de hint vast en zeker begrijpen, en ergens anders met zijn fotoklus gaan leuren. En ik zal gewoon moeten leven met het feit dat ik Drake Watters had kunnen fotograferen. Ik glimlach en voel me sterk en gelukkig en deugdzaam. Vervolgens jodel ik luidkeels de enige opbeurende regel uit 'Crossroads' met mijn afgrijselijke, a-muzikale zangstem: *When the lights break, baby, I'll be gone for good.*

Een aantal gedenkwaardige dagen later, als ik Leo bijna helemaal uit mijn systeem heb gebannen, ben ik aan het werk in mijn lab op de vierde verdieping van een industrieel pakhuis op de hoek van Twenty-fourth en Tenth Avenue. Ik deel de ruimte, en de huur, met Julian en Sabina – fotografen die als team opereren – en Oscar – drukker, papierconservator en uitgever van toegepaste kunst. We zitten nu al meer dan twee jaar met zijn vieren in deze eenvoudige werkruimte, en zijn daardoor goede vrienden geworden.

Sabina, een bleke, spichtige vrouw wier bloedeloze uiterlijk niet in overeenstemming is met haar sprankelende persoonlijkheid, is de meest spraakzame van ons vieren. De enige concurrentie die ze krijgt, is afkomstig van Oscars BBC-radio, die hij aan heeft staan op een frustrerende geluidssterkte – te zacht om het goed te kunnen verstaan, maar te hard om het geluid te negeren. Op dit moment is ze ons smakelijk aan het vertellen over de streek die haar drieling van drie nu weer heeft uitgehaald: de volledige verzameling manchetknopen van haar man door de wc spoelen, waardoor haar appartement op de derde verdieping blank is komen te staan en het ondergelegen appartement ernstige waterschade heeft opgelopen. Ze vertelt het hele verhaal lachend, want, om haar eigen woorden te gebruiken: 'Daar kun je toch alleen maar om lachen?' Ik heb het idee dat ze het heimelijk een schitterend verhaal vindt, aangezien ze haar man er vaak van beschuldigt materialistisch en opgefokt te zijn. Ik geniet altijd van Sabina's verhalen, vooral tijdens geestdodend retoucheerwerk, waar ik op dit moment mee bezig ben. Om precies te zijn ben ik een samenscholing van acne aan het verwijderen van het gezicht van een skateboardende tiener voor een advertentie voor een kleine platenmaatschappij.

'Wat vinden jullie, jongens? Zal ik deze vent een kinimplantaat geven?' vraag ik.

Oscar, een serieuze Brit met geweldige droge humor, kijkt nauwelijks op van een van zijn kleine laatjes gevuld met lood, antimonium en houten drukletters. Doordat ik over zijn schouder mee heb staan kijken toen ik binnenkwam, weet ik dat hij werkt aan een kunstboek in Etrurian, zijn favoriete Victoriaanse lettertype. Ik vind het heerlijk om Oscar aan het werk te zien, misschien omdat zijn vak zo anders is dan het mijne, maar waarschijnlijk meer vanwege zijn gracieuze, bijna ouderwetse manier van doen.

'Laat die arme jongen met rust,' zegt hij terwijl hij papier vochtig maakt en vervolgens iets mompelt over 'digitale plastische chirurgie fratsen'.

'Ja, Ellen. Wees nou eens niet zo oppervlakkig.' Julian, die net terug is van zijn zoveelste rookpauze van vandaag, doet ook een duit in het zakje, alsof hij zelf niet de dijen heeft gestroomlijnd van menige vrouw met maatje XXS.

Glimlachend zeg ik: 'Ik zal mijn best doen.'

Van mijn drie werkruimtecollega's vind ik Julian waarschijnlijk de leukste – we hebben in ieder geval het meeste gemeen. Hij is ongeveer even oud als ik en is ook getrouwd met een advocaat – een levendige, hippe meid die Hillary heet.

Sabina zegt tegen Julian dat hij op moet schieten terwijl ze haastig naar me toe loopt in haar strakke blauwe spijkerbroek met een scheur op de knie, haar lange jaren-zestig haar wapperend achter haar aan. Ze verontschuldigt zich al op voorhand voor haar knoflookadem en mompelt iets over een overdosis van een kruidensupplement, en tuurt dan neer op de foto in kwestie.

'Geweldige beweging daar,' zegt ze, wijzend naar een wazig gemaakt skateboard midden in de lucht.

Ik beschouw beweging als mijn zwakste punt als fotografe,

dus ik waardeer deze opmerking echt heel erg. 'Dank je,' zeg ik. 'Maar wat is er nou met zijn kin?'

Ze houdt de foto in het licht en zegt: 'Ik zie wat je bedoelt, maar ik zou bijna denken dat zijn kin hem een knorrig uiterlijk geeft... Is knorrig de goede emotie voor de advertentie?'

Ik knik. 'Ja. Het bedrijf heet Badass Records. Dus ik denk dat knorrig juist prima is.'

Sabina werpt er nog een laatste blik op en zegt: 'Maar ik zou misschien zijn neus een beetje kleiner maken. Die leidt meer af dan zijn zwakke kin... Is het je wel eens opgevallen dat een zwakke kin en een grote gok vaak hand in hand gaan? Waarom is dat eigenlijk?'

Mijn mobiele telefoon valt Sabina midden in haar redenatie in de rede.

'Wacht even,' zeg ik, in de verwachting dat het Margot zal zijn, die het afgelopen uur al twee keer heeft gebeld. Maar als ik op het schermpje kijk, zie ik dat het Cynthia is, mijn agente.

Ik neem op, en zoals gewoonlijk schreeuwt ze in de telefoon. 'Ga zitten. Dit geloof je gewoon niet!'

Leo flitst door mijn hoofd, maar ik ben desondanks met stomheid geslagen als ik naar haar luister terwijl ze de rest van het nieuws eruit gooit.

'*Platform Magazine* heeft gebeld,' zegt ze. 'En luister goed, meid, ze willen dat jíj een foto maakt van *Drake Watters* voor hun coverstory in het aprilnummer!'

'Dat is fantastisch,' zeg ik, en ik word overspoeld door een mengeling van emoties. Om te beginnen kan ik gewoonweg niet geloven dat Leo zijn plan heeft doorgezet, hoewel ik achteraf gezien wel inzie dat ik een enorme achterdeur open heb gelaten die hem goed van pas kwam om alles via mijn agente te regelen. Toch had ik werkelijk niet gedacht dat hij zo onbaatzuchtig zou zijn. Ik dacht – of hoopte misschien zelfs – dat het Drake-verhaal meer een machtsspelletje was, een soort lokaas om me weer binnen te halen en me te dwingen tot een aan het onbetamelijke grenzende vriendschap. Nu ben ik genoodzaakt om het gebaar, en misschien ook Leo, in een ander licht te zien. En natuurlijk wordt dit alles overschaduwd door het simpele, duizelingwekkende, onvervalste gevoel van opwinding vanwege het feit dat ik een icoon mag fotograferen.

'Fantastisch?' zegt Cynthia. '*Fantastisch* is een understatement.'

'*Ongelofelijk* fantastisch,' zeg ik, grijnzend nu.

Sabina, altijd nieuwsgierig maar nooit op een irritante manier, fluistert: 'Wat? Wát?'

Ik krabbel de woorden *Platform Magazine* en *Drake Watters* op een notitieblok. Haar ogen worden groot terwijl ze een komisch, exotisch dansje doet rond een paal die het onafgewerkte plafond verbindt met de betonnen vloer en vervolgens naar Julian toe rent om hem het nieuws te vertellen. Hij kijkt op en steekt glimlachend zijn middelvinger naar me op. Er is geen sprake van een verbeten concurrentiestrijd, maar we houden zeer zeker wel een vriendschappelijke score bij. Hiervoor gingen Sabina en hij ruimschoots aan de leiding met een shoot van Katie Couric voor *Redbook* op locatie in de Hamptons, waar Julian vroeger al zijn werk deed, voordat hij met Hillary trouwde en zij hem fulltime naar de stad lokte.

'Hebben ze gezegd hoe ze aan mijn naam zijn gekomen?' vraag ik kalm aan Cynthia nadat ze een paar details van de shoot met me heeft doorgelopen – namelijk dat-ie zal plaatsvinden in L.A. en dat het tijdschrift er drieduizend dollar voor betaalt, plus vliegtickets, huur van apparatuur, onkosten en een verblijf in het Beverly Wilshire.

'Nee,' zegt ze. 'En wat doet dat er eigenlijk toe? Je zou een fles champagne moeten opentrekken in plaats van vragen te stellen!'

'Tuurlijk,' zeg ik, omdat ik heel graag wil geloven wat ze zegt. Per slot van rekening, denk ik bij mezelf terwijl ik haar bedank, ophang en een rondje felicitaties in ontvangst neem, heb je principes, en je hebt koppige, trotse dommigheid. *Fratsen*, zoals Oscar zou zeggen. En iedereen, zelfs Andy, zou het er vast en zeker over eens zijn dat je Drake Watters niet kunt laten lopen, alleen maar vanwege de fratsen van een ex-vriendje.

twaalf

Ongeveer een week later, na veel informeel geginnegap, vieren Andy en ik officieel mijn op handen zijnde Drake-klus bij Bouley, een van onze favoriete restaurants in de stad. Afgezien van het heerlijke eten en de gezellige sfeer, heeft Bouley sentimentele waarde voor ons, aangezien we er gedineerd hebben op de avond dat we voor het eerst met elkaar naar bed gingen, hetgeen overigens precies één maand na ons eerste afspraakje was. De volgende ochtend zei ik plagend tegen Andy dat de haute cuisine van chefkok David Bouley eraan te pas had moeten komen voordat hij met me naar bed wilde.

'Klopt,' kaatste hij vrolijk terug. 'Het was de hertenbiefstuk. Ik zal die hertenbiefstuk nooit vergeten. Verreweg de beste die ik ooit heb gehad.'

Ik lachte, aangezien ik de waarheid kende – dat het wachten alles te maken had met Andy's romantische karakter en zijn respectvolle manier van doen. Nog afgezien van mijn vriendschap met Margot die erdoor op het spel kon worden gezet, gaf Andy voldoende om me om alles precies goed te willen doen in plaats van overhaast met me in bed te duiken met een slok te veel op – de methodologie waar de meeste mannen in het New Yorkse uitgaansleven de voorkeur aan gaven, of in ieder geval de twee waar ik mee naar bed was geweest na Leo. En hoewel sommigen onze eerste keer misschien weinig spontaan zouden noemen, zou ik het niet anders hebben gewild. Nu nog steeds niet.

Hetgeen de verrassing des te aangenamer maakt als we vanavond precies hetzelfde, knusse hoektafeltje krijgen toegewezen in de eetzaal met het gewelfde plafond. Ik trek mijn wenkbrauwen op en vraag: 'Toeval?'

Andy haalt grijnzend zijn schouders op.

Dit is dus duidelijk geen toeval. Ik glimlach. Hij is altijd even attent, mijn man. Soms lijkt hij werkelijk te goed om waar te zijn.

In de paar minuten die daarop volgen, nadat we de wijnkaart en de menukaart uitgebreid hebben bestudeerd, beslissen we wat we vooraf nemen – de foie gras met een fricassee van kastanje-champignons voor mij en het aubergineschoteltje voor Andy – samen met een fles van Bouley's beste champagne. Andy struikelt over de uitspraak bij het bestellen van het voorafgaande, ondanks het feit dat hij minstens tien jaar lang Franse les heeft gehad in zijn jeugd. Onze ober spreekt mompelend zijn oprechte goedkeuring uit, misschien niet voor Andy's onbeholpen uitspraak, maar dan toch in elk geval voor onze keuze.

Een paar minuten later, nadat onze champagne en voorgerechtjes zijn gearriveerd en Andy een toost heeft uitgebracht op zijn 'beeldschone, briljante vrouw', stort hij zich direct in de details van de fotoshoot. 'Weet je al in welke poses je Drake wilt fotograferen?' begint hij.

Ik glimlach om het woord *poses*, hetgeen niet bepaald een beeld oproept van een stijlvolle, gestileerde kleurenreportage in een tijdschrift, maar meer van een portret-studiosessie van het soort dat Suzanne en ik in onze jeugd moesten verduren, compleet met wit houten hekje, nepwolken op de achtergrond en een harig bruin kleed dat ruw aanvoelde aan onze ellebogen.

Maar ik weet wat Andy bedoelt – en de vraag, op een meer technische manier geformuleerd, is de afgelopen dagen tientallen keren bij me opgekomen. Ik zeg tegen hem dat ik de kunstredacteur of de fotoredacteur nog niet gesproken heb – dus ik weet niet precies wat ze willen, maar dat ik wel uitgesproken ideeën heb over de sfeer van de reportage. 'Humeurig, daar zit ik aan te denken. Bijna somber,' zeg ik. 'Vooral vanwege Drake's aidswerk.'

'Ga je hem binnen of buiten fotograferen?' vraagt Andy.

'Je weet dat ik de voorkeur geef aan natuurlijk licht. Dus of bij een grote raampartij, of buiten. Misschien overpowered,' zeg ik.

'Wat is overpowered?' vraagt Andy, zoals ik hem regelmatig vragen stel over dingen die waarschijnlijk procedurele, juridische basisbeginselen zijn.

'Dat is een techniek waarbij het onderwerp goed belicht is, meestal midden op de dag, maar waarbij de achtergrond min of meer geleidelijk zwart wordt,' leg ik uit. 'Het is een vrij gebruikelijke manier om buiten foto's te maken. Als je het ziet, weet je wel wat ik bedoel.'

Andy knikt en zegt: 'Nou, misschien heeft het hotel wel een terras. Dat zou te gek zijn. Of je zou het bij het zwembad kunnen doen. Of zelfs in het zwembad! Gooiend met een strandbal of zo, weet je wel.'

Lachend probeer ik me Drake voor te stellen in een Speedo zwembroek en denk bij mezelf dat Andy het nog veel spannender lijkt te vinden dan ik. Ik denk dat dit deels komt doordat hij door de jaren heen een veel loyaler en uitbundiger Drake-fan is gebleven. Maar ik denk dat het voornamelijk gewoon te wijten is aan zijn neiging om op te kijken tegen beroemdheden, een eigenschap die een opvallend en amusant (Margot zou zeggen: *gênant*) contrast vormt met de manier waarop de meeste inwoners van Manhattan het *spotten* van een beroemdheid volkomen bagatelliseren, bijna als een soort erepenning. Alsof ze door blasé te doen een statement maken dat hun eigen leven net zo geweldig is – minus de rompslomp en de ellende van het beroemd zijn, natuurlijk. Maar niet Andy. Ik denk aan zijn wilde enthousiasme toen we Spike Lee zagen bij een pinautomaat in de West Side – en Kevin Bacon en Kyra Sedgwick die aan het joggen waren in het park ('twee voor de prijs van één!') – en Liv Tyler die aan het snuffelen was bij Kate's Paperie – en de grootste klapper van allemaal, Dustin Hoffman die zijn zwarte labrador aan het uitlaten was in East Hampton. Nadat we het tweetal gepasseerd waren, vertelde Andy dat hij al zijn zelfbeheersing nodig had gehad om niet luidkeels die ene beroemde zin te roepen uit *The Graduate* – 'Slechts één woord... *plastics*!' – iets waarom ik in een deuk lag, maar wat Dustin waarschijnlijk een stuk minder grappig zou hebben gevonden.

Dustin Hoffman op het strand is echter één ding, een fotoshoot met Drake Watters is iets heel anders. Dus als Andy vraagt, slechts half schertsend, of ik een handtekening voor hem wil vragen, schud ik resoluut mijn hoofd.

'Geen schijn van kans,' zeg ik.

'Toe nou,' zegt hij, over de tafel heen reikend om nog een hapje te stelen van mijn foie gras, die we allebei met een minimaal verschil tot de beste keuze hebben uitgeroepen. 'Laat hem gewoon een kort, lief tekstje schrijven. Iets in de trant van... "Voor Andy, mijn goede vriend en bron van inspiratie. Je muzikale vriend, Drake Watters." Of hij mag simpelweg signeren met "Drake"... Of zelfs "Mr. Watterstein". Ik vind alles best.'

Ik lach. De tijd dat ik *Teen Beat* kocht, ligt zo ver achter me, dat ik vergeten was dat Drake's echte achternaam Watterstein is. Ik bedenk dat ik dat soort smeuïge details vroeger altijd verslond – *Drake's echte naam! Rob Lowe's lievelingseten! Ricky Schröder's nieuwe liefde! River Phoenix' nieuwe puppy!*

Andy kijkt teleurgesteld – of doet in elk geval alsof. 'Wil je dat echt niet voor me doen? Serieus?'

'Serieus,' zeg ik. 'Ik ga het echt, écht niet doen.'

'Oké, *Annie*,' zegt hij. 'Wat jij wilt.'

Het is ongeveer de derde keer dat hij me, schertsend maar met een ondertoon van bewondering, *Annie* of *mevrouw Leibovitz* noemt, en elke keer voel ik me een beetje een oplichtster, een bedriegster, omdat ik hem niet de volledige waarheid heb verteld over hoe ik aan deze klus ben gekomen. Afgezien daarvan, echter, begint voor mijn gevoel de connectie met Leo naar de achtergrond te verdwijnen, en heb ik mezelf er grotendeels van weten te overtuigen dat het wel dégelijk alleen mijn talent is geweest waaraan ik deze opdracht te danken heb. Per slot van rekening doen Leo's ware bedoelingen (zijn schuldgevoel over hoe hij me destijds behandeld heeft afkopen? zuivere welwillendheid? omdat hij mijn werk heeft gezien en oprecht vindt dat ik talent heb? me verleiden, in ieder geval in mentaal opzicht?) nu in feite totaal niet meer ter zake. Ik heb de klus gekregen, en het is iets waarvan ik weet dat ik het goed kan. Ik weiger me te laten intimideren door Drake of *Platform Magazine*. En ik weiger het gevoel te hebben dat ik bij Leo in het krijt sta, als dat tenminste zijn bedoeling is.

Als ik mijn laatste hap neem, kom ik mijn echtgenoot een eindje tegemoet. 'Oké, oké,' zeg ik. 'Ik zal kijken wat ik voor je kan doen voor wat betreft die handtekening... Als het klikt tussen Drake en mij en de shoot verloopt goed, zal ik tegen hem zeggen dat mijn muts van een man graag zijn handtekening wil. Afgesproken?'

'Afgesproken,' zegt Andy opgewekt, mijn 'muts van een man'-opmerking negerend zoals alleen een man die heel goed in zijn vel zit dat kan. Ik glimlach en denk bij mezelf dat er maar weinig dingen zo sexy zijn als een man die zichzelf niet te serieus neemt.

Onze ober blijft bij ons tafeltje staan om vakkundig onze champagneglazen bij te vullen, waarbij de belletjes precies tot aan de rand komen zonder dat het glas overloopt. Andy gebaart naar onze bijna lege fles om te vragen of ik nog meer wil. Ik knik, genietend van het gemak van echtelijke, non-verbale communicatie, en zie in gedachten de aangeschoten seks-om-het-te-vieren van vanavond al voor me. Andy bestelt nog een fles voor ons, en we praten verder over Drake en de fotoshoot.

Dan, ergens in het intermezzo tussen voor- en hoofdgerecht, recht Andy zijn rug en krijgt zijn gezicht een ongewoon ernstige uitdrukking.

'Zo,' zegt hij. 'Ik wil het ook nog ergens anders over hebben met je.'

Heel even raak ik in paniek, denkend dat hij de rekening van mijn mobiele telefoon heeft gezien of er op een andere manier achter is gekomen dat ik contact heb gehad met Leo.

'Ja?' zeg ik.

Hij friemelt aan zijn servet en schenkt me een trage, aarzelende glimlach. Ik denk bij mezelf dat als hij de vrouw was en ik de echtgenoot, ik ervan overtuigd zou zijn dat er een kindje op komst was. Zo plechtig, onrustig – en tegelijkertijd ook *opgewonden* – ziet hij eruit.

'Wat?' zeg ik, dankbaar dat ik degene ben die dat nieuws zal mogen brengen.

Andy leunt over de tafel heen en zegt: 'Ik denk erover om mijn baan op te zeggen.'

Verwachtingsvol kijk ik hem aan, want dit is niet bepaald schokkend nieuws. Andy heeft het al over zijn baan opgeven sinds de dag dat hij er begonnen is, hetgeen de normaalste zaak van de wereld schijnt te zijn bij grote advocatenkantoren. 'Dat is toch geen nieuws?' zeg ik.

'Ik bedoel *in de nabije toekomst*,' zegt hij. 'Sterker nog, ik heb vandaag een ontslagbrief opgesteld.'

'Echt waar?' zeg ik. Ik heb hem al talloze keren over deze beruchte ontslagbrief gehoord – maar voor zover ik weet, heeft hij 'm nog nooit daadwerkelijk geschreven.

Hij knikt en laat zijn hand over zijn waterglas glijden voordat hij een grote slok neemt. Hij drukt zijn servet tegen zijn lippen en zegt: 'Ik wil echt graag stoppen.'

'En wat wil je dan gaan doen?' zeg ik, me afvragend of Andy ooit het voorbeeld zou volgen van zijn broer James – die in wezen niets anders doet dan slapen, golfen en feesten.

'Behalve teren op de zak van mijn beroemde echtgenote?' vraagt Andy met een knipoog.

'Ja,' zeg ik lachend. 'Afgezien daarvan?'

'Nou,' zegt hij. 'Ik zou wel graag als advocaat willen blijven werken... maar dan zou ik dat graag willen doen in een kleinere en minder prestigieuze... *familie-georiënteerde* setting.'

Ik denk dat ik wel weet waar hij naartoe wil, maar ik wacht tot hij het voor me spelt.

'In Atlanta,' zegt hij uiteindelijk. 'Bij mijn vader.'

Ik neem een slok champagne en voel mijn hart bonken in een

heel scala aan onverwerkte emoties terwijl ik zeg: 'Denk je dat je dat leuk zou vinden?'

'Ik denk het wel,' zegt hij. 'En mijn vader zou dolblij zijn.'

'Dat weet ik,' zeg ik. 'Hij heeft het maar víjf keer ter sprake gebracht toen we er waren.'

Andy kijkt in mijn ogen en zegt: 'En jij dan? Wat vind jíj ervan?'

'Van dat je bij je vader wilt gaan werken?' vraag ik. Ik weet dat ik onnozel doe, dat hij mijn mening vraagt over iets wat veelomvattender is dan zijn baan alleen, maar ik weet niet precies waarom.

'Nee. Van Atlanta,' zegt Andy, die onrustig met zijn mes zit te spelen. 'Van in Atlanta wonen.'

Uiteraard hebben Andy en ik het wel vaker over deze mogelijkheid gehad, zeker sinds Margot uit de stad weg is. Tijdens ons laatste bezoek hebben we er zelfs rondgereden en naar huizen gekeken, maar dit keer voelt het anders. Dit keer voelt het alsof het menens is, geen theorie – en om het met Andy's woorden te zeggen: *nabije toekomst.*

Voor alle duidelijkheid vraag ik: 'Je bedoelt dat je er op korte termijn naartoe wilt verhuizen?'

Andy knikt.

'Waar moet ik dan aan denken? Dit jaar nog?'

Andy knikt weer en begint dan aan een nerveus pleidooi dat recht uit zijn hart lijkt te komen. 'Het laatste wat ik wil, is je onder druk zetten. Als je in New York wilt blijven – of het gevoel hebt dat je carrière eronder zou lijden als we gingen verhuizen – dan kan ik best blijven. Ik bedoel, het is niet zo dat ik een hekel heb aan de stad of er wanhopig graag weg wil of zo... Maar na dat laatste bezoek aan Atlanta... en het huizen kijken... en de gedachte aan ons nichtje of neefje dat op komst is en het feit dat mijn ouders een dagje ouder worden, en alles, eigenlijk... Ik weet het niet – ik heb gewoon het gevoel dat ik toe ben aan verandering. Aan een makkelijker leven. Of in ieder geval een ander soort leven.'

Ik knik terwijl er van alles door mijn hoofd schiet. Niets van wat Andy zegt, komt als een verrassing, niet alleen omdat we het allemaal al vaker besproken hebben, maar ook omdat we op een leeftijd zijn dat veel vrienden gaan trouwen, kinderen krijgen en aan een exodus naar de voorsteden beginnen. Maar toch voelt het op de een of andere manier verbijsterend om na te denken over op korte termijn weggaan uit de stad. Mijn hoofd vult zich met klassieke beelden van New York – Central Park op een frisse herfstdag; schaatsen op Rockefeller Plaza; een wijntje drinken op een terrasje in de duizeligmakende hitte van de zomer – en ineens verlang ik terug naar het verleden. Ik verlang zelfs terug naar vanavond, naar de maaltijd die Andy en ik samen gebruiken, naar de herinnering die we op dit moment aan het creëren zijn.

'Zeg iets,' zegt Andy, en hij trekt aan zijn oor – iets wat hij doet als hij nerveus is, of als iets echt belangrijk voor hem is. Hij heeft beslist aan zijn oor zitten trekken toen hij me ten huwelijk vroeg, en ik heb het idee dat dit een vergelijkbaar moment is. Hij wil van me weten hoe ik denk over een ingrijpende verandering. Een stap die we samen zouden zetten. Niet van dezelfde orde van grootte als een huwelijk, maar in vele opzichten is het een nog veel ingrijpender verandering.

Ik steek mijn hand uit en pak die van Andy, en hoewel ik niets liever wil dan hem plezieren, wil ik ook volkomen eerlijk tegen hem zijn. 'Ik denk dat het hartstikke leuk zou kunnen zijn,' zeg ik, en ik klink minder aarzelend dan ik me voel – alhoewel ik eigenlijk niet zo goed weet hoe ik me voel.

Andy knikt en zegt: 'Ik weet het. En geloof me, ik probeer je niet voor het blok te zetten. Maar... ik wilde je wel iets laten zien.'

Hij laat mijn hand los en reikt in de binnenzak van zijn colbertje, om er een dubbelgevouwen vel papier uit te halen. 'Kijk.'

Ik pak het papier van hem aan, vouw het open, en staar neer op een groot huis van cederhout en rode baksteen met een overdekte veranda, vergelijkbaar met de huizen die Margot me sinds ons laatste bezoek alsmaar doorstuurt via de mail, altijd met een onderwerpregel in de trant van: 'Buren!' of 'Perfect voor jullie!'

Maar dit huis is niet afkomstig van Margot die de hele dag

voor de lol achter haar computer zit. Dít huis is afkomstig van Andy terwijl we champagne zitten te drinken bij Bouley.

'Vind je het mooi?' vraagt hij aarzelend, al is het overduidelijk welk antwoord hij graag wil horen.

'Natuurlijk,' zeg ik, vluchtig de details bekijkend in de omschrijving onder de foto – vijf slaapkamers, vier badkamers, omheinde tuin, verwarmd zwembad, hoge plafonds, overdekte veranda met horren rondom, souterrain, garage voor drie auto's, provisiekamer, goederenlift op alle drie de woonlagen.

Er is absoluut niks op aan te merken. Het is in alle opzichten een droomhuis – een huis waar ik als kind zelfs niet van had kunnen dromen. Zelfs niet toen mijn moeder tegen me zei dat ze zeker wist dat ik een goed leven zou hebben vol mooie dingen, mooie mensen.

'Ik maak me geen zorgen over jou, Ellie,' had ze gezegd terwijl ze mijn haar streelde. 'Helemaal niet.'

Het was een week voordat ze doodging, direct nadat ze voor de laatste keer was thuisgekomen uit het ziekenhuis, en ik weet nog dat ik zat te luisteren naar haar geruststellende stem en me een voorstelling probeerde te maken van mijn eigen leven als volwassene, compleet met man, huis en kinderen – en me afvroeg of iets van dat alles ooit de pijn van het verlies van mijn moeder zou kunnen wegnemen.

Ik kijk op van het vel papier en zeg: 'Het is schitterend, Andy. Ronduit schitterend.'

'En vanbinnen is het net zo mooi,' zegt Andy, snel pratend. 'Margot zei dat ze er wel eens binnen is geweest... voor een of andere Tupperwareparty of zo. Ze zei dat er een gigantische werkruimte is in het souterrain die jij voor je werk zou kunnen inrichten. Dan zou je geen ruimte meer hoeven te huren. Je gaat gewoon in je pyjama de trap af... En het allermooiste is – het is, pak 'm beet, honderd meter bij Margot en Webb vandaan. Zou dat niet super zijn?'

Ik knik en laat het allemaal even op me inwerken.

'Het is echt perfect,' zegt Andy. 'Perfect voor ons. Perfect voor het gezin dat we willen stichten.'

Ik staar weer naar het huis, en dan pas zie ik wat de vraagprijs is. 'Shit,' zeg ik.

Geld is iets waar Andy en ik niet vaak over praten – dat hebben Margot en hij gemeen – maar waar zij niet schijnt te beseffen hoe rijk haar familie is, lijkt hij er soms een beetje schaapachtig onder, bijna verontschuldigend. Daardoor maakt hij bepaalde keuzes – ons kleine appartement is daar een voorbeeld van – en vergeet ik soms hoeveel geld hij eigenlijk heeft. 'Jij bent echt rijk, hè?' zeg ik glimlachend.

Andy slaat zijn ogen neer en schudt zijn hoofd. Dan kijkt hij me weer aan en zegt ernstig: 'Wíj zijn rijk... In meer dan één opzicht.'

'Dat weet ik,' zeg ik, genietend van het moment.

We staren elkaar langdurig aan, totdat Andy de stilte verbreekt. 'Dus... Wat denk je?'

Ik doe mijn mond open, dicht, en weer open.

'Ik hou van je, Andy,' zeg ik uiteindelijk, en mijn hoofd tolt van de champagne en nog zoveel andere dingen. 'Dat denk ik.'

'Daar doe ik het voor,' zegt Andy met een knipoog, precies op het moment dat onze kreeft arriveert. 'Het is geen handtekening van Drake, maar ik doe het ervoor.'

dertien

'Ik wíst wel dat je je zou laten meeslepen,' zegt mijn zus een paar dagen later als ik haar bel om haar te vertellen over onze mogelijke – waarschijnlijke – verhuizing naar Atlanta. Haar toon is niet direct kritisch, maar meer triomfantelijk. 'Ik wíst het gewoon.'

En ik wist *gewoon dat je zo zou reageren,* denk ik bij mezelf, maar in plaats daarvan zeg ik: 'Me laten meeslepen, zo zou ik het niet willen noemen. Om te beginnen hebben we nog niet eens een definitieve beslissing genomen –'

Suzanne valt me in de rede: 'Als je maar belooft dat je niet met een zuidelijk accent gaat praten.'

'Ze hebben niet echt een accent in Atlanta,' zeg ik. 'Daar is de bevolking veel te gemengd voor... Andy heeft nauwelijks een accent.'

'En ga alsjeblieft niet het woord *"y'all"* gebruiken,' zegt ze somber, alsof ze van me verlangt dat ik plechtig zal beloven dat ik me niet zal aansluiten bij een griezelige religieuze sekte en niet van hun Kool-Aid zal drinken. 'Je bent een Yankee, vergeet dat niet.'

'Oké. Áls we verhuizen – en het is echt nog steeds een *als* – zal ik waken voor een accent, en zal ik trouw *"you guys"* blijven zeggen in plaats van *"y'all"*. Ik beloof ook plechtig dat ik nooit in een pick-uptruck zal rijden, de vlag van de zuidelijke staten zal hijsen of whisky zal destilleren in de achtertuin,' zeg ik terwijl ik het sorteren van de vuile was in een stapel bonte en een stapel witte was staak, en in kleermakerszit op de grond ga zitten in onze slaapkamer.

Ondanks het feit dat Suzanne me constant het gevoel geeft dat Andy of Margot of hun wereld niet haar volledige goedkeuring kunnen wegdragen, moet ik toch glimlachen. Mijn zus is me erg dierbaar, en het is fijn om haar stem te horen na een aantal weken telefoontikkertje te hebben gespeeld. Sinds mijn studententijd hebben we nog slechts sporadisch contact, afhankelijk van onze agenda's en, in nog grotere mate, van Suzannes humeur. Soms trekt ze zich wekenlang terug, en dan kan ik drammen wat ik wil, maar dan komt ze pas weer tevoorschijn als ze er zelf aan toe is.

Het gevolg daarvan is dat ik heb geleerd een lijst bij te houden met onderwerpen waar ik het met haar over wil hebben, die ik nu uit mijn agenda tevoorschijn haal. Ik weet dat ik de belangrijke zaken niet zal vergeten – zoals Atlanta of Drake – maar ik wil niet dat de triviale dingetjes er tussendoor glippen, omdat ik bang ben dat onze gesprekken dan hun alledaagse, vertrouwde sfeer verliezen. Ik kan me niet voorstellen dat het ooit zal gebeuren, en tegelijkertijd weet ik dat het wel degelijk gebeurt dat zussen elkaar op die manier kwijtraken, vooral als ze niet bij elkaar in de buurt wonen of niet veel gemeen hebben – of als ze geen moeder hebben die hen bindt. Op de een of andere manier heb ik het gevoel dat als ik haar bijpraat over de alledaagse details van mijn leven – of dat nou de nieuwe dagcrème is die ik gebruik of het mailtje dat ik zomaar ineens kreeg van een kennis van de middelbare school, of zomaar een grappige herinnering aan onze ouders, zoals die keer dat ze op Labor Day schoenen met ons gingen kopen voor het nieuwe schooljaar – we nooit gedegradeerd zullen worden tot enkel zussen-op-papier. Dan zullen we altijd meer zijn dan twee volwassen vrouwen die elkaar opbellen en bij elkaar op bezoek gaan, enkel vanwege een rode draad van familieverplichtingen.

Dus ik werk mijn lijstje af en luister dan naar haar nieuwtjes

– die in feite geen nieuwtjes zijn, maar gewoon meer van hetzelfde, te weten: Suzanne heeft nog steeds een hekel aan haar
werk als stewardess bij US Airways, en ze is nog steeds niet verloofd met haar vriend, Vince. Ze heeft de baan en Vince al bijna
zes jaar, en voor allebei geldt dat ze precies pasten bij haar zorgeloze manier van leven toen ze eraan begon. Maar nu, op haar
zesendertigste, is ze het zat om drankjes te serveren in de lucht
aan onbeschofte mensen, en ze is het nog veel meer zat om
drankjes te serveren aan Vince en zijn onvolwassen vrienden terwijl ze luid joelend de Steelers, Pirates en Penguins zitten aan te
moedigen. Ze wil haar leven veranderen – of in ieder geval wil
ze Vince veranderen – maar ze weet niet zo goed hoe ze dat aan
moet pakken.

Ze is ook koppig genoeg om haar jongere zus stelselmatig niet
om advies te vragen. Niet dat ik overigens zou weten wat ik
tegen haar moest zeggen. Vince, een aannemer die Suzanne heeft
leren kennen toen ze allebei op de snelweg in de file stonden, is
onbetrouwbaar, wil zich niet binden, en heeft ooit samenge-
woond met een stripper die Honey heette. Aan de andere kant is
hij ook hartelijk, geestig, en het absolute middelpunt van ieder
feestje. En het allerbelangrijkste is dat Suzanne oprecht van hem
houdt. Dus ik heb geleerd om enkel een luisterend oor te bieden
– of te lachen op de juiste momenten, zoals nu, terwijl ze in geuren en kleuren aan het vertellen is dat Vince haar op Valentijnsdag een oningepakt juwelendoosje heeft gegeven, direct nadat ze
met elkaar naar bed waren geweest. Vince kennende, weet ik al
waar het verhaal naartoe gaat.

'O, nee,' kreun ik, en ik ga verder met het sorteren van de was.

'O, já,' zegt Suzanne. 'Dus ik denk bij mezelf: Dit maak ik niet
méé. Zeg dat ik geen zés jaar heb gewacht op een smakeloos
aanzoek op Valentijnsdag. In bed, nog wel. En jezus, stel dat het
een hartvormige ring is? ...Maar tegelijkertijd denk ik ook bij
mezelf: Pak wat je pakken kunt, meid. Lieverkoekjes worden
niet gebakken.'

'En wat was het?' vraag ik ademloos.

'Een ring met een granaat. Mijn gebóórtesteen, god betert.'

Ik barst in lachen uit – het is gewoon te erg. En toch ook wel een klein beetje lief. 'Ahh,' zeg ik. 'Hij heeft wel zijn best gedaan.'

Suzanne negeert deze opmerking en zegt: 'Welke weldenkende volwassen vrouw interesseert zich nou nog voor haar geboortesteen? Weet jij eigenlijk wel wat jouw geboortesteen is?'

'Een toermalijn,' zeg ik.

'Nou, ik zal ervoor zorgen dat Andy er meteen werk van maakt. Dat-ie dat leuke optrekje in Atlanta voor je koopt, compleet met toermalijn.' Suzanne lacht haar kenmerkende ijle lach, die bijna klinkt alsof ze geen lucht krijgt, terwijl ik bedenk dat ze het aan haar gevoel voor humor te danken heeft dat haar leven niet ronduit deprimerend is. Dat en het feit dat ze, ondanks haar grote mond en haar stoere houding, een piepklein hartje heeft. Ze zou echt bitter kunnen zijn, zoals veel ongetrouwde vrouwen die vergeefs wachten op een ring bitter zijn, maar dat is ze niet. En hoewel ik soms wel eens denk dat ze jaloers is op mijn geluk, mijn makkelijkere leven, is ze ook een geweldige zus die oprecht het beste voor me wil.

Dus ik weet dat ze alleen maar blij zal zijn om te horen over mijn Drake-klus – waar ik haar dolgraag over wil vertellen. Net als Andy, is Suzanne een enorme fan van Drake – niet zozeer vanwege zijn muziek maar meer vanwege zijn politieke activisme. Hoewel mijn zus geen uitgesproken hippie is – ze heeft de wiet en haar Birkenstocks direct na haar Grateful Dead-fase op de universiteit aan de wilgen gehangen – is ze zeer bevlogen als het gaat om goede doelen, en dan met name het milieu en de armoede in de derde wereld. En met bevlogen bedoel ik niet dat ze er simpelweg over meepraat – Suzanne komt daadwerkelijk van haar luie reet en doet dingen die het verschil maken – en dat vormt een ongewoon contrast met de traagheid waar ze in haar persoonlijke leven altijd door wordt geplaagd. Op de middelbare school kwam ze bijvoorbeeld altijd op het laatste nippertje de klas binnen hollen of wist ze met moeite een zes min te halen, ondanks haar buitengewoon hoge IQ – veertien punten hoger dan het mijne, iets wat we wisten doordat we in de paperassen van onze ouders hadden geneusd. Toch vond ze wel de tijd en de energie om een eigen afdeling van Amnesty International op te richten op school, en petities rond te laten gaan om er bij de schoolleiding op aan te dringen om het afval in de cafetaria te scheiden – baanbrekende dingen in die tijd, in ieder geval wel bij ons in de stad.

Ook vandaag de dag nog lijkt ze zich altijd wel in te zetten voor een of ander goed doel – of dat nou het planten van bomen in parken en op begraafplaatsen is, of het sturen van hoogdravende brieven aan de regering, of zelfs het brengen van een bezoek aan New Orleans nadat orkaan Katrina daar had huisgehouden, waar ze huizen heeft gerepareerd met Habitat for Humanity. Als Suzanne over haar diverse projecten vertelt, constateer ik altijd dat ik zou willen dat ik de motivatie had om meer te doen voor het algemeen belang. De omvang van mijn activisme beperkt zich tot naar de stembus gaan in november (hetgeen overigens net iets meer is dan ik kan zeggen over Andy, die alleen gaat stemmen als er presidentiële verkiezingen zijn).

En jawel hoor, als ik mijn verhaal over Drake besluit – min de stukken over Leo – zegt Suzanne: 'Wauw. Bofkont die je d'r bent.'

'Ik weet het,' zeg ik, en ik kom in de verleiding om haar het hele verhaal te vertellen, dat geluk niet echt een rol heeft gespeeld in dit geval. Als ik iemand in vertrouwen zou nemen, dan zou het Suzanne zijn. Niet alleen vanwege onze bloedband – en het eenvoudige feit dat ze geen familie is van Andy – maar omdat ze werkelijk de enige was van iedereen die ik kende, die geen hekel leek te hebben aan Leo. Ze hebben elkaar maar één keer ontmoet, en tot een goed gesprek is het nooit gekomen, maar ik kon zien dat het klikte tussen hen en dat ze een soort onuitgesproken respect voor elkaar hadden. Ik weet nog dat ik bij mezelf dacht dat ze in feite best veel gemeen hadden – inclusief hun politieke standpunten, hun cynische gewoonte om neerbuigend te doen over alles wat doorsnee was, hun bijtende humor, en de ogenschijnlijke tegenstelling in hun karakter van passie en gereserveerdheid. Zelfs toen Leo mijn hart had gebroken, en ik zeker wist dat Suzanne hem volledig af zou branden, was ze meer filosofisch dan beschermend. Ze zei dat iedereen een keer gedumpt moet worden – dat dat bij het leven hoort – en dat het kennelijk niet zo had mogen zijn. 'Beter nu dan pas als jullie al drie kinderen hadden gehad,' zei ze – hoewel ik nog weet dat ik bij mezelf dacht dat ik de voorkeur zou hebben gegeven aan dat laatste. Ik zou de voorkeur hebben gegeven aan iets blijvends met Leo, ongeacht de bijbehorende pijn.

Hoe het ook zij, ik weersta de verleiding om haar nu over hem te vertellen, bij mezelf denkend dat Leo in feite niet ter zake doet. Bovendien wil ik niet dat ze hierdoor een ten onrechte gekleurd beeld krijgt van mijn relatie met Andy. Het zou voor haar het zoveelste bewijs zijn van haar deprimerende opvatting dat praktisch ieder huwelijk op de een of andere manier bezoedeld is: het is voor ten minste één van de twee partijen geen actieve keuze geweest, óf een van beide is ontevreden, óf een van beide partijen pleegt overspel of overweegt dit in ieder geval. Ik heb het allemaal al zo vaak gehoord, en het haalt nooit iets uit om haar erop te wijzen dat onze eigen ouders heel gelukkig met elkaar leken, want dat argument pareert ze altijd met: 'Wat weten wij daar nou werkelijk van? We waren nog maar kinderen,' óf een nog veel opgewekter: 'Ja, maar wat doet dat ertoe? Mama is overleden, weet je nog? Nou nou, wat een sprookje.'

Margot, die mijn zusters cynische tirades ronduit verschrikkelijk vindt, houdt vol dat het Suzannes manier moet zijn om haar eigen ongewisse status van ongetrouwde vrouw voor zichzelf te verdedigen. Ik geloof dat daar wel een kern van waarheid in zit, maar ik denk ook dat het een beetje een kip-ei kwestie is. Met andere woorden: als Suzanne een beetje traditioneler of romantischer zou zijn of eens een ultimatum zou stellen zoals de meeste meiden van boven de vijfentwintig in onze geboorteplaats dat doen, denk ik werkelijk dat Vince vrij snel anders zou gaan piepen. Hij houdt te veel van haar om haar te laten gaan. Maar omdat Suzanne zulke felle kritiek heeft op het huwelijk, heeft Vince een kant-en-klaar excuus om een bruiloft uit te stellen en waar hij zich achter kan verschuilen. Sterker nog, volgens mij wordt hij veel meer onder druk gezet door hun wederzijdse vrienden en zijn familie dan door Suzanne zelf – en meestal is zij degene die dan roept: 'Neem me niet kwalijk, hoor, tante Betty, maar bemoeit u zich alstublieft met uw eigen zaken... En geloof me, Vince heeft het heus niet makkelijk bij mij.'

Maar er blijkt sowieso geen ruimte te zijn om het over de kwestie Leo te hebben, want Suzanne roept meteen: 'Ik ga met je mee,' op haar autoritaire grote-zussentoon.

'Meen je dat nou?' vraag ik.

'Ja.'

'Maar jij hebt helemaal niets met beroemdheden,' zeg ik, bij mezelf denkend dat ze in ieder geval doet alsof, hoewel ik haar in de loop der jaren regelmatig heb betrapt met het een of andere sensatiekrantje, waaronder zo nu en dan de *National Enquirer*.

'Klopt. Maar Drake Watters is niet zomaar een beroemdheid. Hij is... Drake. Ik ga met je mee.'

'Echt waar?'

'Ja. Waarom niet?' zegt ze. 'Ik ben al maanden van plan om je te komen opzoeken – en het is voor mij niet zo'n probleem om het vliegtuig te nemen naar L.A.'

'Dat is waar,' zeg ik, en ik denk bij mezelf dat dat het allerleukste is aan haar baan – en waarschijnlijk ook de reden waarom ze dit werk toch blijft doen. Suzanne kan zo ongeveer overal naartoe, wanneer ze maar wil.

'Ik wil je assistent wel zijn... Jemig, desnoods doe ik het voor niks.'

'*Platform* levert een freelance assistent,' zeg ik, onwillig om in te stemmen, ook al weet ik niet zo goed waarom.

'Dan ben ik wel de assistent van de assistent. Ik zal dat grote zilveren schijfding wel voor je vasthouden, net als die keer dat je op een retekoude winterdag een foto van de Monongahela River hebt gemaakt. Weet je dat nog? Weet je nog dat ik mijn handschoen in de rivier liet vallen en dat mijn vingers er toen bijna afgevroren zijn?'

'Dat weet ik nog,' zeg ik, bij mezelf denkend dat Suzanne er wel voor zorgt dat je bepaalde dingen niet vergeet. 'En weet je ook nog dat ik de volgende dag een paar nieuwe handschoenen voor je heb gekocht?'

'Ja, ja. Van die goedkope dingen, dat weet ik nog wel,' zegt ze.
Ik lach en zeg: 'Het waren géén goedkope dingen.'
'Wel waar,' zegt ze. 'Maar het is je vergeven als ik mee mag
naar L.A.'
'Prima,' zeg ik. 'Maar geen handtekeningen.'
'Toe nou,' zegt ze. 'Zo'n stakker ben ik echt niet.'
'En geen gezanik meer over die handschoenen.'
'Afgesproken,' zegt ze plechtig. 'Nooit meer.'

In de dagen die daarop volgen, terwijl Andy van huis is voor een
zaak in Toronto, concentreer ik me op mijn shoot, maak een logistieke planning en heb een paar keer contact met de fotoredacteur en de kunstredacteur van *Platform*, die me laten weten
dat de nadruk van de reportage op Drakes humanitaire werk
komt te liggen. Daarom willen ze twee tot drie 'sombere, visueel
rijke, omgevingsportretten in kleur.'
'Heb je een duidelijk beeld van hoe je het precies wilt hebben?'
vraag ik aan de fotoredacteur terwijl ik voor het eerst merk dat
ik nerveus begin te worden.
'Daar hebben we jou voor,' zegt ze. 'We hebben je werk gezien
op je website. Schitterend. Wat een zuivere schoonheid. Jij moet
gewoon je ding doen.'
Ik voel mijn zelfvertrouwen groeien en krijg een kriebelig gevoel in mijn buik, dat ik altijd krijg als iemand mijn werk mooi
vindt. Ik vraag of het misschien mogelijk zou zijn om de shoot
te houden in een restaurant dat ik op internet heb gevonden, een
paar kilometer bij het hotel vandaan. 'Het is zo'n klassiek, retro
eetcafé met zwart-witte, zeshoekige tegels en banken van rood
vinyl,' zeg ik, en ik denk bij mezelf dat deze veel weg hebben van
de bank waar ik Leo voor het laatst op heb gezien. 'Het rood
staat dan min of meer symbool voor zijn aidswerk, weet je wel...
Ik denk dat het helemaal te gek zou kunnen worden.'
'Briljant,' zegt ze. 'Ik zal Drake's publiciteitsagent bellen om te
zorgen dat je groen licht krijgt.'
'Geweldig,' zeg ik, alsof ik zulke woorden al duizend keer eerder heb gehoord.

Een paar minuten later belt ze terug en zegt: 'Als je het exacte adres van dat eetcafé doorgeeft, zullen Drake en zijn mensen zorgen dat ze er stipt om drie uur zijn. Het enige voorbehoud is dat hij een heel strak schema heeft. Je zult snel moeten werken. Je hebt maar een minuut of twintig à dertig. Lukt dat?'

'Geen probleem. Die foto's maak ik wel,' zeg ik, en ik klink als een doorgewinterde professional – veel zelfverzekerder dan ik me in werkelijkheid voel.

Ik hang op en bel Suzanne om haar te vragen of ze twintig minuten nog steeds een vlucht naar de andere kant van het land waard vindt. Ze is totaal niet uit het veld geslagen.

'Twintig minuten in de aanwezigheid van een grootheid is nog altijd twintig minuten in de aanwezigheid van een grootheid. En dat is in ieder geval meer grootheid dan ik in lange tijd heb gezien,' zegt ze.

'Goed genoeg,' zeg ik. 'Laat die arme Vince het alleen maar niet horen.'

Suzanne lacht en zegt: 'Ach, Vince weet dat hij in het beste geval middelmatig is.'

'Hij kent in elk geval zijn plek,' zeg ik.

'Ja,' zegt ze. 'Want er zijn maar weinig dingen erger dan een man die zijn plek niet kent.'

Ik lach en sla deze parel van Suzanne op in mijn geheugen, maar de volle waarheid ervan begrijp ik pas als ik drie dagen later in L.A. arriveer.

veertien

Het is half zes 's avonds in L.A. en ik ben pas een uur in de stad, net lang genoeg om in te checken in het Beverly Wilshire, mijn koffer en cameratassen in mijn kamer te dumpen, en Suzanne te bellen, wier vlucht al eerder vanmiddag is aangekomen. Ze vertelt me dat ze etalages aan het kijken is op Rodeo Drive – 'helemaal in mijn element,' voegt ze er sarcastisch aan toe – maar dat ze zo terug is. Ze zegt dat ze de mogelijkheden om in het hotel iets te drinken al heeft geïnventariseerd en stelt voor om elkaar te ontmoeten in de Blvd Lounge voor een aperitiefje.

Geweldig, zeg ik, mijn kalmeringsmiddelen voor de vlucht waren niet sterk genoeg voor de turbulentie die we hebben gehad, en ik ben wel toe aan een glas wijn. Suzanne lacht en scheldt me uit voor watje voordat ik ophang en een L.A.-outfit aantrek – een donkere spijkerbroek, zilveren plateauzolen die me in de buurt van de één-tachtig-grens brengen, en een simpel maar (voor mijn doen) chic, limoengroen, mouwloos, zijden topje. Helaas ben ik vergeten de strapless beha in te pakken die ik erbij had gekocht, maar ik redeneer dat ik zo plat ben van boven dat het wel moet kunnen, zonder er ordinair uit te zien. Bovendien ben ik nu in Californië, en daar is alles geoorloofd. Ik werk mijn make-up bij, mijn ogen dikker aanzettend dan anders, en spuit tot besluit een beetje parfum op de rug van mijn handen, een trucje dat ik in onze studententijd heb geleerd van Margot, die zei dat iemand die zoveel met haar handen praat als ik daarvan zou moeten profiteren door gelijktijdig haar geur te verspreiden.

Vervolgens neem ik de lift naar beneden en doorkruis de chique lobby met zulke zelfverzekerde passen dat ik bijna de Blvd binnen schrijd. Het blijkt een knusse, moderne, en zeer elegante lounge te zijn die is ingericht in rijke schakeringen geelbruin, chocoladebruin en goud. Terwijl ik de verlichte, onyxmarmeren bar met een groot, eveneens verlicht wijnrek van minstens duizend flessen sta te bewonderen, merk ik dat mijn bewondering zich ook uitstrekt naar het sterke profiel van een man die aan die bar zit, alleen, met een drankje in zijn hand. Een man die vreselijk veel op Leo lijkt. Met samengeknepen ogen kijk ik een tweede keer naar hem en kom tot de ontdekking, met zowel verbijstering als iets wat op afgrijzen lijkt, dat hij niet simpelweg op Leo líjkt – het ís Leo.

Leo weer. Leo bijna vijfduizend kilometer van huis.

Ik sta als aan de grond genageld, en heel even ben ik daadwerkelijk naïef of onnozel genoeg om te denken dat dit weer toeval is. Wéér een toevallige ontmoeting. En op dat moment staat mijn hart even stil bij de belachelijke, beschamende gedachte *Mijn god, stel dat dit het noodlot is dat me door het hele land achtervolgt?*

Maar als Leo opkijkt, me in het oog krijgt en zijn glas heft naar me, dringt het tot me door wat hij heeft bekokstoofd. Het dringt tot me door dat ik erin ben geluisd.

Ik verplaats mijn gewicht van de ene hak op de andere terwijl hij langzaam zijn glas laat zakken – er lijkt whisky met ijs in te zitten, zijn favoriete drankje – en me een veelbetekenend glimlachje schenkt.

Ik glimlach niet terug maar overbrug de afstand van vijf of zes passen die ons scheiden. Van schrijden is nu geen sprake meer, en als ik een plotselinge rilling over mijn rug voel lopen, wens ik dat ik een beha aanheb. Of nog beter, een lange jas tot aan de grond.

'Hallo, Leo,' zeg ik.

'Ellen,' zegt hij, knikkend. 'Fijn dat je kon komen.'

Het klinkt als een oneliner die rechtstreeks afkomstig is uit een oude Hollywoodfilm, maar ik ben allesbehalve gecharmeerd, zelfs niet als hij gaat staan en naar de kruk naast de zijne gebaart. *Jij bent geen Cary Grant*, denk ik bij mezelf, en ik schud mijn hoofd om zijn aanbod af te slaan. Ik ben te verbluft om boos te zijn, maar wat ik voel, is meer dan alleen verontwaardiging.

'Je bent helemaal hierheen gekomen en dan wil je niet gaan zitten?' zegt hij.

Alweer zo'n oneliner.

Leo was in het verleden nooit een man van oneliners, en ik ben bijna teleurgesteld dat hij er nu zo mee aan het strooien is. Ik heb geen gevestigde belangen in de man die hij in het afgelopen decennium geworden is, maar op de een of andere merkwaardige manier wil ik niet dat mijn beeld van hem wordt bezoedeld door oneliners.

'Nee, dank je,' zeg ik koeltjes. 'Ik heb met mijn zus afgesproken, ze kan er elk moment zijn.'

'Suzanne?' zegt hij met een zelfvoldane ondertoon.

Ik kijk hem aan en vraag me af of hij werkelijk denkt dat het indruk maakt dat hij haar naam nog weet. Ik kom in de verleiding om *Clara, Thomas, Joseph, Paul* op te dreunen – de namen van zijn broers en zus, in chronologische volgorde, maar ik zou hem nooit de voldoening willen geven van het feit dat ik details over zijn familie heb onthouden.

In plaats daarvan zeg ik: 'Ja. Suzanne. Ik heb maar één zus.'

'Precies,' zegt hij. 'Nou, ik ben blij dat zij ook komt. Dat is een leuk extraatje.'

'Een leuk extraatje?' zeg ik, met een, naar ik hoop, niet-begrijpende frons in mijn voorhoofd. 'Als in... twee zussen voor de prijs van één?'

Hij lacht. 'Nee. Als in, ik kon het altijd goed met Suzanne vinden... de paar keren dat we elkaar hebben gezien.'

'Je hebt haar één keer ontmoet.'

'Precies. En bij die ene gelegenheid vond ik haar sympathiek. Heel erg, zelfs.'

'Ik weet zeker dat ze het enig zal vinden om dat te horen,' zeg ik nonchalant. 'Als je me nu wilt excuseren...'

Voordat hij kan protesteren, loop ik naar de andere kant van de bar en maak oogcontact met de barman, een man met grijs haar en rode wangen die eruitziet alsof hij geknipt zou zijn voor de rol van barman.

'Wat kan ik voor je inschenken?' vraagt hij, zijn raspende bariton al even geknipt voor de rol.

Ik laat mijn wijntje zitten en neem in plaats daarvan een wodka martini, puur, met extra olijven, en wijs dan naar een lege, geelgroene bank in de verste hoek van de lounge. 'En... ik wil hem graag daar opdrinken.'

'Uitstekend,' zegt de barman vol sympathie, alsof hij zich bewust is van het feit dat ik overal ter wereld zou willen zijn, behalve in het gezelschap van deze ene man aan zijn bar.

Ik draai me om en loop kordaat naar de bank, met Leo's priemende ogen in mijn rug. Ik ga zitten, sla mijn benen over elkaar en fixeer mijn blik op het raam dat uitkijkt op Wilshire Boulevard terwijl er van alles door mijn hoofd tolt. Wat doet Leo hier? Probeert hij me te verleiden? Te kwellen? Te martelen? Wat zal Suzanne ervan denken als ze straks de lounge binnen komt? Wat zou Andy zeggen als hij me nu kon zien, zonder beha in een poenerige lounge, een martini onderweg, en mijn ex-vriendje aan de bar?

Mijn drankje is er een fractie van een seconde eerder dan Leo.

'Ben je... van streek?' vraagt hij, boven me uit torenend.

'Nee. Ik ben niet van streek,' zeg ik, amper opkijkend naar hem voordat ik een flinke slok van mijn martini neem. De wodka is sterk maar soepel, en glijdt moeiteloos naar binnen.

'Jawel, dat ben je wel,' zegt Leo, die eerder geamuseerd dan bezorgd kijkt. Als ik zijn mondhoeken omhoog zie krullen in een tevreden lachje, verlies ik mijn zelfbeheersing en snauw: 'Wat heeft dit precies te betekenen?'

'Wat heeft wát te betekenen?' vraagt Leo, die tot mijn grote razernij de kalmte zelve blijft terwijl hij naast me op de bank gaat zitten, ongevraagd en onwelkom.

'Dít,' zeg ik, boos gebarend naar de ruimte tussen ons in, en daarbij onwillekeurig mijn geur verspreidend. 'Wat doe je hier, Leo?'

'Ik schrijf het verhaal,' zegt hij onschuldig. 'Over Drake.'

Ik staar hem aan, sprakeloos. Opmerkelijk genoeg is het geen moment bij me opgekomen dat Leo wel eens het verhaal zou kunnen schrijven. Had ik die mogelijkheid voor het gemak geblokkeerd? En zo ja, waarom? Omdat ik onbewust hoopte dat Leo hier zou zijn? Of omdat ik mezelf wilde vrijwaren van iedere vorm van schuld bij het aannemen van een droomklus? Ik heb het onaangename gevoel dat een goede psychiater beide mogelijkheden zou willen uitdiepen.

'O,' zeg ik stompzinnig, met stomheid geslagen.

'Ik dacht dat je dat wel wist,' zegt hij – en ik zie dat hij het meent.

Ik schud mijn hoofd en voel dat mijn irritatie afneemt nu hij in elk geval een legitieme reden blijkt te hebben om hier te zijn; het is niet alleen maar een hinderlaag. 'Hoe moet ik dat nou weten?' vraag ik defensief, maar ook enigszins gegeneerd vanwege mijn uitbarsting – en de arrogante veronderstelling dat hij hier was om mij te zien.

'Hoe dacht je dan dat ik aan die ingang kwam bij het uitbesteden van de fotografie voor bij het artikel?' vraagt hij, het punt nog eens extra duidelijk makend.

'Ik weet het niet... Een of ander contact?'

'Zoals Drake, bijvoorbeeld?' zegt hij, en hij kijkt lichtelijk geamuseerd.

'Je... ként Drake?'

'Jep,' zegt hij, en hij legt zijn middelvinger op zijn wijsvinger. 'We zijn zó, Drake en ik.'

'O,' zeg ik, onwillekeurig toch onder de indruk.

'Grapje,' zegt hij, om vervolgens uit te leggen dat hij vorig jaar als correspondent voor UNICEF heeft gewerkt tijdens de aidswandeling in New York en daar een aantal van Drakes mensen heeft leren kennen. 'Dus om een lang verhaal kort te maken: we zijn met zijn allen een biertje gaan drinken... en ik heb in feite net zolang geluld tot ik dit artikel kreeg, en dat heb ik vervolgens weer aan *Platform* verkocht. En *voilà*... de rest is geschiedenis.'

Ik knik. Zijn gepraat over liefdadigheid en journalistiek heeft een ontwapenende uitwerking op me – het zijn immers onderwerpen die niet direct het beeld oproepen van slinkse pogingen om een getrouwde ex-vriendin je bed in te praten in een chique bar in L.A.

'Enfin,' vervolgt hij, 'de dag dat ik groen licht kreeg van *Platform* was uitgerekend de dag dat ik jou tegen het lijf liep... dus het leek... ik weet het niet... alsof de puzzelstukjes op hun plaats vielen... alsof het zo moest zijn dat ik jou de fotografiekant van het verhaal zou laten doen.'

'Maar we hebben het helemaal niet over mijn werk gehad,' zeg ik, hem in wezen vragend of hij naar huis is gegaan en me heeft gegoogeld – of dat hij mijn carrière de afgelopen jaren gevolgd heeft.

Hij glimlacht schaapachtig en bevestigt mijn vermoeden. 'Ik weet precies wat je allemaal hebt uitgespookt.'

'En wat betekent dat?' vraag ik. Mijn toon is louter nieuwsgierig – maar het dringende karakter van deze vraag reikt verder dan alleen informatie vergaren.

'Dat betekent dat je geen contact met iemand hoeft te hebben om aan hem of haar te denken... en af en toe te kijken waar hij of zij mee bezig is...'

Ik ril en voel dat ik kippenvel krijg op mijn armen, terwijl mijn tepels tegen de stof van mijn topje drukken. 'Is het hier koud?' zeg ik, nerveus mijn armen over elkaar slaand.

'Ik heb het juist behoorlijk warm,' zegt Leo, en hij buigt zich zo dicht naar me toe dat ik zijn huid en de whisky in zijn adem kan ruiken. 'Wil je mijn jasje hebben?'

Ik werp een blik op zijn suède jasje – echt zo'n jasje dat verslaggevers of cowboys dragen – en schud vriendelijk maar afwijzend mijn hoofd. 'Nee, dank je,' zeg ik, en mijn stem is nauwelijks meer dan een fluistering – een fluistering die een schril contrast vormt met Suzannes plotselinge, luidruchtige stem boven ons hoofd.

Ik schrik op en voel me heel erg betrapt. Blozend ga ik staan om mijn zus te omhelzen terwijl ik stamelend een verklaring geef: 'Ik... eh... kijk eens wie ik tegen het lijf liep?... Ken je Leo nog?'

'Tuurlijk,' zegt Suzanne opgewekt, totaal niet van haar stuk gebracht. Ze duwt één hand in de achterzak van haar spijkerbroek en strekt haar andere hand uit naar Leo. 'Hoi.'

Hij schudt haar hand en zegt: 'Ha, Suzanne. Leuk je weer eens te zien.'

'Insgelijks,' zegt ze oprecht. 'Het is lang geleden.'

Er volgt een ongemakkelijke stilte, waarbij we met zijn allen in een soort driehoek staan totdat Leo een stap opzij doet en zegt: 'Nou. Ik zal me verder maar niet aan jullie opdringen...'

Suzanne glimlacht en ploft neer op de bank alsof ze ons een paar decimeter – en een paar seconden – privacy wil geven. Ik grijp mijn kans en voel me verscheurd. Ik wil dat Leo weggaat; ik wil dat hij blijft.

Uiteindelijk zeg ik: 'Bedankt, Leo.'

Ik weet niet precies waar ik hem voor bedank. De klus? Zijn bekentenis dat hij me nooit helemaal is vergeten? Zijn bereidheid om nu weg te gaan?

'Graag gedaan,' zegt hij, als een soort verwijzing naar al het bovenstaande. Hij draait zich om en wil weglopen, maar blijft toch nog even staan, draait zich weer naar me om en kijkt me diep in de ogen. 'Hoor eens, eh... Ik ga vanavond een hapje eten in een te gekke Mexicaanse tent. De beste guacamole die ik ooit heb geproefd – en de margarita's zijn er ook niet slecht... Voel je vooral niet verplicht, maar bel gerust als jullie zin hebben om mee te gaan...'

'Oké,' zeg ik.

'Je kunt me mobiel bellen of op mijn kamer.' Hij werpt een blik op zijn plastic keycard en zegt: 'Kamer 612.'

'Kamer 612,' echo ik, en ik bedenk dat dat de kamer moet zijn die pal boven onze kamer – 512 – ligt. 'Goed.'

'En als ik niets meer van je hoor, dan zie ik je morgenmiddag wel.'

'Oké,' zeg ik.

'Ik begrijp dat ik mijn interview zal moeten afnemen in een eetcafé van jouw keuze?'

Ik knik, dankbaar dat ik nu van tevoren al weet dat Leo er zal zijn. Leo en Drake in een en dezelfde ruimte.

'Je hebt altijd al een zwak voor mooie eetcafés gehad,' zegt Leo met een knipoog, en dan draait hij zich definitief om.

Suzannes stalen gezicht lost op in een grijns van oor tot oor zodra Leo om de hoek is verdwenen. 'Jézus, Ellen.'

'Wat?' zeg ik, me schrap zettend voor de onvermijdelijke aanval.

Ze schudt haar hoofd en zegt: 'De seksuele spanning was te snijden.'

'Dat is onzin,' zeg ik.

'Kamer 612. *Goed,*' imiteert ze me met een hoog stemmetje.

'Zo zei ik het niet. Zo ís het niet, Suzanne. Eerlijk niet.'

'Oké. Hoe zit het dan wél?'

'Dat is een lang verhaal,' zeg ik jammerend.

'We hebben alle tijd.'

'Haal eerst maar iets te drinken,' zeg ik, om tijd te rekken.

'Heb ik al gedaan. Ik heb aan de bar naar jullie twee dwazen staan kijken terwijl ik de *Pretty Woman*-special bestelde... Wist je dat die film hier is opgenomen?'

'Echt waar?' zeg ik, hopend het gesprek naar vintage Julia Roberts te kunnen sturen. 'Ik vind dat zo'n heerlijke film. Hebben we die niet samen gezien?'

Ze haalt haar schouders op. 'Het enige wat ik weet, is dat prostitutie erin werd verheerlijkt,' zegt Suzanne. 'Maar... even terug naar je dromerige ex...'

'Hij is niet dromerig.'

'Hij is een lekker ding, en dat weet je best,' zegt ze. 'Zijn ogen zijn belachelijk.'

Ik probeer een glimlach te onderdrukken, maar slaag er niet in. Ze zijn inderdaad belachelijk.

'Nou, vooruit met de geit. Vertel nou eens wat er aan de hand is.'

Ik slaak een diepe zucht, laat mijn hoofd in mijn handen zakken en zeg: 'Oké. Maar heb alsjeblieft niet meteen je oordeel klaar.'

'Heb ik ooit meteen mijn oordeel klaar?' zegt ze.

'Meen je dat nou?' vraag ik, haar tussen mijn vingers door lachend aankijkend. 'Jij hebt altíjd meteen je oordeel klaar.'

'Klopt,' zegt ze. 'Maar ik beloof je dat ik dit keer niet meteen mijn oordeel klaar zal hebben.'

Ik zucht nog een keer en vertel haar dan het hele verhaal, beginnend bij dat adembenemende moment op het kruispunt. Suzanne valt me niet één keer in de rede – behalve om nog een drankje voor me te bestellen als er een serveerster langskomt met een zilveren schaal met zoutjes. Als ik klaar ben met mijn verhaal, vraag ik haar of ze me een slecht mens vindt.

Suzanne geeft me een klopje op mijn been, net zoals ze vroeger altijd deed, toen we klein waren, en ik wagenziek werd op de achterbank van de Buick stationwagen van onze moeder. 'Nog niet,' zegt ze.

'Wat bedoel je daarmee?'

'Daarmee bedoel ik dat de avond pas één martini jong is... en dat we hier te maken hebben met een situatie die nog volop in ontwikkeling is.'

'Suzanne,' zeg ik, geschrokken van haar implicerende toon. 'Ik zou Andy nooit bedriegen. Nooit.'

'Ellen,' zegt Suzanne, haar wenkbrauwen optrekkend. 'Wie heeft er iets gezegd over bedriegen?'

Twee uur, drie borrels en talloze gesprekken later, zijn Suzanne en ik weer terug in onze kamer, dronken en uitgelaten. Terwijl we de minibar plunderen en lachend redeneren dat als je zo'n honger hebt als wij, zes dollar voor een zakje snoep helemaal niet zo idioot veel lijkt, dwalen mijn gedachten af naar Leo's guacamole.

'Moeten we de receptie bellen om te vragen of zij een goed restaurant weten?' zeg ik. 'Ik zou best wel iets Mexicaans lusten...'

'Wat een toeval,' zegt Suzanne, terwijl ze grijnzend de hoorn van het toestel pakt. 'We kunnen ook gewoon kamer 612 bellen... Of nog beter, rechtstreeks naar zijn kamer gaan.'

Ik schud mijn hoofd en zeg tegen haar dat het geen optie is om met Leo uit eten te gaan.

'Weet je het héééél zeker?'

'Absoluut.'

'Want het lijkt mij wel leuk.'

'Leuk om mij te zien lijden?'

'Nee. Leuk omdat ik toevallig Leo's gezelschap nogal op prijs stel.'

Ik weet niet zo goed of ze een geintje maakt, me aan het testen is, of dat ze zich simpelweg aan haar belofte houdt om niet meteen haar oordeel klaar te hebben, maar ik gris de telefoon – en het zakje M&M's – uit haar handen.

'Toe nou,' dringt ze aan. 'Wil jij dan niet weten wat Leo de afgelopen jaren heeft uitgespookt?'

'Ik weet precies wat hij heeft uitgespookt. Hij schrijft nog steeds voor kranten en tijdschriften,' zeg ik. Ik schop mijn schoenen uit en stap in een paar witte, badstoffen slippers met het logo van het hotel erop. Vervolgens stop ik een handvol M&M's in mijn mond en voeg eraan toe: 'Zo ben ik hier immers gekomen, weet je nog?'

'Ja, maar afgezien van zijn werk... Je weet niets over zijn privéleven, of wel soms? Je weet toch niet eens of hij getrouwd is?'

'Hij is niet getrouwd.'

'Weet je het zeker?'

'Hij draagt geen ring.'

'Dat zegt niks. Er zijn zat getrouwde mannen die geen ring dragen.'

'Walgelijk,' mompel ik.

'Het betekent niet per se dat het versierders zijn,' zegt Suzanne, een standpunt innemend dat lijnrecht tegenover haar gebruikelijke tirades staat over ringloze, schuinsmarcherende piloten en wellustig kijkende zakenmannen die haar businessclass-stoelen bevolken. 'Geen ring dragen kan ook gewoon... ouderwets zijn.

Papa droeg zijn trouwring ook nooit – en ik geloof dat we veilig kunnen stellen dat hij niet zoekende was.'

'Kun je eigenlijk wel ouderwets zijn als je nog geen veertig bent?'

'Absoluut. Het heeft alles te maken met de leeftijd van je ziel... en volgens mij is Leo een oude ziel,' zegt ze, bijna bewonderend, terwijl ik bij mezelf denk dat het praktisch altijd een compliment is als je iemand een 'oude ziel' noemt.

Ik kijk naar haar. 'En waar baseer je dat eigenlijk precies op?'

'Geen idee. Het lijkt gewoon alsof... hij niks heeft met materialisme en alle andere oppervlakkigheden van onze generatie.'

'Suzanne! Waar haal je al dit soort flauwekul vandaan? Je hebt hooguit vier uur met hem doorgebracht!'

'Hij doet nobel werk,' zegt ze, vermoedelijk verwijzend naar zijn berichtgeving over de aidswandeling.

'Het feit dat hij begaan is met aidsslachtoffers, maakt hem nog geen heilige oude ziel,' zeg ik spottend – en tegelijkertijd moet ik heimelijk toegeven dat ze precies raakt aan een van de dingen die ik altijd heb bewonderd aan Leo. In tegenstelling tot heel veel mannen, en vooral mannen die ik in New York heb ontmoet, is Leo nooit een sociale klimmer of volger geweest. Hij keek niet in *New York Magazine* of *Zagat's* om onze restaurants en kroegen te selecteren. Hij liep niet op de alomtegenwoordige zwarte Gucci instappers. Hij strooide nooit met terloopse verwijzingen naar grote literaire werken die hij onlangs had gelezen of intellectuele films die hij onlangs had gezien of nieuwe cultbands die hij had 'ontdekt'. Hij had nooit de ambitie om zich uiteindelijk te vestigen in een groot huis in de buitenwijken met een knappe vrouw en een stel kinderen. En hij verkoos reizen en ervaringen opdoen altijd boven dure bezittingen. Kortom: Leo was niet bezig met het afvinken van een lijstje of met indruk proberen te maken of met proberen iets of iemand anders te zijn dan hij was.

Ik zeg hier nu iets over tegen Suzanne, grotendeels hardop mijmerend, maar vervolgens heimelijk Leo vergelijkend met Andy. Andy die meer dan één paar Gucci instappers bezit; Andy die regelmatig de kranten erop naslaat om een restaurant uit te kiezen; Andy die dolgraag de beste stad ter wereld wil verlaten om in een groot huis in Atlanta te gaan wonen. En hoewel mijn ongekunstelde echtgenoot nooit beschuldigd zou kunnen worden van het spelen van dat pretentieuze, grootstedelijke spelletje van het terloops laten vallen van de naam van de hipste nieuwe cultband of filmhuis-films of de literaire roman van de dag, moest ik toegeven dat het op zijn minst léék alsof hij er een meer statusgerichte leefstijl op na hield dan mijn ex.

Ik word overspoeld door een golf van schuldgevoelens terwijl ik als een blad aan een boom omdraai en mijn echtgenoot in gedachten fel begin te verdedigen. Wat maakt het uit dat hij de verfijndere geneugten van het leven weet te waarderen, waaronder een incidenteel merkartikel? Wat maakt het uit dat hij een comfortabel huis en een luxe leventje wil voor zijn familie? Het is niet zo dat hij bepaalde keuzes maakt om ergens bij te horen of hersenloos met de kudde mee te lopen. Hij is nou eenmaal een doorsnee-man die zich ongegeneerd houdt aan zijn eigen voorkeuren – hetgeen hem net zozeer een sterke persoonlijkheid maakt als Leo.

Bovendien, waarom heb ik überhaupt de behoefte om Andy en Leo met elkaar te vergelijken terwijl er in feite geen enkele connectie is tussen die twee? Ik aarzel en stel deze vraag dan aan Suzanne, in de volste verwachting dat ze een superieure, diplomatieke houding aan zal nemen en zal zeggen dat ik ze helemaal niet met elkaar moet vergelijken. Dat Leo absoluut niks met Andy te maken heeft en vice versa.

In plaats daarvan zegt ze: 'Ten eerste is het onmogelijk om niet te vergelijken. Als je bij een splitsing in de weg het ene pad neemt, is het onmogelijk om niet meer aan dat andere pad te denken. Om je nooit af te vragen hoe je leven zou zijn geweest als...'

'Misschien,' zeg ik, bij mezelf denkend dat het pad Leo nooit echt een optie is geweest. Ik heb geprobeerd het te nemen, en het bleek een koude, donkere, doodlopende steeg te zijn.

Suzanne strijkt met haar handen door haar lange, krullende

haar en vervolgt: 'Ten tweede bestaat er wel dégelijk een connectie tussen Leo en Andy, vanwege het simpele feit dat jij van hen allebei houdt – of hebt gehouden.'

Ik schenk haar een verontruste blik. 'Hoe bedoel je?'

'Nou,' zegt ze, 'ongeacht hoeveel of hoe weinig twee mensen waar je van houdt gemeen hebben... of ze gelijktijdig in je leven zijn of dat er een decennium tussen zit... of ze elkaar nou haten of juist absoluut niets van elkaar weten... op een rare manier zijn ze toch met elkaar verbonden. Ze zitten toch met elkaar in hetzelfde broederschap, net zoals jij in een zusterschap zit met alle vrouwen waar Andy ooit van heeft gehouden. Er is gewoon sprake van een soort onuitgesproken verwantschap, of je het nou leuk vindt of niet.'

Terwijl ik over deze theorie nadenk, vertelt ze vervolgens dat ze onlangs Vinces ex-vriendin, de stripper, tegen het lijf is gelopen in een bowlingcentrum, en hoewel ze elkaar slechts vaag kennen en hooguit een paar vage kennissen delen (hetgeen bijna onmogelijk geheel te voorkomen is als je allebei uit Pittsburgh komt), hebben ze uiteindelijk toch een hele tijd met elkaar zitten praten terwijl ze zaten te kijken naar Vince, die zijn eerste en enige foutloze wedstrijd speelde.

'En het was heel raar,' zegt Suzanne, 'want we hebben het niet echt over Vince gehad – behalve over zijn vadsige lichaam – maar het is alsof ze precies weet wat ik allemaal moet verduren... Hoe het voelt om van Vince te houden, ondanks al zijn blabla... En ook al ben jij mijn zus en heb ik jou al oneindig veel meer verteld over mijn relatie met hem dan ik óóít aan haar zou opbiechten, in sommige opzichten weet zij toch meer dan jij ooit zou kunnen weten.'

'Ook al geeft ze al lang niet meer om hem?' vraag ik voor alle duidelijkheid.

'Nou, te oordelen naar de aanbiddende uitdrukking op haar gezicht toen Vince helemaal uit zijn dak ging en iedereen die hij maar vinden kon een high five gaf, is dat beslist twijfelachtig,' zegt Suzanne. 'Maar, ja. Zelfs dan.'

Ik leg mijn hoofd op een kussen en voel mijn roes oplossen.

Ervoor in de plaats komt vermoeidheid, maar bovenal enorme honger. Ik vraag Suzanne of ze niet liever op de kamer wil blijven en iets bestellen bij roomservice, maar bedenk dan dat haar leven grotendeels bestaat uit vliegen van de ene stad naar de andere stad zonder ooit haar hotel uit te komen, dus ik zeg tegen haar dat ik ook best wel ergens buiten de deur een hapje wil gaan eten.

'Welnee. Ben je gek?' zegt Suzanne. 'Ik ben hier niet gekomen voor het nachtleven.'

'Ai,' zeg ik lachend, en ik druk een dikke kus op haar wang. 'Je bent hier gekomen voor je zusje, hè?'

'Ga van me af!' zegt ze.

'Toe dan,' zeg ik, haar nog een keer op haar wang kussend en daarna op haar voorhoofd, genietend van speelse momenten als deze – de enige kans die ik ooit krijg om Suzanne een kus te geven. Net als onze vader, voelt ze zich niet prettig bij de meeste lichamelijke uitingen van genegenheid, terwijl ik mijn moeders knuffelige genen heb geërfd. 'Je aanbidt je kleine zusje. Daarom ben je hier! Geef het maar toe!'

'Nee hoor,' zegt ze. 'Ik ben hier om twee redenen...'

'O ja?' zeg ik. 'Vanwege Drake, en waarom nog meer?'

'Om ervoor te zorgen dat jij niet over de schreef gaat,' zegt ze, een kussen naar mijn hoofd gooiend. 'Daarom.'

Ik begrijp ook wel dat ze een grapje maakt, maar het is toch het laatste zetje dat ik nodig heb om mijn nachthemd aan te trekken, een clubsandwich uit te zoeken op de roomservicemenukaart en mijn echtgenoot te bellen.

'Hé, liefje,' zegt Andy. 'Hebben jullie het gezellig samen?'

'Enorm,' zeg ik, terwijl ik bedenk dat hij een lieve – en op de een of andere manier ook gezellige – stem heeft.

Hij vraagt wat ik aan het doen ben, en ik zeg tegen hem dat we gewoon op de hotelkamer blijven om lekker te kletsen.

'Dus jullie gaan niet de beest uithangen?' vraagt hij.

'Alsjeblieft, zeg,' antwoord ik, en ik word overspoeld door schuldgevoelens als ik denk aan de geur van drank in Leo's adem en de doordringende blik waarmee hij me aankeek voordat hij de bar verliet. Ik stel me hem nu voor, ergens in de buurt, met een margarita in zijn hand.

'Zo mag ik het horen, meisje,' zegt Andy, gapend. 'Ik hou van je.'

Ik glimlach en zeg tegen Andy dat ik ook van hem hou.

'Genoeg om die handtekening voor me te regelen?'

'Zoveel nou ook weer niet,' zeg ik. En dan denk ik bij mezelf – *Maar absoluut voldoende om die guacamole te laten voor wat-ie is, evenals de man die vanavond in kamer 612 in slaap zal vallen.*

vijftien

Ergens midden in de nacht word ik wakker van het geluid van mijn eigen stem en een droom over Leo die zo levensecht is dat ik ervan moet blozen – bijna beschaamd – hetgeen een behoorlijke prestatie is als je in je eentje in het donker ligt. Luisterend naar Suzanne, die zachtjes ligt te snurken in haar bed, kom ik weer op adem en speel ik in gedachten langzaam alle levendige details opnieuw af – het silhouet van zijn brede schouders die boven mij bewegen, zijn handen tussen mijn benen, zijn mond in mijn hals, en die eerste, trage stoot waarmee hij bij me naar binnen glijdt.

Ik bijt hard in mijn onderlip, klaarwakker en me bewust van het feit dat hij zich slechts één verdieping boven me bevindt, in net zo'n bed als het mijne, misschien wel dromend over precies hetzelfde als ik, misschien zelfs wel klaarwakker en wensend dat het allemaal echt gebeurde. Net als ik.

Het zou zo makkelijk zijn, denk ik bij mezelf. Het enige wat ik zou hoeven doen, is de telefoon pakken, kamer 612 bellen en fluisteren: *'Mag ik naar je toe komen?'*

Waarop hij zou zeggen: *'Ja, schatje. Kom maar gauw.'*

Ik weet dat hij tegen me zou zeggen dat ik moest komen. Ik weet dat vanwege de klus van morgen – het simpele feit dat we allebei hier in L.A. zijn en in hetzelfde hotel logeren. Ik weet dat vanwege die onmiskenbare blik waarmee hij in de bar van het hotel naar me keek, een blik die zelfs Suzanne niet kon zijn ontgaan. Maar ik weet dat voornamelijk vanwege het feit dat het ooit zo ontzettend goed voelde tussen ons. Al doe ik nog zo mijn best om het te ontkennen en te negeren of me alleen te concentreren op de manier waarop het allemaal is geëindigd, ik weet dat het er was. Het kan niet anders dat hij het ook nog weet.

Ik doe mijn ogen dicht, mijn hart wild bonzend van iets wat veel weg heeft van angst, terwijl ik me voorstel dat ik uit bed stap, stilletjes door de gangen sluip naar Leo's kamer, en één keer op de deur klop, precies zoals hij al die jaren geleden op mijn hotelkamerdeur klopte toen we allebei jurydienst hadden. Ik zie heel scherp voor me hoe Leo aan de andere kant van de deur op me staat te wachten, ongeschoren en slaperig, en me meevoert naar zijn bed, me langzaam uitkleedt.

Eenmaal onder de dekens zou er geen woord gewisseld worden over waarom we uit elkaar zijn gegaan, of over de afgelopen acht jaar, of over wat dan ook of wie dan ook. Er zouden helemaal geen woorden zijn. Alleen het geluid van onze ademhaling, van kussen, van neuken.

Ik zeg tegen mezelf dat het niet echt zou tellen. Niet nu ik zo ver van huis ben. Niet in het holst van de nacht. Ik zeg tegen mezelf dat het alleen maar het wazige vervolg zou zijn van een droom die te bevredigend en te levensecht is om weerstand aan te bieden.

Als ik een paar uur later weer wakker word, stroomt er zonlicht door ons raam naar binnen en loopt Suzanne al door de kamer te scharrelen om haar en mijn bezittingen op te ruimen terwijl ze televisie kijkt zonder geluid.

'Grote goden,' kreun ik.

'Ik weet het,' zegt ze, opkijkend van haar toilettas. 'We zijn vergeten de gordijnen dicht te doen.'

'We zijn ook vergeten om Advil te nemen,' zeg ik, mijn ogen tot spleetjes knijpend vanwege de bonzende pijn in mijn linkerslaap en een dosis schuldgevoel en spijt die doet denken aan de *walk of shame* uit mijn studententijd – de ochtend nadat je onder invloed van alcohol en harde muziek en de sluier van de nacht iemand had gekust waar je normaal gezien misschien niet eens mee gepraat zou hebben. Ik zeg tegen mezelf dat dit totaal niet hetzelfde is. Er is gisteravond níéts gebeurd. Ik heb gedroomd. Dat is alles. Dromen hebben soms – vaak – geen enkele betekenis. Ik heb ooit, toen ik als tiener te maken kreeg met de kwelling van het aandraaien van een beugel, een weerzinwekkend erotische droom gehad over mijn orthodontist, een kalende voetbalvader-achtige man die ook nog eens de vader was van een klasgenootje. En ik kan je verzekeren dat ik Dr. Popovich niet begeerde, op geen enkele manier, zelfs niet onbewust.

Maar toch, diep vanbinnen, weet ik dat deze droom niet uit het niets komt. En wat nog veel erger is: ik weet dat die droom in feite niet het probleem is. Het zit 'm in hoe ik me voelde toen ik wakker werd. En hoe ik me nu nog steeds voel.

Ik ga rechtop zitten en rek me uit, en voel me al meteen beter nu ik me niet meer in een horizontale positie bevind. Vervolgens, als ik eenmaal helemaal uit bed ben, schiet ik in mijn efficiënte, professionele modus, en sla ik zelfs een kordate, zakelijke toon aan tegen Suzanne. Ik kan het me niet permitteren om toe te geven aan idiote, misplaatste fantasieën terwijl ik een gigantische shoot voor de boeg heb die bepalend zal zijn voor mijn carrière. Om met de woorden van mijn geweldige mentor Frank te spreken: *Er is werk aan de winkel.*

Maar uren later, nadat ik een grondige batterijencontrole heb gedaan en alle apparatuur heb nagelopen, mijn aantekeningen nog eens heb doorgelezen, mijn freelance assistent heb gebeld om ons schema door te nemen, en drie keer heb geverifieerd bij de bedrijfsleider van het eetcafé dat ze inderdaad twee uur dicht gaat op verzoek van het kamp van Drake, sta ik onder de douche onder een straal heel heet water nog steeds over Leo te mijmeren. Te wensen dat ik leukere kleren had ingepakt voor de shoot. Te bedenken hoe vreselijk ik me nu zou voelen als ik hem gisteravond had gebeld. Me af te vragen of het dat misschien gewoon waard zou zijn geweest – om mezelf vervolgens een standje te geven vanwege het feit dat ik zoiets vreselijks denk. Op een gegeven moment verstoort Suzanne mijn overpeinzingen en roept door een dichte wolk stoom heen: 'Leef je nog?'

'Ja hoor,' zeg ik kortaf, en ik herinner me ineens weer dat ze als tiener vaak het slot open peuterde met een haarspeld en plompverloren de badkamer binnen kwam stampen tijdens mijn enige privémoment in ons veel te kleine huis.

'Ben je nerveus of gewoon heel erg vies?' vraagt ze nu, terwijl ze de spiegel schoon veegt met een handdoek en haar tanden gaat staan poetsen.

Ik draai de kraan dicht en wring mijn haar uit, terwijl ik toegeef dat ik inderdaad nerveus ben. Maar ik geef niet toe dat de ware reden voor mijn nervositeit heel weinig te maken heeft met het fotograferen van Drake.

Het is surrealistisch om hen samen te zien, in een ernstig gesprek verwikkeld onder het genot van een hamburger (Leo) en een Griekse salade (Drake). Heel even vergeet ik wat ik moet doen en sta ik alle details in me op te nemen. Ik constateer dat ze exact dezelfde kleur haar hebben – donkerbruin – maar terwijl Drake een stoppelbaardje heeft en vettig haar dat wat aan de lange kant is, ziet Leo er, gladgeschoren, bijna conservatief uit. Ze hebben allebei een simpel zwart T-shirt aan, maar dat van Leo lijkt er eentje van Gap te zijn, en dat van Drake is een zeer trendy en nauwsluitend exemplaar (en vermoedelijk vijf keer zo duur). Hij heeft zich ook flink opgedoft met een grote zilveren oorring, een paar ringen en zijn kenmerkende, geelbruine bril.

Meer nog dan door hun kleding of hun uiterlijk, echter, ben ik gefascineerd door de kalme, relaxte sfeer aan hun tafeltje. Het is Leo's verdienste dat Drake er ontspannen en zelfs geïnteresseerd uitziet, terwijl hem vragen worden gesteld die hij ongetwijfeld al duizend keer heeft beantwoord, en Leo zelf oogt sexy en volkomen op zijn gemak. Het valt me op dat hij zijn gebruikelijke, gele notitieblok heeft verruild voor een kleine, zilverkleurige dictafoon, die hij discreet heeft opgesteld naast het olie-en-azijnstelletje. Als die dictafoon er niet stond, en als ik niet zou weten dat Drake *Drake* is, zou het onmogelijk zijn geweest om te zien dat er hier een interview aan de gang is. Zelfs de louche-maar-tegelijk-ultra-hippe types, van wie ik vermoed dat ze bij Drakes gevolg horen, blijven beleefd op afstand staan aan de toonbank, iets waarvoor Leo eveneens een pluim verdient. Ik heb pr-types rond veel minder grote beroemdheden zien zwermen die werden geïnterviewd door journalisten met veel betere papieren, om ze te bewaken tegen stompzinnige of ongepaste vragen. De roedel heeft kennelijk besloten dat Leo een degelijke kerel is – of in ieder geval een degelijke journalist.

'Verdomme,' fluistert Suzanne terwijl ze staart. 'Wat heeft hij een krachtig gezicht.'

Ik knik, ook al weet ik dat we niet naar dezelfde man staan te kijken, en geniet nog een laatste moment van de aanblik die Leo biedt.

Dan zeg ik: 'Oké. Aan de slag,' en begin mijn apparatuur uit te laden, diverse achtergronden bekijkend, en zoekend naar de bron van het beste natuurlijke licht. 'Probeer je te gedragen als een assistent, wil je?'

'Oki-doki,' zegt ze, terwijl de bedrijfsleider van het eetcafé – een plompe vrouw die Rosa heet en wier huidige lichtzinnige vrolijkheid in tegenspraak is met haar diepe fronsrimpels – ons minstens voor de derde keer sinds ze ons haar eetcafé binnen heeft geloodst, vraagt of we iets willen eten of drinken. Ik heb het gevoel dat deze dag een hoogtepunt is in haar carrière, iets wat we gemeen hebben – alhoewel slechts één van ons een glanzend portret van 20 x 25 van Drake plus een zwarte viltstift in de aanslag heeft.

Ik zeg tegen Rosa dat ik niks hoef, en zij dringt aan met: 'Zelfs geen water of koffie?'

Ik ben te stuiterig voor cafeïne, dus ik aanvaard haar aanbod van een glas water terwijl Suzanne ook een duit in het zakje doet en ongegeneerd om een aardbeienmilkshake vraagt.

'Super. We staan bekend om onze milkshakes,' zegt Rosa trots, en ze maakt zich haastig uit de voeten om onze bestelling in orde te gaan maken.

Ik schenk mijn zus een afkeurende doch mild geamuseerde blik. Ze haalt haar schouders op. 'Wat zal ik zeggen? Ik werk het beste op een overdosis suiker. Wil je niet het beste uit je werknemers halen?'

Ik rol met mijn ogen en constateer opgelucht dat mijn echte assistent, een fris ogende knul die Justin heet, inmiddels is gearriveerd met een stel grotere lampen en andere gehuurde apparatuur die te lastig te vervoeren was per vliegtuig. Nadat we ons kort aan elkaar hebben voorgesteld en even hebben staan kletsen, leg ik uit welke shots naar mijn idee het beste zullen zijn en vraag vervolgens om zijn mening, hetgeen hem plezier lijkt te doen. Zijn blijdschap maakt vervolgens weer dat ik me een oude rot in het vak voel en geeft mijn zelfvertrouwen een broodnodige oppepper. Justin is het eens met mijn ideeën over achtergrond en belichting, voegt er nog een eigen idee aan toe, en dan storten we ons gezamenlijk op het installeren van de apparatuur, het doen van lichtmetingen en het schieten van een paar proeffoto's. Ondertussen is Suzanne quasi-behulpzaam in de weer terwijl ze haar uiterste best doet om het interview af te luisteren.

Terwijl we in het kleine eetcafé aan het werk zijn, vang ik onwillekeurig af en toe een vraag op van Leo, en een paar inspirerende uitspraken van Drake, totdat Justin en ik uiteindelijk alles in gereedheid hebben gebracht. Ik werp een blik op mijn horloge, constateer dat we voorliggen op het schema, en voel dat ik me ontspan – voor het eerst sinds ik die ochtend ben opgestaan, en misschien zelfs wel voor het eerst sinds het begin van de week.

Totdat ik Leo mijn naam hoor zeggen, en ik me omdraai en zie dat Drake en hij vol verwachting naar me zitten te kijken.

'Kom eens hier.' Leo wenkt me alsof we oude vrienden zijn en hij zojuist de derde vriend in ons ooit onafscheidelijke driemanschap tegen het lijf is gelopen.

Mijn hart slaat een slag over – om talloze redenen. Of op zijn minst twee.

'Jezus Christus. Hij zit je recht aan te kijken,' mompelt Suzanne van achter haar milkshake. En dan: 'Wat je ook doet, zorg dat je niet over die snoeren struikelt.'

Ik haal diep adem, geef mezelf een laatste snelle peptalk en slenter, dankbaar voor het feit dat ik nooit hoge hakken draag als ik moet werken, naar de tafel waar een deel van Drakes gevolg nu ook rondhangt.

Leo kijkt langs hen heen, alsof ze onzichtbaar zijn, en zegt tegen mij: 'Hé, Ellen.'

'Ha, Leo,' zeg ik.

'Ga zitten,' zegt hij, terwijl ik bij mezelf denk: *déjà vu*. In tweede instantie bedenk ik echter dat het gesprek letterlijk exáct hetzelfde verloopt als gisteren – hetgeen betekent dat het geen déjà vu is. *Genoeg inwendig geraaskald*, denk ik terwijl ik aan Leo's kant van de tafel ga zitten. Hij schuift op, een heel klein beetje maar, zodat we zo dicht naast elkaar zitten dat we elkaars hand zouden kunnen vasthouden als we dat zouden willen.

'Ellen, dit is Drake Watters. Drake, dit is mijn goede vriendin Ellen,' zegt Leo. Alweer een surrealistisch moment. Ik kan simpelweg niet geloven dat ik word voorgesteld aan Drake – en nog wel door *Leo*.

Instinctief wil ik mijn hand uitsteken, maar herinner me dan ineens wat Frank me ooit heeft verteld over de panische angst voor bacteriën van veel beroemdheden, dus in plaats daarvan schenk ik Drake een beleefd knikje.

'Hallo, Drake,' zeg ik, met wild bonkend hart.

'Aangenaam kennis te maken, Ellen,' zegt hij met zijn lyrische, Zuid-Afrikaanse accent. Hij ziet er net zo cool uit als ik me hem had voorgesteld, en toch is hij tegelijkertijd ook verrassend onopvallend, ingetogen zelfs.

'Insgelijks,' zeg ik, en daar laat ik het bij, aangezien me ineens nog een ander advies van Frank te binnen schiet: dat het dodelijk is voor een fotograaf om een beroemdheid die hij moet fotograferen te vervelen met kruiperig geklets. Niet dat me iets te binnen schiet, overigens, behalve: *Ik ben serieus ontmaagd op dat ene liedje van jou, weet je.* Hoewel het echt waar is, weet ik dat ik in geen honderd jaar zoiets achterlijks zou zeggen, en desondanks koester ik de milde angst dat ik het misschien ineens toch zal doen – de verbale equivalent van bang zijn dat je, zonder enige aanleiding, van een balkon af zult springen in een overdekt winkelcentrum.

Dan wrijft een van de pr-types in zijn handen om aan te geven dat dit genoeg koetjes en kalfjes waren. 'Ben jij Ellen Dempsey?' zegt hij, eveneens met een Zuid-Afrikaans accent, maar welluidender dan dat van Drake.

'Ja,' zeg ik, heel even wensend dat ik mijn zakelijke naam had veranderd toen Andy en ik trouwden.

'Je hebt een kwartier om foto's te maken,' instrueert een ander pr-type, ietwat neerbuigend.

'Geen probleem,' zeg ik, en ik richt mijn blik vervolgens weer op Drake. 'Zullen we beginnen?'

'Prima,' zegt hij, knikkend zoals een rockster dat hoort te doen – nonchalant, losjes, cool. 'Waar wil je me hebben?'

Ik wijs naar een tafeltje achter dat van ons en schakel over op de automatische piloot. Er is geen tijd meer voor zenuwen. 'Daar,' instrueer ik hem. 'Schuif maar helemaal door naar het raam, als je wilt. En zou je je kopje thee mee willen nemen? Dat wil ik graag op de voorgrond hebben.'

'Geweldig,' zegt Drake met een knipoog. 'Ik had mijn thee namelijk nog niet op.'

Terwijl hij opstaat van de bank, zie ik dat Leo naar me kijkt met een blik die ik alleen maar kan omschrijven als liefdevol. Ik beantwoord zijn blik met een kort, oprecht – bijna liefdevol – glimlachje.

'Toi toi toi,' fluistert hij, naar me opkijkend.

Ik blijf even staan, verdrink in zijn ogen. Dan, tegen beter weten in, zeg ik: 'Wacht je op me?'

Leo glimlacht. 'Dat was ik wel van plan. Zo makkelijk kom je niet van me af.'

Ik glimlach weer terwijl het ineens tot me doordringt dat ik Leo's aandeel in deze klus niet eeuwig kan blijven verzwijgen. Andy en Margot zullen zijn naam onder het artikel zien staan. Iedereen zal het zien. Onze namen zullen samen afgedrukt worden, samen met die van Drake, allemaal op dezelfde pagina.

Maar als ik mijn camera ter hand neem, zeg ik tegen mezelf dat deze dag misschien best een beetje gedonder waard is.

De vijftien minuten die daarop volgen, gaan voorbij in een roes van adrenaline waarin ik vierennegentig foto's schiet terwijl ik Drake monotoon een gestage stroom instructies geef: *Zit hier, sta daar, ietsje meer naar links, kin een beetje omhoog, glimlachje, geen glimlach, halve glimlach, hand op je mok, hand op de tafel, handen op je schoot, kijk uit het raam, kijk over mijn schouder, kijk me recht aan.* En dan: *Oké. Dat was het. Dank je wel, Drake.*

En dan ben ik klaar. Godzijdank klaar. En het allerbeste is nog dat ik weet dat ik mijn ene, fantastische foto heb. Ik weet het áltijd als ik mijn foto heb – en vandaag ben ik nog zekerder van mijn zaak dan anders. Drake, met precies de juiste hoeveelheid natuurlijk licht van achteren, zodat er bijna een soort halo-effect ontstaat; rood vinyl in contrast met zwart shirt en witte mok; krachtige lijnen van de tafel, het raam en Drakes eigen anatomie. Perfectie.

'Dank je wel, Ellen Dempsey,' zegt Drake glimlachend. 'Dat was pijnloos.'

Ik kijk glimlachend – nee, strálend – naar hem en onthoud de manier waarop hij mijn doodgewone naam uitspreekt, alsof het een dichtregel is, een van zijn liedjes. Ik voel me high, lichamelijk en geestelijk.

Dan, als Drake haastig door zijn mensen is meegevoerd, Justin onze apparatuur heeft ingepakt, Rosa haar gesigneerde foto pontificaal naast de kassa heeft neergezet en Suzanne op een stoel bij de toonbank is neergeploft om een chocolademilkshake te proeven, ben ik eindelijk alleen met Leo in het achterste gedeelte van het eetcafé, leunend tegen een muur terwijl ik in zijn ogen kijk, voor de zoveelste keer.

zestien

'En? Wat vond je ervan?' vraagt Leo aan me, en hij houdt mijn blik vast alsof het een magnetisch veld is.

Zijn open vraag maakt me licht in mijn hoofd, en ik vraag me onwillekeurig af of hij opzettelijk vaag is.

'Van de shoot?' zeg ik.

'Zeker,' zegt hij aandachtig. 'Van de shoot. Van alles.'

Ik kijk naar hem op en kom in de verleiding om op te biechten dat ik door het dolle heen ben. Dat een uurtje werken nog nooit zo spannend is geweest – en dat ik zelden zulke pure chemie met iemand heb gevoeld als nu, op dit moment. Dat ik weet dat ik tegen hem heb gezegd dat ik geen vrienden met hem wilde zijn, maar het een ondraaglijke gedachte vind om die mogelijkheid definitief uit te sluiten. Dat ik weliswaar gelukkig getrouwd ben, maar desondanks een sterke verbondenheid met hem voel en niet wil dat het hiermee ophoudt tussen ons, voorgoed.

Maar dit alles zeg ik uiteraard niet, om meer dan één reden. In plaats daarvan schenk ik hem een blasé glimlachje en zeg dat ik vrijwel zeker weet dat ik een paar fatsoenlijke foto's heb gemaakt. 'Dus maak je geen zorgen... mijn foto's zullen je interview niet zo heel erg naar beneden halen.'

Hij lacht en zegt: 'Mooi. Want daar was ik heel erg bang voor.

Sinds de dag dat ik je agente heb opgebeld, loop ik alsmaar te denken: Shit, ze gaat mijn artikel verpesten.'

Ik glimlach, een tikje te flirterig, en hij glimlacht net zo flirterig terug. Nadat er tien seconden in gespannen stilte zijn verstreken, vraag ik of hij tevreden is.

Leo knikt en klopt op de dictafoon in de achterzak van zijn broek. 'Ja. Ik wist niet zo goed wat ik moest verwachten... ik had gehoord dat hij een ontzettend aardige kerel was – vriendelijk, open, sympathiek... maar je weet gewoon nooit in wat voor stemming iemand is... Jij zult vast wel weten hoe dat is, toch?'

Ik knik. 'Weerbarstige mensen zijn nooit leuk om mee te werken... alhoewel chagrijnig en humeurig soms wel betere foto's oplevert dan je zou denken.'

Leo zet een stap in mijn richting. 'Volgens mij is het allemaal een kwestie van chemie,' zegt hij suggestief.

'Ja,' zeg ik, en ik voel dat mijn gezicht openbreekt in een idiote grijns. 'Een goede chemie is belangrijk.'

Er verstrijkt nog een beladen moment, en dan vraagt Leo, zo terloops en luchtig dat het nadrukkelijk wordt, hoe mijn dag er verder uitziet. Het is een vraag waar ik zelf al tien keer over na heb gedacht vandaag, aan de ene kant wensend dat we nog een extra nacht hadden in het Beverly Wilshire, terwijl ik aan de andere kant opgelucht ben dat ik een vliegticket heb om mezelf te redden.

'Ik vlieg straks terug naar New York,' zeg ik.

'O,' zegt hij, en zijn gezicht betrekt een heel klein beetje. 'Hoe laat gaat je vliegtuig?'

'Half tien,' zeg ik.

'O. Wat jammer,' zegt hij, een blik op zijn horloge werpend.

Ik maak een nietszeggend geluidje en reken uit hoeveel tijd ik nog heb in L.A, zoekend naar een plausibele reden om een deel daarvan met Leo door te brengen in plaats van met mijn zus, die zich nog steeds op de achtergrond houdt aan de toonbank.

'Dus ik kan je niet overhalen om nog een nachtje te blijven?' zegt Leo.

Ik aarzel, koortsachtig zoekend naar een oplossing. Een manier om in de stad te kunnen blijven zonder dat er list en bedrog aan te pas komen. Maar dan denk ik aan Andy's glimlach, de kuiltjes in zijn wangen, zijn heldere blauwe ogen, en rest mij geen enkele andere keuze dan te zeggen: 'Nee... ik moet echt terug.'

'Ik begrijp het,' zegt Leo snel. Het is alsof hij tussen de regels door leest. Hij kijkt omlaag om de band van zijn donkergroene schoudertas te verstellen – een fellere kleur dan ik van Leo zou verwachten – terwijl ik mezelf erop betrap dat ik me afvraag of het een cadeau is geweest, hoe mooi de vrouw is van wie hij de tas heeft gekregen, of ze nog steeds samen zijn.

Hij kijkt op en knipoogt speels. 'Geeft niks, hoor,' zegt hij. 'Dan gaan we gewoon de volgende keer dat we in L.A. zijn om een artikel te maken over Drake gezellig iets drinken.'

'Precies,' zeg ik, mijn uiterste best doend om zijn sarcasme te overtreffen met een bijdehante oneliner. 'Dan gaan we gewoon de volgende keer dat je me dumpt, me jaren later weer eens tegen het lijf loopt, en me vervolgens weer aan je bindt met de klus van mijn leven gezellig iets drinken...'

Leo kijkt geschrokken. 'Waar heb je het over?'

'Wat is er precies onduidelijk?' vraag ik, glimlachend om mijn ietwat confronterende vraag te verzachten.

'Ik heb je niet gedúmpt,' zegt hij.

Ik rol met mijn ogen en begin dan te lachen. 'Welnee.'

Hij ziet er gekwetst uit – of op zijn minst van zijn stuk gebracht. 'Zo was het niet.'

Ik kijk hem onderzoekend aan, vermoedend dat hij probeert om mijn trots te sparen door te doen alsof onze breuk een wederzijdse beslissing was. Maar op zijn gezicht zie ik niets wat daarop wijst, geen spoor van iets anders dan oprechte verbazing over mijn 'versie' van ons verleden.

'Hoe was het dan wél?' vraag ik hem.

'Het ging gewoon... ik weet het niet... ik weet dat ik een klootzak was – en mezelf te serieus nam... ik herinner me die oudejaarsavond nog... maar ik kan me niet precies herinneren waaróm we uit elkaar gingen... Het is voor mijn gevoel bijna alsof het eigenlijk nergens over ging.'

'Alsof het nergens over ging?' zeg ik, de wanhoop nabij als Suzanne ineens de hoek om komt.

Ze moet mijn gezichtsuitdrukking hebben gezien, want ze zegt: 'O, sorry,' en blijft abrupt staan.

Ik forceer een glimlach en zeg: 'Nee hoor, kom erbij. We stonden gewoon even te kletsen... over... Drake.'

Suzanne kijkt me aan met een blik waaruit blijkt dat ze me niet gelooft, maar ze speelt het spelletje mee. 'Wat vonden jullie van hem? Was hij echt zo nuchter als hij lijkt?'

'Absoluut,' zegt Leo. 'Heel puur.'

'Heel erg,' echo ik opgewekt terwijl mijn maag zich omdraait.

'Wat vond je het beste aan het interview?' vraagt Suzanne aan Leo. 'Of moet ik wachten tot het tijdschrift in de winkel ligt?'

Leo doet alsof hij hierover nadenkt, maar zegt dan dat hij haar vertrouwt en haar de primeur zal geven, waarop hij een aantal details begint te vertellen over Drakes werk voor de schuldsanering van de derdewereld en over al zijn kritiek op onze huidige regering – dingen die me allemaal niet kunnen boeien. In plaats daarvan vecht ik tegen het weemoedige gevoel dat opwelt in mijn binnenste, en besluit de pleister er in één keer af te rukken tijdens de eerstvolgende stilte die er valt in het gesprek.

Als dat moment uiteindelijk aanbreekt, zeg ik zo beslist mogelijk: 'Nou. We gaan er maar eens vandoor.'

Leo knikt, en zijn gezicht krijgt een vertrouwde, onbewogen uitdrukking. 'Oké,' zegt hij.

'Nogmaals bedankt voor alles,' zeg ik.

'Nee, jíj bedankt,' zegt hij, nog meer afstand nemend. 'Ik kan niet wachten om je foto's te zien.'

'En ik kan niet wachten om je artikel te lezen. Ik weet zeker dat het fantastisch wordt,' zeg ik, en ik voel alle opwinding van een paar minuten geleden uit mijn lichaam wegvloeien. *Pieken en dalen*, denk ik bij mezelf. Het was altijd pieken en dalen met Leo.

Suzanne veinst belangstelling voor een ingelijste affiche die achter ons aan de muur hangt, alsof ze ons een laatste flintertje privacy wil geven, terwijl Leo nog een keer een bedankje knikt.

Heel even lijkt het alsof hij me een allerlaatste omhelzing gaat geven, zij het een formele. Maar hij doet het niet. Hij wenst ons alleen een goede reis.

Het enige wat ik hoor, echter, is: *Vaarwel.*

Eenmaal terug in de taxi, op weg naar het hotel, fronst Suzanne meelevend haar wenkbrauwen. 'Wat kijk je verdrietig,' zegt ze zacht. 'Ben je verdrietig?'

Ik kan de kracht niet opbrengen om te liegen, dus ik knik en zeg ja – alhoewel ontroostbaar in feite dichter bij de waarheid ligt.

'Ik weet niet waarom,' zeg ik. 'Het is allemaal zo... raar... Om hem weer te zien...'

Suzanne pakt mijn hand en zegt: 'Dat is normaal.'

'Is dat wel zo?' zeg ik. 'Want het voelt niet normaal. En ik weet vrijwel zeker dat Andy dit ook niet normaal zou vinden.'

Suzanne kijkt uit haar raampje terwijl ze de ultieme vraag stelt. 'Heb je nog steeds gevoelens voor hem, of denk je dat het gewoon nostalgie is?'

'Ik denk dat het wel een beetje meer is dan nostalgie,' geef ik toe.

Suzanne zegt: 'Dat dacht ik al,' en voegt er dan, bijna als een soort nabeschouwing aan toe: 'Maar als het helpt: ik begrijp precies wat je in hem ziet. Donker, sexy, intelligent...'

Er ontsnapt een wrange lach uit mijn mond. 'Dat helpt niet, hoor. Totáál niet,' zeg ik. 'Maar evengoed bedankt.'

'Sorry,' zegt ze.

'En weet je wat ook niet helpt?' zeg ik als onze taxi stopt voor het hotel en er een hele horde piccolo's op de auto af stuift.

Suzanne kijkt me aan, wachtend tot ik verder ga.

'Dat Leo tegen me heeft gezegd dat hij zich met geen mogelijkheid kan herinneren waarom we uit elkaar zijn gegaan.'

'Fuck,' zegt ze, en haar ogen worden groot. 'Heeft hij dat gezegd?'

'Zo ongeveer,' zeg ik.

'Dat is nogal wat.'

Ik knik terwijl ik onze taxichauffeur betaal. 'Ja... Denk je dat hij me wat wijs probeert te maken?'

Suzanne denkt even na en zegt dan: 'Waarom zou hij dat doen?'

'Ik weet het niet,' zeg ik terwijl we door de draaideuren de lobby binnen lopen om onze bagage op te halen. 'Misschien om me een beter gevoel te geven over het verleden? Of misschien is het gewoon... een soort machtsspelletje?'

'Dat kan ik niet zeggen, daar ken ik hem niet goed genoeg voor,' zegt ze. 'Wat denk jij?'

Ik haal mijn schouders op en zeg dat ik denk van niet. Het is niks voor Leo om iemand zomaar een beter gevoel te willen geven over iets. En tegelijkertijd denk ik ook niet dat hij een manipulatief spelletje aan het spelen is.

Suzanne kijkt peinzend terwijl we ons in de lobby installeren op twee harde stoelen met een hoge, rechte rug. 'Nou,' zegt ze uiteindelijk. 'Naar alle waarschijnlijkheid meende hij wat hij zei: dat hij zich werkelijk niet kan herinneren waarom – hoe – het geëindigd is. En misschien bedoelde hij ook dat hij zou willen dat dingen anders gelopen waren.'

Ik strijk met mijn handen door mijn haar en slaak een vermoeide zucht. 'Denk je dat dat een mogelijkheid is?'

Suzanne knikt. 'Zeker. En stemt dat je niet tevreden?' vraagt ze. 'Het is zo ongeveer waar elke vrouw op hoopt als ze gedumpt wordt. Dat zo'n kerel op een dag spijt krijgt en terugkomt om dat tegen haar te zeggen... En het allermooiste is... dat jíj helemaal geen spijt hebt.'

Ik kijk haar aan.

'Toch?' zegt ze, haar toon nadrukkelijk veelbetekenend. Eén woord om mijn keuzes te toetsen. Andy. Alles in mijn leven.

'Precies,' zeg ik nadrukkelijk. 'Absoluut geen spijt.'

'Nou dan,' zegt Suzanne met haar gebruikelijke overtuiging. 'Alsjeblieft.'

Drie uur later, nadat Suzanne en ik samen een snelle fastfoodhap hebben gegeten op het vliegveld en afscheid van elkaar hebben genomen bij de gate, stap ik aan boord van mijn vliegtuig met een scherpe pijn in mijn borst en het zeurende gevoel dat er iets niet helemaal af is. Terwijl ik me installeer op mijn plek bij het raam in de een-na-achterste rij van de economyclass, vaag luisterend naar de stewardess die een monotoon verhaal opdreunt over beperkte bergruimte in de bagagevakken boven ons hoofd, denk ik terug aan de gebeurtenissen van vandaag, en met name aan het zeer abrupte einde aan mijn allerlaatste ontmoeting met Leo. Achteraf gezien wou ik dat ik gewoon tegen Suzanne had gezegd dat ik nog een klein beetje meer tijd met hem nodig had. Het zou lastig zijn geweest om zoiets te zeggen, maar één uur – of zelfs een half uur – zou werkelijk voldoende zijn geweest om de anticlimax van het einde van een dergelijke emotionele shoot wat te verzachten en het enerverende gesprek over onze breuk af te ronden.

Ondanks het feit dat ik blij ben met de wending die mijn leven heeft genomen, kan ik er niets aan doen dat ik mijn intense relatie met Leo graag wil begrijpen, net als die turbulente fase tussen de puberteit en volwassen worden, waarin alles rauw en inspirerend en eng voelt – en waarom die gevoelens nu opnieuw de kop opsteken.

Snel probeer ik Andy te bellen om hem te laten weten dat we op schema liggen, maar hij neemt niet op. Ik spreek een bericht in, vertel dat mijn shoot goed verlopen is, dat ik van hem houd en dat we elkaar morgenvroeg weer zullen zien. Vervolgens richt ik mijn aandacht op een hele rij passagiers die het vliegtuig binnen stroomt en doe een schietgebedje dat de middelste stoel naast mij leeg zal blijven, of dat er in ieder geval een heel beschaafde, rustige stoelgenoot zal komen te zitten. Nog geen twee tellen later komt er een grote, slonzige man op me af in een onmiskenbare walm van sigarettenrook en drank, met een uitpuilende canvas boodschappentas, een Burger King-meeneemzak, en een Mountain Dew-fles die gevuld is met een twijfelachtige, geelbruine vloeistof.

'Hallooo dan!' buldert hij. 'Het lijkt erop dat ik naast jou zit!'

Naast zijn drankkegel en de fles in zijn hand, is aan zijn bloeddoorlopen ogen en zijn overdreven harde stem duidelijk te merken dat hij dronken is – of daar in ieder geval heel dicht tegenaan zit. Ik stel me een lange nacht voor met cocktails, af en toe een glas dat omver wordt gegooid, compleet met uitvoerige verontschuldigingen, ongepaste pogingen om mijn kleren schoon te maken en onhandige openingszinnen om een gesprek te beginnen. Mijn enige kans op rust bestaat erin om hem snel de mond te snoeren en iedere vorm van interactie in de kiem te smoren. Dus ik geef geen antwoord en pers er een minimaal, beleefd glimlachje uit terwijl hij op zijn stoel neerploft en zich onmiddellijk bukt om zijn vieze tennisschoenen en zijn smerige sportsokken uit te trekken, waarbij zijn vlezige armen en zijn uitgedroogde ellebogen al mijn persoonlijke ruimte in beslag nemen.

'Man, man, man! Deze jongens waren wel toe aan een beetje frisse lucht,' verkondigt hij zodra hij zijn zweetvoeten eenmaal heeft bevrijd. Vervolgens biedt hij me een patatje aan. 'Jij ook eentje?'

Ik onderdruk de neiging om te gaan kokhalzen en sla zijn aanbod af. Vervolgens zet ik meteen mijn koptelefoon op en draai mijn lichaam in de richting van het raam. Dan zet ik het volume van de klassieke radiozender flink hard, doe mijn ogen dicht en probeer aan iets anders dan Leo te denken. Na ongeveer een kwartier van onrustig gefriemel en gedoe naast me, voel ik het vliegtuig in beweging komen op de startbaan en vervolgens snelheid maken voordat het misselijkmakend achterover begint te hellen. Zodra we los komen van de grond, omklem ik mijn armleuning in een irrationele doodsgreep en zet me schrap, terwijl ik probeer de beelden in mijn hoofd van vlammen en verwrongen staal te verdringen. *We storten niet neer*, denk ik bij mezelf. Het noodlot is niet zo wreed dat ik mijn laatste ogenblikken moet doorbrengen met deze man naast me. Maar als ik uiteindelijk mijn ogen open doe, is mijn stoelgenoot – en zijn Burger King-feestmaal – nergens te bekennen.

Op zijn plaats bevindt zich, als door tovenarij, niemand minder dan Leo.

Hij glimlacht van opzij naar me en zegt: 'Ik heb dezelfde vlucht genomen als jij.'

'Dat zie ik,' zeg ik, mijn best doend om mijn eigen glimlach te onderdrukken – een strijd die ik al snel verlies.

'En toen – eh – heb ik met iemand van plaats geruild,' zegt hij.

'Dat zie ik ook,' zeg ik, inmiddels breed grijnzend. 'Je bent behoorlijk geslepen, hè?'

'Geslepen?' zegt Leo. 'Ik heb je gered van die malloot... die nu lazerus – en op blote voeten – in de businessclass zit. Ik zou het galant noemen – niet geslepen.'

'Je hebt een stoel in de businessclass opgegeven?' zeg ik, en ik voel me gevleid en op een rare manier ook machtig terwijl ik stilsta bij alle logistieke inspanningen die er aan dit moment vooraf zijn gegaan.

'Ja. Hoe vind je dat nou? Voor een stoel in het midden, achterin het vliegtuig.'

'Tja. Je bent inderdaad galant,' zeg ik.

'En? Wat dacht je van een bedankje?'

'Dank je,' zeg ik, terwijl het tot me door begint te dringen dat ik de komende vijf uur opgesloten zal zitten in een krappe, donkere ruimte, samen met Leo. Mijn hart slaat een slag over.

'Heel graag gedaan,' zegt hij, en hij draait zijn stoel een heel klein beetje naar achteren en klapt vervolgens zijn tafeltje open en dicht – een teken dat ook hij last heeft van enige nervositeit.

We maken vluchtig oogcontact, hetgeen niet eenvoudig is als je naast elkaar zit in de economyclass. Dan glimlach ik, schud mijn hoofd en vestig mijn blik weer op het raam.

De stewardess roept om dat we de veiligheidsgordels om moeten houden en dat de piloot het ons zal laten weten zodra we ons veilig door het vliegtuig kunnen bewegen. *Perfect*, denk ik bij mezelf. Ik kan geen kant op, en het is allemaal overmacht.

Er verstrijken een paar minuten in gespannen stilte. Ik doe mijn ogen dicht en denk bij mezelf dat mijn vliegangst als bij toverslag verdwenen is.

'Zo,' zegt Leo als ik mijn ogen opendoe en het vliegtuig stabiel hangt in de Californische avondlucht. 'Waar waren we ook alweer gebleven?'

zeventien

Ik weet niet meer wat ik op die eerste vraag van Leo heb ge-
antwoord; ik weet alleen dat we een heel groot deel van de
vlucht met succes uit de buurt blijven bij ieder gesprek over onze
relatie, of hoe deze is geëindigd, of eigenlijk alles wat persoonlijk is. In plaats daarvan beperken we ons tot veilige havens als
films en muziek, reizen en werken. Het is het soort gesprek dat
je hebt tijdens een eerste ontmoeting met iemand die je graag
beter wilt leren kennen – of met een kennis die je al heel lang niet
hebt gezien. We blijven aan de oppervlakte, en toch is er een
onderliggende vertrouwdheid, een vanzelfsprekend ritme van
vragen en antwoorden, afgewisseld met ontspannen stiltes. De
stiltes zijn zelfs zo ontspannen dat we uiteindelijk vanzelf weer
afdrijven naar intiemer terrein.

Het gebeurt op een volmaakt onschuldige manier, aan het eind
van mijn relaas over mijn recente shoot in het Adirondacks-ge-
bergte. 'Het heeft gewoon iets om een klein stadje te fotograferen,
de plaatselijke bevolking,' zeg ik, 'mensen die zo onlosmakelijk
met hun omgeving verbonden zijn... Dat geeft zoveel voldoening...'

Mijn stem sterft weg wanneer ik Leo's blik op mij gericht voel.
Als ik me naar hem toe keer, zegt hij: 'Je houdt echt van je werk,
hè?' Zijn toon is zo bewonderend dat mijn hart er sneller van
gaat kloppen.

'Ja,' zeg ik zacht. 'Nou en of.'

'Dat kon ik goed zien vandaag... Ik vond het heerlijk om je aan het werk te zien.'

Ik glimlach en onderdruk de neiging om hem te vertellen dat ik het ook heerlijk vond om hem aan het werk te zien. In plaats daarvan, laat ik hem verder praten.

'Het is grappig,' zegt hij, bijna alsof hij hardop aan het nadenken is. 'In sommige opzichten lijk je nog precies dezelfde Ellen die ik ooit heb gekend, maar in andere opzichten... lijk je zo... ánders...'

Ik vraag me af waar hij deze beoordeling precies op baseert, aangezien het totaal van onze gesprekken sinds we elkaar op dat kruispunt tegen het lijf zijn gelopen, onmogelijk meer dan een uur kan bedragen. Aan de andere kant merk ik dat mijn beeld van Leo ook aan het veranderen is, en ik bedenk ineens dat ieder verhaal niet alleen twee kanten heeft, maar dat die versies ook kunnen veranderen in de loop der jaren.

Ik kijk naar Leo terwijl hij een slok neemt uit zijn plastic bekertje met gemberbier met ijs en zie mezelf ineens door zijn ogen. Toen en nu. Twee totaal verschillende portretten met een vergelijkbare kern. Ik zie een glimp van wie ik vroeger was – het behoeftige, eenzame, moederloze jonge meisje, nieuw in de grote stad, haar uiterste best doend om haar eigen identiteit te vinden, een identiteit los van haar verstikkende geboortestad, haar beschermde studententijd, haar sprankelende beste vriendin.

Ik zie mezelf voor het eerst verliefd worden, en hoe die allesverterende liefde – hoe Leo – mijn antwoord leek te zijn. Hij was alles wat ik wilde zijn – hartstochtelijk, gevoelvol, sterk – en als ik bij hem was, voelde ik me in ieder geval een bijproduct van al die dingen. Maar hoe meer ik mezelf probeerde te verschansen in die relatie, hoe onzekerder ik werd. Destijds had ik het gevoel dat dit allemaal Leo's schuld was, maar achteraf gezien begrijp ik wel dat de schuld voor een deel bij mij lag. Ik begrijp in ieder geval waarom ik minder aantrekkelijk werd voor hem.

Ik denk terug aan Leo's eerdere opmerkingen van vandaag, over dat hij zichzelf te serieus nam. Misschien was dat waar, maar ik zie nu ook in dat ik mezelf niet serieus genoeg nam. En het was die dodelijke combinatie die onze breuk praktisch onvermijdelijk maakte.

'Ja. Ik heb het idee dat ik wat verder ben in mijn ontwikkeling,' zeg ik uiteindelijk, terwijl er nog meer beelden van onze relatie naar boven komen – dingen die ik had onderdrukt of gewoonweg vergeten was. Ik herinner me bijvoorbeeld weer dat Leo hield van een stevige discussie op zijn tijd, en dat de ergernis op zijn gezicht te lezen stond als ik geen mening had. Ik herinner me zijn frustratie over mijn gebrek aan zelfstandigheid, zijn irritatie vanwege mijn neiging om te schikken of de makkelijkste weg te kiezen – of het nu op mijn werk was of bij het innemen van een standpunt.

'We moesten allebei volwassen worden... Een heleboel van de wereld zien en dingen zelf op een rijtje krijgen,' zegt Leo, daarmee bevestigend dat ik niet de enige ben die denkt in termen van onze relatie.

'En?' zeg ik aarzelend. 'Heb je de dingen nu op een rijtje?'

'Een paar dingen wel,' zegt hij. 'Maar het leven is een lange reis, weet je.'

Ik knik, denkend aan mijn moeder. *Als je geluk hebt.*

Er gaan weer een paar minuten voorbij, en ik realiseer me dat ik, voor het eerst sinds ik Leo ken, geen keurig etiketje meer kan plakken op wat hij voor me was toen we samen waren. Hij was niet de man van mijn dromen, de perfecte man die ik ooit op een voetstuk heb gezet; evenmin was hij de schurk die Margot uit alle macht had geprobeerd te demoniseren; eigenlijk was hij niets van dat alles op dat moment. Hij was destijds gewoon de verkeerde man voor mij. Niets meer, niets minder.

'Je zult wel uitgeput zijn,' zegt Leo na een langdurige stilte. 'Ik zal je laten slapen.'

'Dat hoeft niet,' zeg ik. 'Laten we nog een beetje kletsen...'

Ik kan de glimlach horen in Leo's stem als hij antwoord geeft. 'Dat zei je vroeger ook altijd...'

Op dat moment schieten er wel tien dingen door mijn hoofd – allemaal even ongepast, en de helft ervan flap ik er bijna uit.

In plaats daarvan breng ik het gesprek op een ander onderwerp door de vraag te stellen die al op mijn lippen brandt sinds de dag dat ik hem op dat kruispunt zag. 'Heb jij op dit moment eigenlijk een relatie?'

Ik houd mijn gezicht in de plooi terwijl ik me schrap zet voor zijn antwoord, bang voor een golf van jaloezie die ik per se niet wil voelen. Maar als hij knikt, ben ik alleen maar opgelucht, zelfs als ik me een statige schoonheid voorstel met een buitenlands accent, een adembenemend scherpe geest en een intrigerend, onweerstaanbaar vals karaktertrekje. Het soort diva waar Nico over zingt in 'Femme Fatale' van de Velvet Underground. Ik stel me voor dat ze een vliegbrevet heeft en in de kroeg niet onder doet voor de mannen, maar aan de andere kant ook Leo's truien breit, en kookt met minstens drie verschillende soorten olijfolie. Ze is lenig, heeft lange armen en benen, en ziet er net zo goed uit in een avondjurk als in een wit mouwloos hemdje met een boxershort van Leo.

'Super,' zeg ik, iets te enthousiast. 'Zijn jullie... is het... serieus?'

'Ik geloof het wel... We zijn al een paar jaar samen...' zegt hij. Dan verrast hij me door zijn portefeuille uit zijn achterzak te trekken en er een kiekje van haar uit te halen. Leo lijkt me niet het type dat een foto van zijn vriendin in zijn portefeuille heeft, en hij lijkt me zeker niet het type om die foto rond te laten gaan. Maar de schok wordt nog veel groter als ik het lichtje boven mijn hoofd aan doe en neerkijk op een tamelijk nietszeggende blondine die poseert naast een manshoge cactus.

'Hoe heet ze?' vraag ik, kijkend naar haar gespierde, gebruinde armen, haar pixie kapsel en haar brede glimlach.

'Carol,' zegt hij.

Ik herhaal de naam in gedachten en denk bij mezelf dat ze er ook echt uitziet als een Carol. Degelijk, ongecompliceerd, vriendelijk.

'Ze is knap,' zeg ik terwijl ik hem de foto teruggeef. Het lijken de juiste – en in feite de enige – woorden om te zeggen.

Leo schuift de foto weer in zijn portefeuille en knikt op een manier die me vertelt dat hij het weliswaar eens is met mijn beoordeling, maar dat hij haar uiterlijk niet zo heel erg interessant of belangrijk vindt.

Ondanks het feit dat ze er gewoontjes uitziet, steekt er echter een onverwacht competitief gevoel de kop op waar ik volgens mij geen last van gehad zou hebben als hij me de vrouw had laten zien die ik verwachtte. Het is één ding om verslagen te worden door een dubbelgangster van Angelina Jolie, maar het is iets heel anders om te verliezen van iemand die zo overduidelijk van mijn eigen niveau is. Ik herinner mezelf eraan dat het geen wedstrijd is terwijl ik het lichtje boven mijn hoofd uit doe en vraag: 'Vertel eens, waar hebben Carol en jij elkaar ontmoet?'

Leo schraapt zijn keel, alsof hij overweegt om de waarheid geweld aan te doen, maar zegt dan: 'Ach, dat is eigenlijk niks bijzonders.'

Dit doet me deugd, uiteraard.

'Toe nou,' dring ik aan, stilletjes hopend op een blind-date scenario – hetgeen naar mijn idee helemaal onderaan de romantiekladder staat.

'Oké,' zegt hij. 'We hebben elkaar ontmoet in een kroeg... op de meest weerzinwekkende avond van het jaar... in New York, althans.'

'Oudejaarsavond?' zeg ik glimlachend, en ik doe alsof ik geen enkel restje bitterheid meer voel.

'Bijna goed,' zegt Leo. 'St. Patrick's Day.'

Ik glimlach en denk bij mezelf dat ik zijn afkeer van zeventien maart volkomen begrijp.

'Kom op, zeg. Wat mankeert jou? Hou je niet van een lekker ordinair zuipfestijn in de kroeg?' zeg ik. 'Lekker luidruchtig feesten en beesten en groen bier drinken op de nuchtere maag?'

'Tuurlijk wel,' zegt Leo. 'Net zoals ik hou van de corpsballen uit de Upper East Side die de hele metro onderkotsen.'

Ik lach. 'Wat dééd je eigenlijk in de kroeg op St. Patrick's Day?'

'Ik weet het. Schokkend, hè?... Ik zal nog steeds de populariteitsprijs niet winnen, maar ik geloof dat ik niet meer zo antisociaal ben als vroeger... Ik denk dat een of andere Ierse vriend me die avond onder druk moet hebben gezet...'

Ik weersta de verleiding om te zeggen: *Meer dan ik voor elkaar kreeg*, en vraag in plaats daarvan: 'En Carol? Is zij Iers?'

Het is een stompzinnige, quasi-nonchalante vraag, maar wel eentje die me in staat stelt om bij het onderwerp van Leo's liefdesleven te blijven.

'Zoiets. Engels, Schots, Iers. Weet ik veel.' Dan voegt hij er enigszins achteloos aan toe: 'Ze komt uit Vermont.'

Ik glimlach geforceerd terwijl ik inwendig ineenkrimp als ik me voorstel hoe Carol met een zwaai de staldeuren van haar ouderlijk huis open gooit op een frisse herfstdag en vol trots aan haar vriendje uit de grote stad laat zien hoe je een koe melkt... hoe ze samen onbedaarlijk beginnen te lachen als hij het kunstje maar niet onder de knie krijgt... de melk in zijn gezicht spuit voordat hij van de geschilderde houten kruk af valt in een berg hooi... en zij bovenop hem valt en haar overall uittrekt...

Ik duw het beeld weg en sta mezelf nog één laatste vraag toe over Carol. 'Wat doet ze voor werk?' zeg ik.

'Ze is wetenschapper,' zegt hij. 'Medisch onderzoeker op Columbia University... Ze doet onderzoek naar hartritmestoornissen.'

'Wauw,' zeg ik geïmponeerd, zoals volgens mij alle rechter-hersenhelftmensen onder de indruk zijn van linker-hersenhelftmensen – en vice versa.

'Ja,' zegt Leo. 'Het is een intelligente dame.'

Ik kijk naar hem, wachtend op meer, maar het is duidelijk dat hij uitgepraat is over Carol. In plaats daarvan slaat hij zijn benen over elkaar en zegt op ogenschijnlijk bewust luchtige toon: 'Nu ben jij aan de beurt. Vertel eens wat meer over Andy.'

Het is moeilijk om daar iets over te zeggen, zelfs als je gesprekspartner geen ex-vriendje is, dus ik glimlach en zeg: 'Ik weet dat je verslaggever bent – en dol bent op van die vragen met een open einde – maar kun je iets specifieker zijn? Wat wil je weten?'

Leo zegt: 'Oké. Specifiek, zeg je... Eens even denken... Houdt hij van bordspellen?'

Ik lach en herinner me dat Leo nooit bordspelletjes met me wilde spelen. 'Ja,' zeg ik.

'Ahh. Hartstikke fijn voor je,' zegt Leo.

Ik glimlach, knik en zeg. 'Nog meer?'

'Hmm... Slaat hij het ontbijt altijd over – of is hij van mening dat het de belangrijkste maaltijd van de dag is?'

'Dat laatste.'

Leo knikt alsof hij inwendig aantekeningen maakt. 'Gelooft hij in God?'

'Ja,' zeg ik. 'En ook in Jezus.'

'Heel goed... En... begint hij ook wel eens... spontaan een gesprek met iemand in een vliegtuig?'

'Af en toe,' zeg ik glimlachend. 'Maar over het algemeen niet met ex-vriendinnen. Voor zover ik weet...'

Leo kijkt me schaapachtig aan, maar hij hapt niet. In plaats daarvan slaakt hij een diepe zucht en zegt: 'Oké... En deze dan... Lijkt je man oprecht verbaasd als hij de dop van zijn flesje cola af draait en tot de ontdekking komt dat hij, *sakkerloot, potverdrie*, "Helaas geen prijs" heeft dit keer?'

Ik lach. 'Weet je wat nou zo grappig is?' zeg ik. ' Hij verwacht inderdaad altijd dat hij prijs heeft... Hij is een eeuwige optimist.'

'Zo zo,' zegt Leo. 'Het ziet er dus naar uit dat je een degelijke, ganzenbord spelende, cornflakes etende, godvrezende, het-glas-is-half-vol kerel aan de haak hebt geslagen.'

Ik barst in lachen uit, maar maak me dan ineens zorgen dat ik Andy te kort heb gedaan in Leo's vraag-en-antwoordspelletje – of nog erger, dat ik hem misschien belachelijk heb gemaakt. Dus ik besluit met een onmiskenbaar loyale opmerking. 'Ja. Andy is een fantastische vent. Een heel mooi mens... Ik ben een enorme bofkont.'

Leo draait zich om in zijn stoel en kijkt me aan. Zijn glimlach lost snel op. 'Hij is ook een bofkont.'

'Dank je,' zegt ik, en ik voel dat ik bloos.

'Het is echt zo,' zegt hij. 'Ellen... ik weet niet waarom ik je ooit heb laten gaan...'

Ik schenk hem een klein, verlegen glimlachje terwijl ik me erover verbaas dat zo'n simpele opmerking zo helend en opwindend en ontregeld tegelijk kan zijn.

En het wordt alleen nog maar erger – of beter – als Leo zijn stoel achterover draait en zijn arm op de leuning legt naast die van mij, zodat onze huid elkaar aanraakt van elleboog tot pols. Ik doe mijn ogen dicht en voel een adembenemende stroom warmte en energie door mijn lichaam trekken. Het is het gevoel van iets zo graag willen dat het grenst aan hunkeren, en de kracht en de intensiteit van deze hunkering zijn overweldigend.

Ik gebied mezelf om mijn arm te verplaatsen, wetend hoe ontzettend belangrijk het is dat ik juist handel. In mijn hoofd klinkt een schreeuw – *Ik ben pas getrouwd en ik hou van mijn man!* Maar het haalt niks uit. Ik kan mezelf er letterlijk niet toe brengen om me terug te trekken. Ik kan het gewoon niet. In plaats daarvan draai ik mijn stoel net zo ver achterover als de zijne en spreid mijn vingers, uit alle macht hopend dat hij ze zal vinden. En dat doet hij, eerst aarzelend, zodat onze pinken elkaar amper raken, en dan een klein beetje overlappend, en dan een beetje meer, en nog een beetje meer, alsof er een getij is dat hem naar me toe trekt, over me heen.

Ik vraag me af of hij nog steeds naar me zit te kijken in de schaduwen van de cabine, maar ik doe mijn ogen niet open om het te controleren, hopend dat het donker me minder schuldig zal maken, wat ik aan het doen ben minder echt zal doen lijken. Toch heeft dit een averechts effect – het voelt juist veel echter, intenser, zoals je je altijd beter kunt concentreren op het ene zintuig als alle andere zintuigen niet werken.

De seconden tikken weg, maar we zeggen geen van tweeën iets terwijl Leo's hand de mijne helemaal bedekt. Het gewicht en de warmte ervan zijn hetzelfde als in het eetcafé op de dag dat dit alles begon, maar het gebaar voelt totaal anders. Dit contact is niet terloops en maakt geen deel uit van een gesprek. Het ís een gesprek. Het is ook een uitnodiging. Een uitnodiging die ik aanvaard met een lome draai van mijn pols tot mijn handpalm naar boven gekeerd is, tegen de zijne aan, en we officieel elkaars hand vasthouden. Ik zeg tegen mezelf dat dit een volstrekt onschuldig gebaar is. Verliefde stelletjes op de middelbare school houden elkaars hand vast. Ouders en kinderen houden elkaars hand vast. Vríénden houden elkaars hand vast. Maar niet op deze manier. Nooit op deze manier. Ik luister naar het geluid van Leo's ademhaling, zijn gezicht dicht tegen het mijne terwijl onze vingers zich met elkaar verstrengelen, zich weer losmaken, zich opnieuw in elkaar vlechten. En zo vliegen we oostwaarts en vallen we uiteindelijk ook in slaap, zwevend in de lucht, in de tijd, samen.

De uren die daarop volgen, breng ik door in het wazige gebied tussen waken en slapen. Vaag hoor ik de stewardess van alles omroepen, maar ik word pas definitief wakker op het moment dat het vliegtuig de landing inzet. Slaperig kijk ik uit het raam naar de lichten van de stad, en kijk dan naar Leo, die nog ligt te slapen en nog steeds mijn hand vast heeft. Zijn nek is gebogen, zijn lichaam een klein beetje naar mij toe gebogen, zijn gezicht verlicht door het felle licht in de cabine. Als een bezetene probeer ik het beeld op te slaan in mijn geheugen: de donkere stoppeltjes op zijn kaken, zijn ietwat verfomfaaide bakkebaarden, de lange, rechte brug van zijn neus en zijn grote, koepelvormige oogleden.

Mijn maag draait om als het tot me doordringt dat ik me bijna precies hetzelfde voel als op de ochtend nadat we voor het eerst met elkaar naar bed waren geweest. Ik was die ochtend ook al voor zonsopgang wakker, en ik weet nog precies dat ik als bevroren naar hem lag te kijken. Hij sliep nog, zijn naakte borst ging op en neer, en ik dacht bij mezelf, *Hoe nu verder?*

Op dit moment stel ik mezelf weer diezelfde vraag, maar het antwoord is dit keer totaal anders. Er is dit keer niets hoopvols aan. Dit is geen begin, maar een eind. Het is bijna tijd om Leo's hand los te laten. Het is bijna tijd om afscheid te nemen.

Een paar seconden later raken we de grond met hoge snelheid en een ruwe schok. Leo's ogen gaan knipperend open. Hij gaapt, rekt zich uit op zijn stoel en glimlacht loom en gedesoriënteerd naar me. 'Hallo,' zegt hij.

'Goeiemorgen,' zeg ik zacht. Mijn keel voelt droog en strak, maar ik weet niet of dat van de dorst is of van verdriet. Ik overweeg of ik het flesje water uit mijn handtas zal pakken, maar ik ben er nog niet aan toe om ons contact te verbreken – en zeker niet voor een slokje water.

'Is het al ochtend?' vraagt hij, een steelse blik uit het raam werpend op de donkere landingsbaan.

'Bijna,' zeg ik. 'Het is half zeven... We liggen voor op schema.'

'Shit,' zegt hij, en zijn gezicht weerspiegelt het weeë, verscheurde gevoel in mijn binnenste.

'Wat?' zeg ik, omdat ik wil dat hij het voor ons allebei verwoordt, omdat ik wil dat hij zegt dat hij niet kan geloven dat we alweer terug zijn in New York en dat het tijd is om ieder ons weegs te gaan. Tijd om verder te gaan met ons eigen leven.

Hij kijkt neer op onze ineengevlochten handen en zegt: 'Je weet best wat ik bedoel.'

Ik knik en volg zijn blik naar onze gekruiste duimen. Dan geef ik zijn hand nog een laatste kneepje voordat ik loslaat.

In de minuten die daarop volgen, lopen we achter de meute aan: we verzamelen vermoeid onze eigendommen, trekken onze jas aan en lopen de aankomsthal in. We zijn allebei stil en communiceren totaal niet totdat we een blik wisselen bij de eerste rij toiletten die we tegenkomen – een blik die duidelijk maakt dat we van plan zijn om op elkaar te wachten.

En toch ben ik, als ik een paar minuten later mijn tanden heb gepoetst en mijn haar heb gekamd, verbaasd wanneer ik de hoek om kom en hem tegen de grijze muur geleund zie staan, zo ongepolijst knap dat ik naar adem hap. Hij schenkt me een scheef lachje en wikkelt dan heel bedachtzaam het papiertje van een plak kauwgom, vouwt deze dubbel in zijn mond, kauwt erop en steekt mij het pakje toe. 'Wil je er ook eentje?'

'Nee, dank je,' zeg ik.

Hij stopt de kauwgom in zijn jaszak en zet zich dan met één schouder af tegen de muur. 'Ben je zo ver?' zegt hij.

Ik knik, en daar gaan we weer, op weg naar de bagagehal.

'Heb jij spullen ingecheckt?' vraagt hij als we op de roltrap naar beneden staan.

'Alleen mijn apparatuur. Eén tas... En jij?' vraag ik, wetend dat het antwoord nee is – Leo neemt altijd zo min mogelijk bagage mee.

'Nee joh,' zegt hij. 'Maar... ik wacht wel even op je.'

Ik maak geen bezwaar, en als we in de bagagehal aankomen, merk ik zelfs dat ik hoop dat het grondpersoneel het vanochtend heel rustig aan doet. Maar helaas – ik krijg mijn zwarte tas direct in het oog en heb geen enkele andere keus dan me over de band heen te buigen om hem te pakken.

'Laat mij maar,' zegt Leo, me zachtjes opzij duwend terwijl hij mijn tas met een onderdrukte kreun van de band hijst. Gedurende één schuldbewuste seconde doe ik alsof dit mijn echte leven is. Leo en ik, verslaggever en fotograaf, op weg terug naar de stad na onze zoveelste gezamenlijke klus.

Leo zet zijn sporttas bovenop mijn koffer en vraagt: 'Had je een auto besteld?'

Ik schud mijn hoofd. 'Nee. Ik neem gewoon een taxi.'

'Ik ook,' zegt Leo. 'Zullen we er eentje delen?'

Prima, zeg ik, wetend dat we het onvermijdelijke alleen maar aan het uitstellen zijn.

Leo's gezicht licht op, iets wat ik zowel verrassend als geruststellend vind. 'Oké,' zegt hij opgewekt. 'Dan gaan we.'

Buiten is de vroege lenteochtend koel en fris. Zachtroze licht trekt strepen aan een wolkeloze hemel. Er is geen twijfel mogelijk dat het een prachtige dag wordt. We lopen over de stoep naar de taxistandplaats en sluiten aan in een korte, snel opschuivende rij. Even later staat Leo onze bagage in de kofferbak van een taxi te laden.

'Waarheen?' vraagt onze chauffeur als we eenmaal op de achterbank hebben plaatsgenomen.

Leo zegt: 'Twee adressen. Het eerste is in Astoria – Newton Avenue en Twenty-eigth... en het tweede adres?...' Hij kijkt me aan, zijn donkere wenkbrauwen opgetrokken, wachtend op mijn adres.

'Thirty-seventh en Third,' zeg ik, terwijl ik me voorstel hoe het er op dit moment uitziet in mijn appartement – de gordijnen dicht en alles stil, op het gedempte geluid van het op gang komende ochtendverkeer na; Andy, in een versleten T-shirt en pyjamabroek, slapend opgekruld in ons bed. Ik voel een schuldbewuste steek in mijn borst, maar ik hou mezelf voor dat ik snel genoeg thuis zal zijn.

'Murray Hill, hm?' vraagt Leo goedkeurend. Hij is nooit een groot fan geweest van mijn vroegere buurt.

'Ja. We wonen er erg prettig,' zeg ik. 'Er is geen drukte... en de ligging is heel praktisch, centraal...'

We, denk ik bij mezelf. *Mijn man en ik.*

Ik kan zien dat het bezittelijk voornaamwoord Leo ook niet is ontgaan, want zijn gezicht krijgt een subtiel andere uitdrukking als hij knikt, respectvol bijna. Of misschien zit hij gewoon te mijmeren over de andere helft van zijn eigen *we* – Carol, die op dit moment misschien zelfs wel in Newton Avenue is, wachtend op hem in haar mooiste nachthemd. Terwijl we over de Long Island Expressway rijden, realiseer ik me dat ik geen flauw idee heb of ze samenwonen en of hij op termijn ook aan trouwen denkt – met haar of met wie dan ook.

Ik realiseer me ook dat ik Leo niets heb verteld over mijn mogelijke verhuizing naar Atlanta. Ik zou graag willen denken dat ik er simpelweg niet aan heb gedacht, maar diep vanbinnen weet ik dat ik het expres heb verzwegen, al weet ik niet zo goed waarom. Ben ik bang dat Leo de verhuizing zou beschouwen als een typisch voorbeeld van de oude, onzelfstandige Ellen die als een hondje achter haar man aan loopt? Of dat hij me volledig zal afschrijven vanwege de afstand? Of is het omdat ik ergens helemaal niet wíl verhuizen, ondanks wat ik tegen Andy heb gezegd?

Opnieuw zeg ik tegen mezelf dat er later wel tijd zal zijn om alles te analyseren. Voorlopig wil ik alleen maar genieten van de simpele schoonheid van dit moment – de zon die opkomt aan de horizon, het zachte gonzen van Egyptische muziek op de radio, de wetenschap dat Leo naast me zit op de achterbank terwijl we het laatste deel van onze reis afmaken.

Een paar minuten later verlaten we Astoria Boulevard en rijden onder Triborough Bridge en de bovengrondse metro door. Ik kijk omhoog naar het traliewerk van rails en word overspoeld door herinneringen aan de talloze keren dat ik lijn N heb genomen naar deze buurt. Er komen nog meer herinneringen boven als we Leo's straat in draaien en ik de vertrouwde, plompe, stenen rijtjeshuizen zie, geschilderd in diverse tinten roomwit, rood en roze, met de rij vuilnisbakken en de groene markiezen aan de voorkant. Leo wijst naar zijn gebouw, midden in het blok, en zegt tegen onze taxichauffeur: 'Daar aan de linkerkant, alstublieft... Naast de witte pick-uptruck.'

Dan, als de taxi langzaam tot stilstand komt, kijkt hij weer naar mij, schudt zijn hoofd en zegt bijna letterlijk wat ik op dat moment denk. 'Dit is zo verrekte raar.'

'Vertel mij wat,' zeg ik. 'Ik had nooit gedacht dat ik hier ooit nog eens terug zou komen.'

Leo bijt op zijn onderlip en zegt dan: 'Weet je wat ik nu zou willen doen?'

Er flitsen een paar ongeoorloofde beelden door mijn hoofd, en nerveus zeg ik: 'Nou?'

'Je uit deze auto tillen en mee naar binnen nemen,' zegt Leo, zijn stem zo laag dat het bijna hypnotiserend is. 'Eieren met spek voor ons bakken... koffie zetten... En dan op de bank gaan zitten en gewoon... naar je kijken... en een hele dag met je praten...'

Mijn hart bonst wild als ik denk aan alle andere dingen die we deden in zijn appartement op de eerste verdieping, slechts een paar stappen verwijderd van de plek waar ik nu zit. Aan alle dingen behalve praten. Ik kijk in Leo's ogen en voel me zwak en een beetje misselijk terwijl ik uit alle macht probeer mezelf ervan te overtuigen dat het geen kwaad zou kunnen als ik even met hem mee naar binnen ging. Als ik maar een paar minuten blijf, voor een snelle kop koffie? Andy is nog niet eens wakker. Hij zou me het komende uur zeker nog niet missen. Wat kan dat nou voor kwaad?

Ik schraap mijn keel, druk mijn knokkels in mijn dijen en werp een blik op de meter, die nog steeds loopt terwijl wij tijd aan het rekken zijn. Uiteindelijk zeg ik: 'Dus dat is wat je wilt, hm? Nog even verder praten onder het genot van een kop koffie?'

Leo kijkt me langdurig en ernstig aan en zegt dan: 'Oké. Je

hebt gelijk. Het spijt me...' Dan strijkt hij met zijn hand door zijn haar, slaakt een zucht, en trekt twee briefjes van twintig uit zijn portefeuille.

Ik schud mijn hoofd, een weigering. 'Ik betaal wel, Leo.'

'Geen sprake van,' zegt Leo. Het is iets wat Leo en Andy gemeen hebben – ze weigeren allebei hardnekkig om een vrouw ergens voor te laten betalen. Maar bij Andy lijkt het een kwestie van opvoeding te zijn, bij Leo is het een kwestie van trots. Hij stopt me de biljetten toe. 'Toe nou.'

'Dat is veel te veel,' zeg ik. 'De meter staat nu pas op veertien.'

'Neem het nou maar gewoon, Ellen. Alsjeblieft.'

Omdat ik niet wil dat ons allerlaatste gesprek een stompzinnige woordenwisseling is over een paar dollar voor een taxi, pak ik zijn geld aan en zeg: 'Prima. Dank je wel.'

Hij knikt. 'Het is me een genoegen... De hele nacht is me een genoegen geweest.' Zijn woorden zijn formeel, maar zijn toon is allesbehalve mechanisch. Hij meent het. Hij heeft net zozeer genoten van onze tijd samen als ik.

Ik betrap de taxi-chauffeur op een sceptische blik in de achteruitkijkspiegel voordat hij uit de auto stapt, om de kofferbak heen, waar hij een sigaret aansteekt en gaat staan wachten.

'Zijn we zo transparant?' vraagt Leo.

Ik lach nerveus. 'Kennelijk.'

'Oké,' zegt Leo. 'Waar waren we gebleven?'

'Ik weet het niet meer,' zeg ik, en ik voel me duizelig en intens verdrietig.

Leo kijkt omhoog naar het plafond van de auto en dan weer naar mij. 'Volgens mij hebben we zojuist vastgesteld dat het geen goed idee is als je nog even mee naar binnen gaat, toch?'

'Ik geloof het niet, nee,' zeg ik.

'Tja,' zegt Leo, en zijn ogen boren zich in de mijne. 'Dit was het dan, denk ik.'

'Precies,' zeg ik. 'Dit was het dan.'

Hij aarzelt, en heel even, net als in het eetcafé, denk ik dat hij me misschien gaat omhelzen, of zelfs kussen. In plaats daarvan komt er alleen een klein, triest glimlachje voordat hij zich omdraait om uit te stappen. Het portier van de taxi slaat achter hem dicht, en ik kijk hoe hij zijn tas over zijn schouder gooit, de stoep oversteekt naar zijn appartement en met twee treden tegelijk de trap op loopt naar de voordeur. Hij draait zich niet om om te zwaaien of zelfs maar een laatste keer naar de taxi te kijken voordat hij de deur opendoet en uit het zicht verdwijnt. In mijn ogen branden tranen als we wegrijden van de stoeprand en ik die laatste woorden in gedachten herhaal, telkens weer. *Dit was het dan.*

achttien

Ergens tijdens de korte rit van Queens naar Manhattan slaan mijn neerslachtigheid en wanhoop om in weemoed en melancholie, hetgeen in ieder geval een stap is in de goede, berouwvolle richting. Maar als ik de deur van ons appartement opendoe en Andy aantref in zijn favoriete groengeruite badjas, zorgvuldig boter uitsmerend op een wafel uit het broodrooster, voel ik niets anders dan een zuiver, onversneden, bijtend schuldgevoel. Op een merkwaardige manier is het echter bijna een opluchting dat ik me zo schuldig voel – en tevens het bewijs dat ik nog niet helemaal van het rechte pad af ben. Dat ik in de kern nog steeds een fatsoenlijke echtgenote ben.

'Hé, liefje,' zegt Andy, die zijn mes op de aanrecht legt en zijn armen om me heen slaat in een blij-je-te-zien omhelzing. Ik inhaleer zijn zoete, jongensachtige geur, die zo totaal anders is dan Leo's muskusachtige geur.

'Hé, Andy,' zeg ik, en ik schrik van de formaliteit van het gebruik van zijn naam – iets wat stellen bijna nooit doen, tenzij ze boos zijn of elkaar roepen vanuit een andere kamer. Vervolgens maak ik het nog erger door te vragen, op een toon die eerder beschuldigend dan aangenaam verrast klinkt, wat hij zo vroeg op doet. Onwillekeurig denk ik bij mezelf dat de overgang makkelijker en minder abrupt zou zijn als hij nog gewoon lag te slapen.

'Ik heb je gemist,' zegt hij, me een kus op mijn voorhoofd gevend. 'Ik slaap nooit zo goed zonder jou...'

Ik glimlach en zeg dat ik hem ook heb gemist, maar het ontmoedigende besef dat dit een klinkklare leugen is – dat ik mijn man totáál niet heb gemist – geeft mijn schuldgevoel een zweem van paniek. Ik hou mezelf voor dat dat ook het geval zou kunnen zijn geweest als ik Leo niet had gezien. Het was per slot van rekening een korte reis vol emoties. Er moest hard gewerkt worden. Ik heb *quality time* met mijn zus doorgebracht. Ik heb verdorie *Drake Watters* ontmoet en gefotografeerd. Onder deze omstandigheden lijkt het redelijk normaal, voorspelbaar zelfs, dat er geen tijd is om hevig naar je echtgenoot te verlangen. Ik sus mijn geweten met de gedachte dat degene die achterblijft in zijn gebruikelijke, alledaagse omgeving de ander altijd meer mist dan andersom. Tot op de dag van vandaag voel ik me wérkelijk altijd een beetje eenzaam als Andy op zakenreis is.

'Heb je honger?' vraagt Andy.

Ik knik en denk bij mezelf dat ook dit voorspelbaar is als je de hele nacht wakker bent geweest en alleen maar een zakje pinda's hebt gegeten.

'Hier. Neem deze maar,' zegt hij, gebarend naar zijn wafel.

'Nee. Die is voor jou,' zeg ik nadrukkelijk. Het is per slot van rekening één ding om hand in hand te zitten met een ex-vriendje tijdens een romantische, nachtelijke, transcontinentale vlucht – maar het is iets heel anders om een wafel te stelen van je hongerige echtgenoot.

'Nee, neem jij deze maar,' zegt hij, en hij schrijft met stroop een sierlijke *E* op de wafel.

Ik denk aan Leo's bankbiljetten die ik op de achterbank van de taxi heb aangenomen, en besluit dat ik onmogelijk zijn geld kan aannemen en dit aanbod van Andy afslaan.

'Oké, dank je,' zeg ik, een vork pakkend uit onze keukenla om vervolgens leunend tegen de aanrecht een hap te nemen.

Andy kijkt naar me terwijl ik kauw. 'Is-ie lekker?' vraagt hij ernstig, alsof hij een topkok is en dit een smaaktest voor zijn nieuwste culinaire creatie. Ik ontspan en glimlach mijn eerste echte, vrolijke glimlach van vandaag, terwijl ik bij mezelf denk dat Andy het talent bezit om de kleinste, banaalste dingen bijzonder te maken, liefdevol.

'Super,' zeg ik uiteindelijk. 'De lekkerste wafel die ik ooit heb gegeten...'

Hij glimlacht trots en komt vervolgens in beweging om er nog een te maken en twee grote glazen melk in te schenken.

'Nou, vooruit. Vertel eens hoe de shoot is gegaan,' zegt hij, gebarend naar onze keukentafel.

Ik ga zitten en eet mijn wafel terwijl ik hem alles vertel over de reis, maar Leo zorvuldig weglaat uit het verhaal. Ik praat over het hotel, mijn zus, het eetcafé, hoe fantastisch het was om Drake te ontmoeten, hoe tevreden ik ben over mijn foto's.

'Ik kan niet wachten om ze te zien,' zegt Andy.

'Ik denk dat je ze heel mooi zult vinden,' zeg ik.

Veel mooier dan het artikel.

'Wanneer mag ik ze zien?' vraagt hij.

'Vanavond,' zeg ik, me afvragend of ik me door deze dag heen zal weten te slaan zonder een dutje te doen. 'Ik wil naar kantoor gaan om eraan te werken vandaag...'

Andy wrijft in zijn handen en zegt: 'Te gek... En mijn handtekening? Je hebt toch zeker wel een handtekening voor me?'

Ik trek een verontschuldigend gezicht en denk bij mezelf dat ik de gênante vraag beslist zou hebben gesteld als ik van tevoren had geweten dat Leo naast me zou opduiken in het vliegtuig. Alles om het schuldgevoel waar ik nu mee worstel te verzachten.

'Het spijt me, lieverd,' zeg ik oprecht. 'Er was gewoon geen... gelegenheid voor.'

Hij zucht melodramatisch en drinkt dan zijn laatste slok melk op. In zijn mondhoeken verschijnt een witte melksnor die er een seconde lang nadrukkelijk blijft zitten voordat hij hem er met een stukje keukenrol afveegt. 'Het geeft niet,' zegt hij met een knipoog. 'Voor deze ene keer zal ik je loyaliteit niet in twijfel trekken.'

Hoewel hij duidelijk een grapje maakt, voelen zijn woorden als een dolk in mijn hart. Ik kan er niet omheen – ik deug niet.

Ik ben een slechte echtgenote. Misschien geen door en door slechte, maar toch zeker wel een waardeloze. Heel even overweeg ik of ik alles zal opbiechten, tot en met de laatste, trouweloze, volstrekt overbodige omweg naar Astoria. Maar het moment is al snel weer voorbij als Andy zijn bord wegduwt, zijn knokkels laat kraken en begint te grijnzen op een manier die zelfs naar zijn maatstaven uitbundig te noemen is. 'Oké... Wil je horen hoe míjn dag is geweest gister?'

'Absoluut,' zeg ik, en ik zie hem al voor me in de speelgoedwinkel, spijbelend van zijn werk en allerlei verschillende soorten speelgoed uitproberend, zoals Tom Hanks in de film *Big*.

'Ik heb een last minute vlucht geboekt en ben zelf ook een dagje weg geweest,' zegt hij.

Mijn hart begint te bonken. Ik weet precies wat er komt, en ik heb ineens het gevoel dat al mijn zintuigen op scherp staan. 'Echt waar?'

'Jep,' zegt hij, terwijl ik tromgeroffel hoor in mijn hoofd. 'Naar Atlanta... Om naar ons huis te kijken.'

Ik kijk naar hem en voel een geforceerde glimlach langzaam bezit nemen van mijn gezicht terwijl ik bij mezelf denk, *Ons huis*.

Andy knikt. 'Het is echt super, Ellie. Ik ben er hélemaal weg van. Margot is er weg van. Mijn moeder is er weg van. Jíj zult er ook weg van zijn. Het is serieus perféct... Zelfs nog beter dan op de foto's.'

Ik hap voldoende lucht om een vraag te stellen. 'Heb je... het gekócht?'

Ik zet me schrap, bijna wensend dat het antwoord ja is zodat ik geen besluit hoef te nemen. En belangrijker nog, zodat ik me verongelijkt kan voelen. Ik stel me voor dat er tranen van verontwaardiging opwellen in mijn ogen terwijl ik zachtjes foeter: *Je had eerst met mij moeten overleggen! Wie koopt er nou een huis zonder er eerst met zijn vrouw over te praten?* Of Andy het ooit zal weten of niet, we zullen quitte staan. De ene echtelijke misstap tegenover de andere.

Maar natuurlijk schudt hij zijn hoofd en zegt: 'Nee. Ik heb het niet gekocht. Zoiets zou ik nooit doen zonder eerst met jou te overleggen... Hoewel,' zegt hij opgewonden, 'ik heb hier wel al een bod liggen, klaar om te faxen zodra – áls – je groen licht geeft.' Hij tikt op een manilla-envelop die op tafel ligt. 'Ik denk dat het heel snel weg zal zijn. Het is veel beter dan alles wat we tot nu toe bekeken hebben... Charmant, degelijke bouw, alles erop en eraan. Helemaal volmaakt... en zo verrekte dicht bij Margot... Wil je er dit weekend naartoe vliegen om te kijken? Misschien nog een beetje verder rond te kijken?'

Verwachtingsvol kijkt hij me aan, onschuldig, terwijl ik bij mezelf denk, *Jij bent zo verdomde gelukkig*. Het voelt als een compliment en kritiek tegelijk. Het is een van de dingen die ik zo heerlijk aan hem vind, en toch is het op dit moment ook datgene wat ik aan hem zou willen veranderen. Niet dat ik hem ongelukkig zou willen maken, uiteraard, maar wel een beetje minder... simpel. Ziet hij deze beslissing dan helemaal niet genuanceerd? Heeft hij dan geen bedenkingen over het zo dicht bij zijn familie wonen? Werken voor zijn vader? Weggaan uit de stad waar we van houden?

Ineens loopt mijn hart over van verontwaardiging, en hoewel ik een deel hiervan probeer af te schuiven op Andy's enthousiasme, weet ik dat mijn emotie voortvloeit uit één bron, één plek, één innerlijk conflict.

Leo.

Terwijl Andy wacht op mijn reactie, breng ik mezelf in herinnering dat mijn leven verder zal gaan zonder dat Leo daar deel van uitmaakt, ongeacht wat er besloten wordt over het huis in kwestie en ongeacht wat het antwoord zal zijn op de vraag of we überhaupt wel naar Atlanta gaan verhuizen. Dus ik moet hem buiten beschouwing laten en beslissen wat goed is voor Andy en mij.

Maar als ik in de ogen van mijn man staar, brokkelt de muur tussen die twee werelden af – de wereld in het vliegtuig van afgelopen nacht en alles wat had kunnen zijn, en mijn leven met Andy, een nieuwe fase, in ons huis in Atlanta. Een huis met twee, misschien wel drie, auto's in de garage. En een kwijlende golden retriever die achter donzige gele tennisballen aan rent op een weelderig groen gazon. En Margot, even verderop in de straat, binnen handbereik voor het uitwisselen van recepten en roddels uit de buurt. En Andy die elke ochtend in zijn geruite flanellen badjas en op zijn oude-mannenpantoffels naar buiten gaat om de krant te halen. En mollige, vrolijke kinderen met blauwe ogen en knaloranje zwembandjes die aan het plonzen zijn in hun zwembadje in de tuin. En ikzelf, staand bij het keukenraam, waar ik een appel sta te schillen terwijl ik vol weemoed terugdenk aan mijn oude leven, de klussen die ik toen kreeg. De keer dat ik Drake Watters heb gefotografeerd in L.A. De ochtend waarop ik Leo voor het laatst heb gezien.

Ik kijk neer op de tafel en vraag me af hoe lang het zal duren voordat ik zijn aanraking in het vliegtuig vergeten zal zijn. Hoeveel tijd er overheen moet gaan voordat dat laatste moment op de achterbank van de taxi niet meer in mijn geheugen gegrift zal staan als een kwellend, stilgezet beeld uit een zwart-witfilm. En de angst dat het wel eens een eeuwigheid zou kunnen zijn, slaat me om het hart en maakt dat ik mijn mond opendoe en zeg: *We doen het.*

Oppervlakkig gezien geef ik mijn echtgenoot alleen maar toestemming om een fax te versturen. Ik stem alleen maar in met een verandering van omgeving, de aankoop van onroerend goed in Atlanta. Maar diep vanbinnen voelt het als veel meer. Diep vanbinnen ben ik ook boete aan het doen. Mijn liefde aan het bewijzen. Opnieuw mijn jawoord aan het geven. Mijn huwelijk veilig aan het stellen. Ik kies voor Andy.

'Wil je er niet naartoe om het met eigen ogen te zien?' vraagt hij nogmaals, en hij legt zijn vingertoppen zachtjes in de holte van mijn elleboog.

Het is mijn laatste kans, mijn allerlaatste uitweg. Het enige wat ik zou hoeven doen, is naar het huis gaan kijken en iets verzinnen, kan me niet schelen wát, waar ik me niet helemaal prettig bij voel. Een bepaalde sfeer waar ik niet zo goed mijn vinger op kan leggen. Een bepaalde, onaangename feng shui die Andy en twee vrouwen met een onfeilbaar gevoel voor esthetiek op de een of andere manier over het hoofd hebben gezien. Ik zou misschien irrationeel of ondankbaar overkomen, maar ik zou er wat meer tijd mee kunnen winnen voor mezelf. Tijd waarvoor, dat weet ik echter niet precies. Tijd om vergeefs mijn voicemail te blijven controleren, hopend dat hij 'nog één ding' heeft verzonnen dat hij me moet vertellen? Tijd om naar hem uit te kijken op ieder kruispunt, in ieder eetcafé, in elke kroeg? Tijd om de grote fout te maken van in een taxi springen en teruggaan naar Newton Avenue? Dus verzet ik me tegen wat ik op dit moment het liefste wil en knik in plaats daarvan en zeg: 'Ik vertrouw op jouw oordeel.'

Het is uiteraard de waarheid. Ik vertrouw inderdaad op Andy's oordeel. Op dit moment vertrouw ik er meer op dan op mijn eigen oordeel. Maar ik voel ook dat er een paar subtiele andere emoties spelen – ongezonde elementen van passieve agressiviteit en een stoïcijnse gelatenheid met betrekking tot het aanvaarden van de rol van plichtsgetrouwe, traditionele echtgenote, en het leren leven met scheve verhoudingen die er voorheen nooit zijn geweest, in geen enkele vorm, in onze relatie.

Deze gevoelens zijn van voorbijgaande aard, denk ik bij mezelf. *Dit is gewoon een vlekje op het radarscherm van onze relatie. Je moet gewoon je koers blijven houden.*

'Weet je het zeker, liefje?' vraagt Andy zacht.

Mijn hand beweegt over mijn hart, en ik zeg luid en duidelijk, alsof het in de getuigenbank van een rechtszaal is in een definitieve, onweerlegbare verklaring: *Ja. We doen het. Ik weet het zeker.*

negentien

Margot moet ervan huilen als we haar vertellen dat we een bod hebben gedaan op het huis, en mijn schoonmoeder verhoogt de inzet nog eens door te verkondigen dat het nieuws een antwoord is op haar gebeden. Toegegeven, Margot huilt al om niks, zelfs als ze niet zwanger is – ze houdt het al niet droog bij tv-reclames voor mobiele telefonie of een paar maten van het volkslied – en Stella bidt voor een heleboel minder dan de terugkeer van haar geliefde zoon na een verblijf van zoveel jaren in het 'hoge noorden'. Maar toch. Er is in feite geen weg terug meer na deze reacties – je speelt immers niet met de diepste gevoelens van je naaste familieleden.

Dus als het lente wordt in New York, gaat mijn impulsieve, instinctieve beslissing – genomen onder invloed van een enorm slaaptekort en een grote dosis schuldgevoel, onder het genot van een wafel uit het broodrooster – krankzinnig genoeg een geheel eigen leven leiden.

Gelukkig lijkt ook Andy, nadat hij triomfantelijk zijn ontslag heeft ingediend op het advocatenkantoor waar hij werkt, op zijn minst last te hebben van ambivalente gevoelens over onze naderende verhuizing, alhoewel deze zich bij hem meer concentreren op het totaalplaatje en gepaard gaan met een bijna vrolijke uitbundigheid – een beetje zoals eindexamenleerlingen vol overgave op het eindexamenbal en de diploma-uitreiking af stormen. Hij maakt driftig plannen met onze beste vrienden, organiseert afscheidsdinertjes in onze favoriete restaurants, en koopt links en rechts kaartjes voor Broadway-voorstellingen waar we al heel lang graag naartoe willen. Op een zaterdagochtend wil hij zelfs per se met de boot naar het Vrijheidsbeeld – een bezienswaardigheid waarvan ik heb gezworen dat ik er alleen vanuit een vliegtuigraampje naar wil kijken, bijna als een soort erekwestie. Vervolgens, terwijl we ons door hordes toeristen, mistige regen en een vreselijk monotone gids heen slaan, moedigt Andy me aan om foto's te maken van het uitzicht, zodat we die kunnen ophangen in ons nieuwe huis. Ik ben hem ter wille, maar denk onwillekeurig bij mezelf dat een ingelijste foto van de haven van New York, al is-ie nog zo spectaculair (al zeg ik het zelf), niet veel troost zal bieden als ik heimwee heb naar de ongrijpbare energie van de stad.

Voorlopig zijn het de kleine dingen die me het meeste raken terwijl we onze zaken in de stad afhandelen, en de door ons geprikte datum in juni razendsnel dichterbij komt. Het is de rijke samenstelling van mijn dagelijks leven – dingen waar ik voorheen nauwelijks oog voor had maar die nu sentimentele waarde krijgen. Het is mijn wandeling naar mijn werkruimte en de zwijgende verbondenheid met andere forenzen die de oversteekplaatsen om mij heen bevolken. Het is het geanimeerde geklets van Sabina en Julian in onze werkruimte, en de doordringende geur van Oscars drukpers. Het zijn de diepe fronzen op het voorhoofd van de eigenaar van de stomerij terwijl hij met besliste bewegingen een knoop maakt in het plastic om Andy's overhemden en ons vervolgens een prettige dag wenst met zijn Turkse accent, en het kordate bevel 'kies nagellak' van mijn Koreaanse manicure, ook al moet ze inmiddels wel weten dat ik altijd mijn eigen nagellak meebreng. Het is het wiegen van de metro die efficiënt over het spoor laveert, en de voldoening van een taxi weten aan te houden op een drukke weekendavond in de Village. Het zijn de hamburgers bij P.J. Clarke's, de dim sum bij Chinatown Brasserie, en de bagels bij mijn eethuisje op de hoek. Het is de wetenschap dat ik elke dag weer iets nieuws zal zien zodra ik de deur van ons appartementengebouw uit stap. Het is de verscheidenheid aan keuzes en mensen, de rauwe schoonheid van de stad, het eindeloze gegons van mogelijkheden overal. Wat ook meespeelt, is Leo – zijn constante aanwezigheid in mijn gedachten, samen met het verontrustende besef dat ik hem heel erg associeer met de stad, en vice versa. Zo erg zelfs, dat weggaan uit New York voelt als weggaan bij Leo.

Ik zoek echter niet één keer contact met hem. Zelfs niet als ik een stuk of wat bijna volmaakte, werkgerelateerde smoezen heb verzonnen en evenveel intelligente redenen waarom het goed zou zijn – voor alle betrokkenen – om nog wat losse eindjes af te werken. Zelfs niet als de verleiding zo groot is dat ik er letterlijk bang van word – zoals ik me voorstel dat ik bang zou zijn voor cocaïne als ik dat ooit zou proberen.

In plaats daarvan klamp ik me uit alle macht vast aan het hoogdravende concept van goed versus slecht, zwart versus wit, en honderd procent loyaliteit jegens Andy. Bij wijze van ultieme verzekeringspolis, zorg ik ervoor dat hij altijd in de buurt is indien mogelijk, hetgeen zo ongeveer alle tijd is dat hij niet hoeft te werken. Ik moedig hem aan om met me mee te gaan naar mijn werk of naar een shoot, hobbel met hem mee naar de sportschool, en deel mijn dagen zo in dat we alle maaltijden samen gebruiken. Ik neem voortdurend het initiatief voor lichamelijk contact met hem – zowel 's avonds in onze slaapkamer als op kleinere schaal in het openbaar. Ik zeg tegen hem dat ik van hem hou, maar nooit op een routinematige, mechanische manier. In plaats daarvan denk ik echt na over de woorden, de betekenis ervan. Houden van als werkwoord. Liefde als verbintenis.

Al die tijd hou ik mezelf voor dat ik er bijna ben. Mijn emoties moeten hun beloop hebben en daarna zal alles weer gewoon worden – of in ieder geval zoals het was voor dat moment op die kruising. En als het niet gebeurt voordat we uit de stad weggaan, zal het in ieder geval gebeuren in Atlanta, een geheel nieuwe leefomgeving, ver weg van Leo.

Maar naarmate de dagen verstrijken en ons vertrek nadert, merk ik dat ik me afvraag hoe 'normaal' ook alweer was. Waren de dingen normaal toen Andy en ik een relatie kregen? Waren ze normaal tegen de tijd dat we ons verloofden of elkaar het ja-woord gaven? Was ik Leo ooit helemaal vergeten? Op enig moment was ik ervan overtuigd dat het antwoord ja was. Maar als een weerzien met hem – en enkel het aanraken van zijn hand – zoveel lagen van mijn hart af kon pellen, was ik dan ooit opgehouden van hem te houden, zoals dat hoort met een ex? Als het antwoord nee is, zal het verstrijken van de tijd of een verandering van omgeving het probleem dan werkelijk op kunnen lossen? En wat zegt deze vraag alleen al over mijn relatie met Andy, ongeacht wat het antwoord is?

Wat de zaak nog verontrustender maakt, is het vreemde, vage gevoel dat dit emotionele terrein niet geheel onbekend voor me is – dat ik lang geleden een aantal vergelijkbare gevoelens heb ervaren toen mijn moeder overleed. De parallellen zijn verre van volmaakt, aangezien een vertrek uit New York of het verbroken contact met Leo geen enkel tragisch element bevat. Maar op de een of andere verontrustende manier waar ik niet goed mijn vinger op kan leggen, zijn er beslist overeenkomsten.

Dus op een avond, als Andy met zijn vrienden aan het stappen is, wordt het me te veel en bel ik mijn zus, hopend dat ik de juiste ingang zal weten te vinden – en de juiste woorden – om over te brengen wat ik voel zonder Leo belangrijker te maken dan-ie is of de nagedachtenis aan onze moeder te bezoedelen.

Suzanne neemt opgewekt de telefoon op – en vertelt dat Vince ook met zijn vrienden aan het stappen is, hetgeen in zijn geval ook wel te verwachten was. We praten een paar minuten over koetjes en kalfjes, en dan laaf ik me aan haar klachten van de week, de meeste Vince-gerelateerd, gecombineerd met een paar smeuïge stewardessenverhalen. Mijn favoriete verhaal is er eentje over een gestoorde oude vrouw in de businessclass die niet één, niet twee, maar dríé keer Bloody Mary had gemorst over de passagier naast haar, en vervolgens razend werd toen Suzanne weigerde haar een vierde drankje in te schenken.

'Hoe razend?' vraag ik, altijd genietend van – en me verbazend over – de drama's in de lucht.

'Ze schold me uit voor trut. Het moet niet gekker worden, hè?'

Ik lach en vraag haar wat ze toen heeft gedaan, aangezien ik maar al te goed weet dat er sprake moet zijn geweest van een vorm van vergelding.

'Ik heb haar door een stel agenten laten opwachten en arresteren bij de gate wegens openbare dronkenschap.'

We barsten allebei in lachen uit.

'Ze had gelijk. Je bent inderdááad een trut,' zeg ik.

'Ik weet het,' zegt ze. 'Het is mijn roeping.'

We beginnen weer te lachen, en een fractie van een seconde later vraagt Suzanne op de man af of ik nog iets van Leo heb gehoord.

Ik overweeg of ik haar zal vertellen over onze vlucht, maar besluit dat het iets is wat ik voor altijd voor mezelf zal houden, heilig. In plaats daarvan zeg ik van niet en slaak ik een diepe zucht die uitnodigt tot doorvragen.

'O-o,' zegt ze. 'Wat is het probleem?'

Ik zoek een paar seconden naar woorden – en biecht dan op dat ik sinds mijn terugkomst uit L.A. nog steeds voortdurend aan Leo moet denken, en dat dit maar niet minder lijkt te worden. Dat het gevoel in mijn binnenste me op de een of andere manier doet denken aan 'die ene winter' – hetgeen de bedekte term is waarmee we vaak verwijzen naar mama's dood als we niet in de stemming zijn om echt diep in ons verdriet te duiken.

'Jemig, Ell,' zegt ze. 'Dus je vergelijkt het niet hebben van contact met Leo met mama's dood?'

Dit ontken ik haastig en met klem, en voeg er vervolgens aan toe: 'Misschien heb ik gewoon last van melancholie vanwege het naderende vertrek uit de stad... alle veranderingen.'

'Dus... wat? Je vergelijkt weggaan uit New York met de dood?'

'Nee. Dat nou ook weer niet,' zeg ik, me realiserend dat ik niet de moeite had moeten nemen om te proberen een dergelijk subtiel gevoel te verwoorden, zelfs niet tegen mijn zus.

Maar op de haar kenmerkende manier dringt Suzanne aan op meer tekst en uitleg. Ik denk even na en zeg dan tegen haar dat

het meer het gevoel is van een naderend einde, en dat ik me weliswaar zo goed mogelijk probeer voor te bereiden op de dingen
die komen gaan, maar dat ik in feite niet zo goed weet wat me
te wachten staat. 'En deze fase van wachten brengt ook angst
met zich mee,' zeg ik aarzelend. 'Net als toen met mama... We
wisten al wekenlang dat het einde nabij was. Haar dood was
allesbehalve een verrassing. En toch... voelde het wel als een verrassing, vond je niet?'

Suzanne fluistert van ja, en heel even weet ik dat we allebei
zwijgend terugdenken aan die dag dat de orthopedagoge van de
school in onze respectievelijke lokalen binnenkwam en vervolgens buiten bij de vlaggenmast met ons bleef wachten in de pap-
perig geworden sneeuw tot onze vader ons kwam ophalen en
ons meenam naar huis om haar nog een laatste keer te zien.

'En toen daarna,' zeg ik, mezelf bevelend om niet te gaan huilen of andere gedetailleerde beelden boven te halen van die afschuwelijke dag of de dagen die volgden, 'wilde ik alleen maar
wanhopig graag het schooljaar afmaken en snakte ik naar een
nieuwe routine... een andere omgeving waar ik niet voortdurend
aan mama herinnerd werd...'

'Ja,' zegt Suzanne. 'Dat vakantiekamp waar we naartoe zijn
geweest in de zomer hielp wel een beetje.'

'Precies,' zeg ik, bij mezelf denkend dat dat een deel van mijn
motivatie was om me te oriënteren op universiteiten aan de andere kant van het land, op plekken waar mama nooit was geweest en nooit over had gesproken, met mensen die niet wisten
dat ik geen moeder meer had. Ik schraap mijn keel en vervolg:
'Maar al wilde ik nog zo graag weg uit dat huis en weg van al
mama's spullen en papa's tranen – en zelfs weg van jóú, ik was
tegelijkertijd ook bang dat als ik eenmaal weg was, of een bladzijde van de kalender omsloeg, of iets ook maar een beetje anders deed dan we het met haar altijd deden, dat we haar dan des
te sneller kwijt zouden raken. Dat we haar, zeg maar... zouden
uitwissen.'

'Ik weet precies wat je bedoelt,' zegt Suzanne. 'Ik weet het precies... Maar... Ellie...'

'Wat?' vraag ik zacht, wetend dat ik waarschijnlijk een moeilijke vraag kan verwachten.

En jawel, Suzanne zegt: 'Waarom wíl je Leo dan niet uitwissen?' Ik denk heel lang na, en er valt een diepe stilte op de lijn. Maar al doe ik nog zo mijn best, ik kan geen enkel goed antwoord verzinnen – of eigenlijk kan ik helemaal geen antwoord verzinnen.

twintig

H et is de eerste zaterdag in juni, en onze laatste in New York. Vanochtend is er een drietal potige verhuizers uit Hoboken gearriveerd, en na negen uur verwoed inpakken is ons appartement helemaal leeg, op een paar koffers bij de voordeur na, een paar stukjes ducttape op het aanrechtblad in de keuken, en een stuk of honderd stofwolken die over de hardhouten vloeren tollen. Andy en ik zijn bezweet en uitgeput en staan, in wat ooit onze woonkamer was, te luisteren naar het zoemen van de airco, die overuren maakt in de hitte.

'Ik geloof dat het tijd is om te gaan,' zegt Andy, zijn stem galmend tegen de witte muren die we altijd nog in een interessantere kleur zouden schilderen. Hij veegt zijn wang af aan de mouw van zijn oude, groezelige T-shirt, één van de pak-'m-beet dertig stuks die hij heeft gebombardeerd tot 'verhuis- en schildershirts', ook al heb ik hem er plagend op gewezen dat zich onmogelijk ooit een situatie zal kunnen voordoen waarin hij een hele maand lang zal moeten verhuizen of schilderen.

'Ja. Laten we maar gaan,' zeg ik, en in gedachten ben ik al bezig met de volgende fase van onze reis – onze taxirit naar ons hotel waar we ons zullen douchen en omkleden voor ons afscheidsfeestje vanavond. Andy's twee beste vrienden uit zijn studententijd hebben het georganiseerd, hoewel er vrienden zullen komen uit alle segmenten van ons leven in New York. Zelfs Margot en Webb komen over om de feestelijkheden bij te wonen, enkel om de volgende ochtend samen met ons terug te vliegen naar Atlanta, waar ze ons officiële welkomstcomité zullen zijn. Ik sla mijn handen in elkaar en forceer een opgewekt: 'Vooruit met de geit.'

Andy zwijgt even en zegt dan: 'Moeten we niet eerst iets... ceremonieels doen, of zo?'

'Zoals?' vraag ik.

'Ik weet het niet... Een foto maken, misschien?'

Ik schud mijn hoofd en denk bij mezelf dat Andy inmiddels toch beter zou moeten weten; ik mag dan wel fotograaf zijn, ik ben niet iemand die graag dit soort symbolische momenten vereeuwigt. Een einde of een begin, zelfs feestdagen en speciale gelegenheden – het is allemaal niets voor mij. Ik leg veel liever de willekeurige dingen daar tussenin vast – een feit dat mijn vrienden en familie verwarrend lijken te vinden – en soms frustrerend.

'Nee joh,' zeg ik. Ik kijk naar buiten en volg met mijn blik de bewegingen van een duif op de stoep aan de overkant van de straat.

Na een hele tijd pakt Andy mijn hand en zegt: 'Hoe gaat-ie?'

'Prima,' zeg ik, hetgeen tot mijn opluchting de waarheid blijkt te zijn. 'Een heel klein beetje verdrietig.'

Hij knikt, alsof hij wil zeggen dat een afscheid bijna altijd een beetje verdrietig is, zelfs als er iets tegenover staat om je op te verheugen. Dan, zonder verdere ophef, draaien we ons om en lopen ons allereerste huis uit.

Een paar minuten later stopt onze taxi voor het Gramercy Park Hotel, en in een golf van berouw en paniek dringt het tot me door dat Andy en ik nu ineens, van het ene op het andere moment, bezoekers zijn geworden – toeristen – in een stad waar we ooit woonden.

Maar als we binnenkomen in de schitterende, eclectische lobby vol Marokkaanse tegels, handgeweven tapijten, kroon-luchters van Venetiaans glas, en ook talloze werken van Andy Warhol, Jean-Michel Basquiat en Keith Haring, sus ik mezelf met de gedachte dat het beslist ook voordelen heeft om de stad op deze manier te ervaren.

'Wauw,' zeg ik, de reusachtige, marmeren open haard bewonderend, en de lamp die ervoor staat en gemaakt is van de bek van een zaagvis. 'Dit is écht een hippe tent.'

Andy glimlacht en zeg. 'Jep. Hip en happening, net als mijn meisje.'

Ik glimlach terug terwijl we naar de receptie slenteren, waar we worden verwelkomd door een zwoele brunette met een zwaar, Oost-Europees accent. *Beata*, staat er op haar naamkaartje.

Andy begroet haar, en de welgemanierde, keurige jongen in hem voelt zich genoodzaakt om een verklaring te geven voor ons verfomfaaide uiterlijk, dus hij mompelt verontschuldigend: 'We zijn vandaag uit ons appartement verhuisd.'

Beata knikt begrijpend en informeert beleefd: 'Waar gaan jullie nu naartoe?'

Ik antwoord voor ons, zeg *Atlanta, Georgia* met zoveel mogelijk grandeur, en maak er zelfs een zwierig handgebaar bij alsof ik een goed bewaard, Noord-Amerikaans geheim onthul, een parel van een stad die ze absoluut een keer moet bezoeken als ze dat niet al heeft gedaan. Ik weet niet zo goed waarom ik de behoefte voel om Atlanta aan te prijzen bij iemand die een wildvreemde voor me is – is dat omdat ik mijn eigen enthousiasme probeer op te vijzelen, of is het om het defensieve gevoel tegen te gaan dat ik altijd krijg als ik aan iemand uit de stad vertel dat we gaan verhuizen en steevast meewarig word aangekeken of een ronduit kritisch: 'Waarom Atlanta?' voor mijn kiezen krijg?

Andy vat het iets persoonlijker op – zoals ik zelf altijd doe als ik iemand iets lelijks hoor zeggen over Pittsburgh – maar ik geloof werkelijk dat een dergelijke reactie niet zozeer een belediging is van de stad Atlanta, maar eerder een uiting van het collectieve meerderwaardigheidsgevoel van de New Yorkers, het zelfvoldane gevoel dat de rest van de wereld – of in ieder geval de rest van het land – steriel en homogeen is en op de een of andere manier in het niet valt bij New York. En hoewel ik nu een afkeer heb van deze instelling, is de onaangename waarheid dat ik het niet helemaal oneens ben met dit oordeel, en dat ik van mezelf weet dat ik er net zo over heb gedacht als er in het verleden vrienden uit de stad weg gingen – of dat nou was vanwege een baan of een relatie of om kinderen te krijgen in de voorsteden. *Jij liever dan ik,* dacht ik dan, ook al had ik misschien kort daarvoor nog bitter geklaagd over de stad. Uiteindelijk is het dat scherpe randje dat het meest verslavend is aan wonen in New York, en het is juist dat wat ik het meeste zal missen.

Hoe het ook zij, mijn assertieve, trotse toon lijkt te werken bij Beata, want ze glimlacht, knikt en zegt: 'O, prachtig,' alsof ik *Parijs, Frankrijk* heb gezegd. Vervolgens checkt ze ons in en vertelt ons het een en ander over het hotel, voordat ze Andy de sleutel van onze kamer geeft en ons een aangenaam verblijf wenst.

We bedanken haar en lopen zo onopvallend mogelijk terug door de lobby naar de aangrenzende Rose Bar, die net zo overdadig is ingericht als de lobby, compleet met rood-fluwelen pooltafel en alweer een imposante Warhol. Ik voel dat mijn gedachten beginnen af te dwalen naar Leo, en de laatste keer dat ik in zo'n trendy hotelbar was, maar ik duw deze gedachten weg als Andy met gespeelde formaliteit vraagt: 'Zullen we een aperitiefje gebruiken?'

Ik lees de cocktailkaart even vluchtig door en zeg tegen hem dat de ananas-en-kaneel mojito er interessant uitziet. Hij is het met me eens en bestelt er voor ons allebei een, om mee te nemen, en een paar minuten later zijn we met zijn tweetjes in onze luxe, in rijke, warme kleuren ingerichte kamer met uitzicht op Gramercy Park, een van mijn favoriete plekken in de stad, ook al ben ik er nog nooit binnen de gesloten poorten geweest – of misschien juist wel daarom.

'Schitterend,' zeg ik, nippend van mijn mojito en genietend van het uitzicht op het romantische, keurig onderhouden privépark.

'Ik wist dat je er altijd nog een keertje binnen had willen kijken,' zegt hij, en hij slaat zijn arm om me heen. 'Ik dacht dat het een leuke manier zou zijn om afscheid te nemen.'

'Je denkt ook altijd aan alles,' zeg ik, en ik word overspoeld door een golf van intense waardering voor mijn echtgenoot.

Andy schenkt me een quasi-bescheiden grijns en neemt een grote slok van zijn drankje, voordat hij zich tot op zijn boxershort uitkleedt en uit volle borst 'The devil went down to Georgia' begint te zingen.

Ik schud lachend mijn hoofd. 'Ga douchen,' zeg ik, me voornemend om er een leuke avond van te maken. Ook al ben ik uitgeput. Ook al vind ik het vreselijk om in het middelpunt van de belangstelling te staan. Ook al heb ik een hekel aan afscheid nemen. En ook al zal een zeker iemand uit Newton Avenue niet aanwezig zijn, en heeft deze persoon zelfs geen flauw idee dat ik wegga.

Een uur later is ons feestje bij Blind Tiger, een kleinschalige brouwerij in Bleecker, in volle gang. De verlichting is gedempt, de muziek precies hard genoeg, en ik ben al aan mijn vierde biertje van de avond bezig. Mijn huidige keuze, de Lagunitas Hairy Eyeball, is tot dusverre mijn favoriet, hoewel dat ook puur een bijwerking zou kunnen zijn van mijn snel groter wordende roes. Eén ding is zeker – ik heb al mijn zorgen overboord gegooid en vermaak me nog veel beter dan ik me had voorgenomen, grotendeels omdat iedereen het zo naar zijn zin lijkt te hebben, iets wat je nooit helemaal zeker weet als er zoveel verschillende kringetjes samenkomen op één feest. Mijn fotografen-vrienden hebben in feite weinig gemeen met Andy's juristenkliekje of met de fashionista's van de Upper East Side waar Margot en ik veel mee optrokken toen zij nog in de stad woonde. Margot heeft dan ook een belangrijk aandeel gehad in het bij elkaar brengen van al deze mensen en het tot één geheel smeden van deze avond – ze is absoluut de grootste aanwinst op ieder feest. Ze is spontaan, vriendelijk en doet haar best om iedereen, zelfs de meest verlegen genodigden die een beetje langs de zijlijn staan toe te kijken, bij het geheel te betrekken. Ik kijk naar haar terwijl ze met een alcoholvrije daiquiri in haar hand van de een naar de ander gaat. Ze ziet er oogverblindend uit in haar roze zonnejurk met empiretaille en haar zilveren, opengewerkte stiletto's. Ze is nu bijna zes maanden zwanger en heeft een klein, rond buikje, maar verder is ze nergens een grammetje aangekomen, en haar haar, nagels en huid zijn nog mooier dan anders. Ze zegt dat het komt door de speciale vitaminepreparaten die ze slikt, hoewel ik vermoed dat de overdosis dure kuuroordbehandelingen die ze ondergaat ook geen kwaad kan. Kort gezegd is ze de mooiste zwangere vrouw die ik ooit heb gezien, iets wat ik vanavond ook heb horen uitspreken door minstens vijf andere mensen, onder wie een vrouw van Andy's werk wier zwangerschap precies even ver gevorderd is als die van Margot, maar die eruitziet alsof ze overal helium in haar hebben gepompt – neus, enkels, zelfs oorlelletjes.

'Blijf uit mijn buurt,' zei de vrouw schertsend tegen Margot. 'Naast jou zie ik er vreselijk uit.'

'Naast haar ziet iedereen er vreselijk uit – zwanger of niet,' zei ik.

Margot wuifde onze opmerkingen weg met een bescheiden handgebaar en zei dat we niet zo idioot moesten doen, maar diep vanbinnen moet zij toch ook wel weten dat het waar is. Gelukkig is ze altijd al veruit de charmantste geweest, in ieder gezelschap, dus niemand rekent haar haar uiterlijk ooit echt aan – zelfs haar meest weerzinwekkende mede-zwangeren niet.

Nu maken we oogcontact terwijl ze bij mij, Julian en Julians vrouw Hillary aan de ruwhouten tafel komt zitten achterin de bar, precies op tijd om Hillary te horen dwepen dat ze zo'n bewondering heeft voor Andy's besluit dat hij genoeg heeft van de grote-advocatenkantoor-cultuur. Het is een veelgehoorde opmerking vanavond onder de veelal ontevreden juristen, en het maakt dat ik in ieder geval blij ben voor Andy dat we gaan verhuizen.

'Ik ben al zeven jaar van plan om mijn baan op te zeggen,' vertelt Hillary lachend terwijl ze aan haar lange, blonde paardenstaart trekt. 'Maar het komt er nooit echt van.'

Julian schudt zijn hoofd en zegt: 'Als ik een dollar zou krijgen voor elke keer dat ze zei dat ze dat ging doen, dan konden we nu allebei gaan rentenieren... Maar wat doet ze in plaats daarvan?'

'Wat?' vragen Margot en ik tegelijk.

Julian raakt de schouder van zijn vrouw even aan en zegt trots: 'Ze wordt gevraagd om partner te worden.'

'Dat meen je niet! Waarom heb je me dat niet verteld?' vraag ik aan Julian, hem een tikje tegen zijn arm gevend.

'Ze heeft het gisteren pas te horen gekregen,' zegt hij, terwijl ik denk aan alle kleine en grote nieuwtjes in zijn leven die ik zal moeten missen nu we niet langer een werkruimte delen. We hebben plechtig beloofd contact te zullen houden – en ik denk dat we elkaar ook best af en toe zullen bellen of mailen – maar dat zal toch niet hetzelfde zijn, en ik vrees dat hij, Sabina en Oscar uiteindelijk allemaal gereduceerd zullen worden tot kerstkaartvrienden. In gedachten zet ik dat echter op de lijst van dingen waar ik me vanavond niet druk over wil maken, en wend me in plaats daarvan tot Hillary om haar te feliciteren. 'Andy zegt dat het praktisch onmogelijk is om partner te kunnen worden bij een groot kantoor.'

'Vooral voor een vrouw,' zegt Margot, knikkend.

Hillary lacht en zegt: 'Nou ja. Het zal vast en zeker van korte duur zijn. Dat hoop ik, althans... Ik zal mijn mannetje staan totdat hij me zwanger maakt... En dan ga ik met zwangerschapsverlof en neem ik de benen.'

Ik lach en zeg: 'Klinkt als een goed plan.'

'Denk je dat jullie nu snel aan kinderen gaan beginnen?' vraagt Julian aan mij.

Het is een vraag die Andy en ik heel veel te horen hebben gekregen sinds we ons vertrek uit de stad hebben aangekondigd, dus ik heb mijn antwoord al klaar. 'Niet meteen,' zeg ik, vaag glimlachend. 'Maar wel over niet al te lange tijd...'

Hillary en Julian kijken me grijnzend aan – het 'over niet al te lange tijd'-gedeelte van mijn antwoord schijnt iedereen wel te bevallen, en niet in de laatste plaats Margot, die zich nu dichter tegen me aan nestelt en haar arm door de mijne steekt. Ik inhaleer haar parfum terwijl ze uitlegt dat we graag willen dat onze kinderen niet zoveel schelen in leeftijd. Hillary zegt: 'Natuurlijk. Wat zal het enig zijn voor jullie... Ik wou dat ik iemand had waarmee ik die hele babyfase kon delen, maar al mijn vriendinnen zijn al veel verder dan ik. Zij zijn al bezig met inschrijven bij peuterspeelzalen, dat is alweer een fase verder... Jullie boffen maar dat jullie elkaar hebben en zo dicht bij elkaar wonen.'

Margot en ik mompelen dat we allebei beseffen dat we inderdaad bofkonten zijn, en gedurende één bevredigende seconde voel ik het volle gewicht en de waarheid hiervan. Oké, de timing is misschien niet ideaal. Ik ben er misschien nog niet helemaal aan toe om weg te gaan uit de stad, en mijn kinderen zullen straks misschien een paar jaar jonger zijn dan die van Margot, maar dat zijn onbelangrijke details. De grote lijnen zijn verdorie bijna te mooi om waar te zijn. Mijn band met Margot, mijn huwelijk met Andy, ons huis in Atlanta – het is werkelijk allemaal bijna te mooi om waar te zijn.

En dat is mijn laatste gedachte voordat mijn agente, Cynthia, de bar binnen komt stormen, zoekend om zich heen kijkt en vervolgens hijgend en wel regelrecht op me af stevent. Als voormalig maatje-meer-model en toneelactrice, heeft Cynthia een kleurrijke, uitbundige uitstraling en een ietwat buitenissig gevoel voor stijl waardoor mensen haar vaak aangapen en zich afvragen of ze beroemd is. Ze heeft me ooit verteld dat ze regelmatig wordt aangezien voor Geena Davis en zelfs af en toe een nep-handtekening uitdeelt of vragen beantwoordt over de opnamen van *Thelma and Louise* of *Beetlejuice*. Ik zie hoe ze blijft staan om Andy ruw een kus op iedere wang te geven en haar hand even door zijn haar te halen, voordat ze haar doelbewuste mars in mijn richting vervolgt, met mijn echtgenoot in haar kielzog.

'Wacht maar! Wacht maar tot je ziet wat ik bij me heb,' hoor ik haar tegen hem zeggen. Een fractie van een seconde later staan ze allebei naast me, en terwijl ik haar bedank voor haar komst, realiseer ik me in een vertwijfelde paniek die zich tergend langzaam van me meester maakt, wat ze zometeen gaat onthullen op ons afscheidsfeestje.

En jawel, ze tuit theatraal haar volle, fuchsiaroze lippen terwijl ze het tijdschrift uit haar witte Balenciaga-tas tevoorschijn haalt en vervolgens triomfantelijk jubelt tegen haar nog steeds groter wordend publiek: 'Platform Magazine! Heet van de naald!'

'Ik dacht dat het pas later deze maand zou verschijnen,' zeg ik, en ik voel me verlamd en kwetsbaar terwijl ik in gedachten niet de foto's van Drake waar ik talloze uren op heb gezwoegd voor me zie, maar de naamregel bij het artikel.

'Ja, dat klopt, het ligt pas over een paar weken in de winkel,' zegt Cynthia. 'Maar ik heb mijn invloed gebruikt en alvast een exemplaar voor je losgepeuterd... Het leek me het perfecte afscheidscadeautje voor je, poekie.' Ze buigt zich over me heen en tikt twee keer tegen mijn neus met haar wijsvinger.

'O, wauw. Te gek,' zegt Andy. Hij wrijft in zijn handen en roept er nog een paar van zijn vrienden bij, waaronder Webb.

'Je hebt de foto's al gezien,' zeg ik met een klein, bezorgd stemmetje tegen Andy, alsof er iets is wat ik kan doen om Cynthia's aandachttrekkende tij te keren.

'Ja, maar niet op de grote, glanzende voorkant van een tijdschrift,' zegt hij, en hij gaat achter me staan en begint mijn schouders te masseren.

Er verstrijkt een volle, kwellende minuut terwijl Cynthia haar missie van de spanning opbouwen nog een beetje langer rekt door de voorkant van het tijdschrift tegen haar substantiële decolleté aan te drukken en een Shakespeariaanse monoloog af te steken over hoe getalenteerd ik ben, en hoe trots ze is dat ze mij mag vertegenwoordigen, en dat ik op weg ben om een heel grote te worden, ongeacht waar ik woon.

Ondertussen vestig ik mijn blik op de achterkant van het tijdschrift, een zwart-witfoto van Kate Moss, verreweg mijn favoriete model en iemand die ik graag een keer zou willen fotograferen. Op deze foto staat haar mond een klein beetje open, haar rechteroog deels bedekt door haar verwaaide haar, en is haar ge-

218

zichtsuitdrukking sereen maar suggestief. Terwijl ik in haar dik aangezette ogen staar, krijg ik ineens het belachelijke, narcistische gevoel dat ze niet daar op die achterpagina staat om reclame te maken voor David Yurman horloges, maar specifiek om mij te kwellen. *Je had het ze al veel eerder moeten vertellen*, hoor ik haar zeggen met haar Engelse accent. *Je hebt weken en weken de tijd gehad om het ze te vertellen, maar in plaats daarvan heb je gewacht op een volgepakte zaal op je laatste avond in New York. Goed gedaan.*

'Kom op, Cynthia!' roept Andy, mijn paranoïde gedachten onderbrekend. 'Laat ons dat verrekte tijdschrift zien!'

Cynthia lacht en zegt: 'Oké! Oké!' Vervolgens draait ze Kate om, houdt het tijdschrift hoog boven haar hoofd in de lucht, en draait het langzaam rond om Drake te onthullen in al zijn glorie. Gedurende een paar seconden, terwijl haar kleine maar gefascineerde publiek klapt en fluit en joelt, heb ik het surrealistische gevoel van voldoening dat dat in wezen míjn voorpagina is. Mijn foto van Drake Watters.

Maar mijn angst keert in alle hevigheid terug wanneer Cynthia het tijdschrift aan Andy geeft met de woorden: 'Pagina achtenzeventig, snoes.'

Ik houd mijn adem in en voel dat al mijn spieren zich spannen terwijl Andy naast Julian gaat zitten en gretig naar het artikel over Drake bladert. Ondertussen, terwijl iedereen om hem heen gaat staan, 'o' en 'ah' roepend bij het zien van de foto's waar ik zo op heb gezwoegd en die praktisch op mijn netvlies gebrand staan, kan ik mezelf er niet toe zetten om te gaan kijken. In plaats daarvan concentreer ik me op Andy's gezicht en constateer met een intens gevoel van opluchting dat hij net iets meer aangeschoten is dan ik, en niet in staat om het artikel te lezen, laat staan om zich te concentreren op een willekeurig woord op een pagina. In plaats daarvan zit hij breed glimlachend te genieten van al het positieve commentaar dat mijn fotografen-vrienden geven op de artistieke aspecten van mijn foto's terwijl de rest van het gezelschap gretig vragen stelt over hoe Drake in het echt was, en Margot, zorgzaam als altijd, iedereen opdraagt om het blad niet te kreuken en op te passen dat er niets overheen geknoeid wordt. Dit gaat een tijdje zo door terwijl het tijdschrift de tafel rond gaat en uiteindelijk voor Margot en mij belandt, opengeslagen op de laatste pagina van het artikel.

'Dit is fantastisch,' fluistert ze. 'Ik ben zó trots op je.'

'Dank je,' zeg ik, toekijkend terwijl ze langzaam achteruit door het vijf pagina's tellende artikel bladert totdat ze bij het begin is.

'Ik geloof dat dit mijn favoriet is,' zegt Margot, wijzend naar de allereerste foto van Drake, omlijst door Leo's tekst, zijn naam zwevend erboven, midden op de pagina. Hoewel mijn blik er als een magneet door getrokken wordt, is het lettertje niet zo groot als ik gevreesd had, en is het evenmin heel donker of vetgedrukt. Dus terwijl Margot verder keuvelt over Drake, en dat hij zo ontzettend sexy is, en dat ik zijn essentie zo perfect heb weten te vangen, concludeer ik dat ik er vanavond misschien toch nog zonder kleerscheuren vanaf kom. Sterker nog, misschien blijft het wel voor altijd onopgemerkt. Ik voel een adrenalinestoot door mijn lichaam trekken – mijn gevoel van opluchting en triomf wegen zwaarder dan ieder gevoel van schuld dat ik zou moeten hebben. Het is zoals ik me voorstel dat een winkeldief zich moet voelen als ze een kalme groet knikt bij het passeren van een winkelbeveiliger terwijl ze de gestolen waar tegen de voering van haar zakken voelt drukken.

Maar een fractie van een seconde later keert het tij en voel ik Margot naast me verstarren en vervolgens terugdeinzen. Ik kijk naar haar, en zij kijkt naar mij, en ik weet meteen dat ze Leo's naam heeft gezien en dat ze het weet. Uiteraard kan ze onmogelijk preciés weten wat ik wel of niet heb gedaan, maar ze weet wel zeker dat ik dingen heb verzwegen voor haar, en belangrijker nog, voor haar broer. Als het iemand anders was geweest, zou ik me schrap zetten voor een woede-uitbarsting, of op zijn minst een stortvloed van vragen of beschuldigingen. Maar ik ken Margot wel beter dan dat. Ik weet hoe beheerst ze is, hoe zorgvuldig ze haar woorden kiest, dat ze confrontaties het liefst uit de weg gaat. Bovendien weet ik dat ze nooit, in geen honderd jaar, iets zou zeggen wat dit feestje, ieder willekeurig feestje, zou kunnen verpesten. In plaats daarvan deelt ze een veel ergere straf uit. Ze valt stil, haar gezicht als versteend en stoïcijns, terwijl ze het tijdschrift dichtslaat en me voor de rest van de avond de rug toekeert.

eenentwintig

'**D**enk je wérkelijk dat ze kwaad op je is vanwege een klus die je hebt aangenomen?' vraagt Suzanne de volgende ochtend als ik haar bel vanuit een cadeauwinkeltje op vliegveld LaGuardia, haar een samenvatting geef van de gebeurtenissen van de avond daarvoor, en haar om advies vraag over hoe ik Margot moet benaderen wanneer we elkaar over een paar minuten bij onze gate zullen treffen. 'Misschien heb je gewoon last van paranoia?'

Nerveus hou ik Andy's voortgang in de gaten in de rij bij de naastgelegen Starbucks en zeg: 'Ja. Ik weet het heel zeker. Afgezien van een vluchtige groet aan het einde van de avond, heeft ze geen woord meer met me gewisseld. De hele avond niet meer.'

Suzanne schraapt haar keel en zegt: 'Is dat dan echt zo ongewoon op een groot feest? Waren er niet een heleboel mensen aanwezig? Zouden Margot en jij normaal gesproken de hele avond als een soort Siamese tweeling aan elkaar vastzitten?'

Ik aarzel, wetend dat deze vragen allemaal ietwat venijnig zijn – Suzannes niet al te subtiele manier om kritiek te leveren op wat zij ooit heeft omschreven als mijn afhankelijkheidsrelatie met Margot. En hoewel ik normaal gesproken tactvol op dergelijke vragen zou reageren en de vriendschap zou verdedigen, heb ik nu geen tijd om die omweg te nemen. In plaats daarvan herhaal ik enkel: 'Luister, Suzanne. Ze is beslist niet blij met de hele kwestie... En als ik heel eerlijk ben – kan ik haar dat niet echt kwalijk nemen. Ik ben getrouwd met haar broer, weet je nog?... Dus heb je enig idee hoe ik hiermee om moet gaan?'

Ik hoor het geluid van stromend water en het gekletter van de ontbijtafwas – of in Suzannes geval zal het waarschijnlijk de afwas van gisteravond zijn. 'Wat jíj moet doen of wat ík zou doen als ik in jouw schoenen stond?' vraagt ze.

'Ik weet het niet. Maakt niet uit,' zeg ik ongeduldig. 'En je moet snel praten... Andy kan elk moment terug zijn.'

'Oké,' zegt Suzanne, en ze zet haar kraan uit. 'Nou, ík zou in de verdediging gaan en tegen haar zeggen dat ze zich niet zo aan moet stellen. Dat ze niet zo hoog van de toren moet blazen.'

Ik glimlach en denk bij mezelf, *Ja, natuurlijk zou jij dat doen,* terwijl ze haar tirade vervolgt. 'Ik bedoel, wat is in godsnaam het probleem? Je ex-vriendje heeft je de klus van je leven bezorgd – de kans om een internationale beroemdheid te fotograferen – en jij hebt die kans, wijselijk en begrijpelijk, gegrepen... vanwege je carrière, niet om een romance nieuw leven in te blazen.'

Als ik geen antwoord geef, dringt Suzanne aan: 'Toch?'

'Ja, precies,' zeg ik. 'Natuurlijk.'

'Oké. Dus je vliegt naar L.A., en zonder dat jij dat wist, blijkt Leo daar ook te zijn. Niet iets wat je van tevoren zo had gepland, correct?'

'Dat is inderdaad correct,' zeg ik, en ik voel me al een stuk vrolijker bij deze gunstige, maar tot dusverre volledig waarheidsgetrouwe versie van de gebeurtenissen.

'Vervolgens sla je Leo's uitnodiging om een hapje met hem te gaan eten af – je laat hem echt volkomen links liggen – en brengt de hele avond met mij door.'

Ik knik gretig en denk bij mezelf dat ik Suzanne gisteravond meteen had moeten bellen vanuit de bar; ik had een hoop innerlijke conflicten kunnen voorkomen met deze pseudo-peptalk.

Ze vervolgt: 'En bij de shoot zelf, de volgende dag, breng je in totaal tien minuten met hem door, en gedraag je je de hele tijd op een volkomen professionele manier. Toch?'

223

Technisch gezien is dit ook allemaal waar, maar ik aarzel en denk terug aan mijn wellustige gedachten in de nacht voor de shoot, Leo's intense blik in het eetcafé en natuurlijk die lange, intieme uren in het vliegtuig waarin we met bonkend hart elkaars hand hebben vastgehouden. Dan schraap ik mijn keel en zeg met iets minder overtuiging: 'Precies.'

'En je hebt hem niet meer gesproken sinds de dag dat je bent teruggekomen in de stad?'

'Nee,' zeg ik, en ik denk bij mezelf dat ik dat in ieder geval kan zeggen – en dat is een hele prestatie als je bedenkt hoe vaak ik hem heb wíllen bellen. 'Ik heb hem niet meer gesproken.'

'Nou, vertel?' zegt Suzanne. 'Waar zit 'm dan precies die enorme belediging in aan het adres van de familie Graham?'

Ik pak een 'I love New York'-sneeuwbol van een plank die propvol staat met plastic snuisterijen en schud hem zachtjes heen en weer. Terwijl ik kijk hoe de sneeuwvlokken op het Empire State Building vallen, zeg ik: 'Die is er niet, geloof ik.'

'Trouwens,' zegt Suzanne, die met de seconde meer opgefokt raakt, 'weet Margot eigenlijk wel dat je Leo überhaupt gezien hebt?'

'Nou... nee,' zeg ik. 'Waarschijnlijk vermoedt ze gewoon dat er contact moet zijn geweest... hetgeen uiteraard ook het geval was.'

'Zákelijk contact,' zegt ze.

'Oké. Ik begrijp wat je bedoelt,' zeg ik. 'Dus... vind je dat ik het misverstand uit de weg moet ruimen en haar dat allemaal moet vertellen?'

'Eigenlijk niet. Nee,' zegt Suzanne. 'Wat zij kan, kun jij ook, met haar passief-agressieve spelletjes. Ik vind dat je gewoon rustig moet afwachten tot ze er zelf over begint.'

'En als ze dat nou niet doet?' vraag ik, denkend aan Courtney Finnamore, een van Margots beste vriendinnen uit haar studententijd, die ze in de ban heeft gedaan toen Courtney dronken werd tijdens een feestje van de studentenvereniging en Margots gloednieuwe Saab helemaal onderkotste. Alhoewel Courtney op gepaste wijze berouw leek te tonen, bood ze niet aan om de auto schoon te maken of de schade te vergoeden. Het ging niet om het geld, hield Margot vol, en dat geloofde ik ook wel; het was de ongelofelijke onzorgvuldigheid en de lompheid ervan, plus de veronderstelling dat Margot geld genoeg had en het daarom geen probleem zou vinden om voor de kosten van het schoonmaken op te draaien. Margot kon het incident maar niet van zich af zetten, en het viel haar steeds vaker op hoe goedkoop en egoïstisch Courtney was. Toch heeft ze Courtney er nooit op aangesproken. In plaats daarvan distantieerde ze zich gewoon stilzwijgend van de hele vriendschap – zo stilzwijgend zelfs dat Courtney er volgens mij nooit iets van heeft gemerkt, totdat ze zich verloofde en aan Margot vroeg of ze bruidsmeisje wilde zijn. Na het heel even in overweging te hebben genomen, besloot Margot dat ze werkelijk niet zo hypocriet kon zijn, dus bedankte ze beleefd voor de 'eer', zonder een verklaring, een smoes of excuses aan te voeren. Margot ging nog wel naar de bruiloft, maar het moge duidelijk zijn dat hun vriendschap vanaf dat moment hard achteruit holde, en tegenwoordig praten ze helemaal niet meer met elkaar – zelfs niet toen ze elkaar afgelopen herfst tijdens een reünie van de studentenvereniging tegen het lijf liepen.

Hoewel ik me niet kan voorstellen dat er ooit sprake zou kunnen zijn van een dergelijke vervreemding tussen Margot en mij, word ik desalniettemin overmand door angst wanneer ik tegen Suzanne zeg: 'Het is niks voor Margot om de confrontatie met iemand aan te gaan.'

'Jij bent niet zómaar iemand. Jij bent zogenaamd haar beste vriendin. Dus je wilt zeggen dat ze zoiets niet met je uitpraat?' Suzanne fluit om haar woorden een dramatisch effect te geven.

'Ik weet het niet. Misschien wel,' zeg ik, verontwaardigd over haar gebruik van het woord 'zogenaamd' terwijl ik probeer terug te krabbelen door een voorbeeld aan te dragen van een situatie waarin Margot wel open en eerlijk tegen me is geweest. Ironisch genoeg heeft het enige voorbeeld dat ik kan bedenken met Leo te maken. 'Ze heeft me destijds flink de waarheid gezegd toen Leo en ik uit elkaar gingen en ik veranderde in een sentimentele slappeling –'

Suzanne valt me fel in de rede. 'Je was geen sentimentele slappeling. Je hart was gebroken. Dat is iets heel anders.'

Deze opmerking werkt uiteraard ontwapenend, aangezien niemand graag wil geloven dat ze ooit sentimenteel – of een slappeling – is geweest, en zeker geen sentimentele slappeling, maar nu begint de tijd écht te dringen, want Andy komt al mijn kant uit met onze koffie. 'Hij komt eraan,' zeg ik. 'Vertel nog even wat de kern van het verhaal is.'

'De kern van het verhaal is dat dit iets is tussen jou en Andy... niet tussen jou en je schoonzusje, of ze nou je beste vriendin is of niet,' zegt ze, de woorden 'beste vriendin' een sarcastische klank mee gevend. 'Maar als jij het gevoel hebt dat je het misverstand uit de weg wilt ruimen, dan moet je dat doen...'

'Oké,' zeg ik.

'Maar wat je ook doet, gedraag je niet als een bang konijntje. En niet onderdanig doen of achteruitdeinzen... Begrepen?'

'Begrepen,' zeg ik terwijl ik mijn koffie van Andy aanpak en hem een dankbare glimlach schenk. Ik kan me niet herinneren dat ik ooit eerder zo dringend cafeïne nodig heb gehad.

'Want Ellie?' zegt Suzanne vurig.

'Ja?'

'Als je onderdanig doet en achteruitdeinst... schep je een behoorlijk beroerd precedent voor jezelf daar in Dixie.'

Suzannes advies galmt nog na in mijn oren als Andy en ik de sneeuwbol afrekenen in een laatste, sentimentele opwelling, en de hoek om lopen naar de gate.

Niet onderdanig doen of achteruitdeinzen, denk ik bij mezelf, me afvragend of dat het soort gedrag is dat ik gisteravond heb laten zien. Ik weet dat ik niet onderdanig heb gedaan, want er is geen woord gewisseld, maar ben ik achteruitgedeinsd? Heb ik Margot evenzeer gemeden als zij mij, of misschien nog wel meer? Zo ja, dan heb ik de zaak misschien alleen nog maar erger gemaakt en haar beginnende onrust aangewakkerd tot hevige achterdocht. En hoewel ik zeker weet dat ze Leo's naam heeft gezien, heb ik haar reactie in mijn gedachten misschien ook een stuk groter gemaakt; heb ik misschien een vertekend beeld gekregen van de realiteit, door mijn gekwelde geweten, de intense emoties rondom onze verhuizing en minimaal één biertje te veel. Vanochtend zal alles misschien anders lijken, anders voelen. Dat zei mijn moeder vroeger altijd, en als we naar Margot en Webb toe lopen, die al zitten te wachten bij de gate, duim ik dat vandaag geen uitzondering is op haar regel.

Ik haal diep adem en bulder een preventieve, enthousiaste groet, hopend dat ik niet zo gekunsteld klink als ik me voel.

Zoals altijd gaat Webb staan en kust me op mijn wang. 'Goeiemorgen, lieverd!'

Margot, die onberispelijk gekleed is in een marineblauwe twinset, een hagelwitte broek en knalrode flatjes in dezelfde kleur als haar lippenstift, kijkt op uit een roman van Nicholas Sparks en glimlacht. 'Hé! Goedemorgen! Hoe is de rest van jullie avond geweest?'

Haar blauwe ogen schieten van mij naar Andy, en dan weer terug naar mij. Ik bespeur niets op haar gezicht of in haar stem of in haar houding wat erop wijst dat ze boos of van streek is. Integendeel, ze lijkt helemaal zichzelf, warm en gezellig als altijd.

Ik voel dat ik een klein beetje ontspan terwijl ik op de stoel naast de hare ga zitten en haar een veilig antwoord geef. 'Het was leuk,' zeg ik opgewekt.

'Een beetje ál te leuk,' zegt Andy, die aan de andere kant van mij gaat zitten en onze handbagage bij zijn voeten neergooit. 'Waarschijnlijk had ik die laatste borrel om twee uur 's morgens niet moeten nemen.'

Margot vouwt een klein hoekje om van een bladzijde in haar boek, doet het dicht en stopt het in haar grote, zwarte tas. 'Hoe laat waren jullie terug in het hotel?' vraagt ze.

Andy en ik kijken elkaar aan en halen onze schouders op.

'Een uur of drie, of zo?' zeg ik, bijna volkomen op mijn gemak nu.

'Zoiets, ja,' zegt Andy, over zijn slapen wrijvend.

Margot trekt een meelevend gezicht. 'Ik moet zeggen... dat is een van de fijnste dingen aan zwanger zijn. Negen maanden lang kater-vrij.'

'Schatje, jij bent al negen jáár kater-vrij,' zegt Webb.

Ik lach en denk bij mezelf dat hij daar waarschijnlijk wel gelijk in heeft. Sterker nog, de keren dat Margot de controle over zichzelf is kwijtgeraakt, zijn op één hand te tellen. En met 'de controle over zichzelf is kwijtgeraakt' bedoel ik niet topless dansen op een feestje – daarmee bedoel ik onderweg naar huis een paar goede contactlenzen waar niks aan mankeert in de bosjes smijten na een feestje, of een hele zak paprikachips achter elkaar naar binnen werken.

Nadat we een poosje over ditjes en datjes hebben zitten kletsen, zegt Webb dat hij nog even een krant gaat kopen voordat we gaan boarden. Andy biedt aan om met hem mee te lopen, en ineens zijn Margot en ik alleen. Het voelt als een soort moment van de waarheid.

En dat is het ook inderdaad.

'Oké, Ellie,' zegt ze dringend. 'Ik wil dolgraag even met je praten.'

Ik kijk haar even zijdelings aan en besluit dat haar gezichtsuitdrukking eerder nieuwsgierig is dan beschuldigend.

'Dat weet ik,' zeg ik aarzelend.

'Leo?' zegt ze, haar ogen wijd opengesperd, zonder te knipperen.

Mijn hart maakt een sprongetje bij het horen van zijn naam, en ineens wou ik dat hij een doodgewone naam had, zoals Scott of Mark. Een naam die aan kracht had ingeboet doordat ik andere vage kennissen en bekenden had die ook zo heten. Maar in mijn leven is er maar één Leo.

'Ik weet het,' zeg ik nogmaals, tijd rekkend door een grote slok koffie te nemen. 'Ik had het eerder moeten vertellen... dat was ik ook van plan... maar de verhuizing... jullie baby... Er kwam steeds iets tussen...'

Ik realiseer me dat ik zit te stamelen, en dat Suzanne mijn aandeel in het gesprek waarschijnlijk zou bestempelen als iets wat doet denken aan onderdanigheid en bange konijntjes, dus ik verman me en probeer het over een andere boeg te gooien. 'Maar het is werkelijk niet wat het lijkt... Ik... ik ben hem gewoon een keer op straat tegengekomen, en toen hebben we even heel snel bijgepraat... Kort na die ontmoeting heeft hij vervolgens mijn agente gebeld en me die Drake-klus bezorgd. En dat is alles, in feite...'

Margot kijkt zichtbaar opgelucht. 'Ik wíst wel dat het zoiets moest zijn,' zegt ze. 'Ik dacht alleen... ik had alleen gedacht dat je me zoiets wel meteen zou vertellen,' voegt ze er behoedzaam aan toe, eerder teleurgesteld dan afkeurend.

'Ik was het echt van plan... en ik had het zeker willen vertellen voordat het tijdschrift uitkwam,' zeg ik, niet goed wetend of dit de waarheid is, maar mezelf ruimhartig het voordeel van de twijfel gevend. 'Het spijt me.'

Ik denk weer aan Suzanne, maar zeg tegen mezelf dat een simpel *Het spijt me* iets heel anders is dan onderdanig doen.

'Dat is nergens voor nodig,' zegt Margot haastig. 'Het geeft niet.'

Er verstrijken een paar seconden in ontspannen stilzwijgen, en net als ik denk dat het hier misschien wel bij zal blijven, draait ze haar diamanten oorknopje één keer volledig rond in haar oor en vraagt op de man af: 'Weet Andy het?'

Om de een of andere reden is het een vraag die ik niet had verwacht, en eentje die mijn resterende schuldgevoel en mijn kater in één klap een stuk groter maakt. Ik schud mijn hoofd, er vrijwel zeker van dat dit niet het antwoord is waar ze op had gehoopt.

En jawel, ze kijkt me meelevend aan en zegt: 'Ga je het hem nog wel vertellen?'

'Ik... ik denk het wel?' zeg ik, en mijn stem gaat vragend omhoog.

Margot strijkt met haar hand over haar buik. 'Ik weet het niet,' zegt ze peinzend. 'Misschien is het beter van niet.'

'Denk je niet dat hij... de naamregel zal zien?' vraag ik, en ik realiseer me ineens dat we al in geen jaren meer op deze manier met elkaar hebben gesproken over strategieën in onze relatie. Aan de andere kant is dit ook niet nodig geweest. Afgezien van een paar onnozele meningsverschillen die ontstonden in de aanloop naar onze bruiloft (waarbij Margot steeds partij koos voor mij) hebben Andy en ik nooit ruzie – althans, niet zodanig dat er interventie van een vriendin aan te pas moet komen.

'Waarschijnlijk niet,' zegt Margot. 'Hij is een man... En weet hij eigenlijk wel wat Leo's achternaam is?'

Ik zeg tegen haar dat ik dat niet zeker weet. Hij heeft het ooit wel geweten, denk ik, maar misschien is hij het alweer vergeten.

'En wat maakt het ook eigenlijk uit?' zegt ze, haar benen ter hoogte van haar enkels over elkaar slaand.

Ik kijk naar haar, negentig procent dolblij met de wending die dit gesprek neemt, en tien procent bang dat het misschien een soort val is waar ze me in wil lokken, loyaal als ze is aan haar broer.

Het hemd is nader dan de rok – ik hoor het Suzanne gewoon zeggen terwijl ik zo neutraal mogelijk knik en wacht tot Margot haar zin afmaakt.

'Het is immers niet zo dat Leo de liefde van je leven was, of zo,' zegt ze uiteindelijk.

Als ik niet meteen antwoord geef, trekt ze haar sierlijk gebogen wenkbrauwen nog hoger op, duidelijk wachtend op bevestiging en geruststelling.

Dus ik zeg zo stellig mogelijk: 'Nee, zeker niet.'

Dit keer weet ik zéker dat ik lieg, maar ik heb toch geen andere keus?

'Hij was gewoon... iemand uit een grijs verleden,' zegt Margot, en haar stem sterft weg.

'Precies,' zeg ik, ineenkrimpend bij de gedachte aan de uren met Leo in het vliegtuig naar huis.

Margot glimlacht.

Ik dwing mezelf om haar glimlach te beantwoorden.

Dan, op het moment dat er wordt omgeroepen dat we mogen gaan boarden, en onze echtgenoten zich bij ons voegen met een stapel kranten, buigt ze zich naar me toe en fluistert: 'Wat vind jij – zullen we dit geheimpje maar voor onszelf houden?'

Ik knik en zie ons in gedachten letterlijk een hoopje vuil onder een gigantisch Perzisch tapijt vegen terwijl we mee neuriën met de herkenningsmelodie van de *Golden Girls*, een van onze favoriete tv-programma's uit onze studententijd.

'Eind goed, al goed,' zegt Margot – woorden die gek genoeg aan de ene kant een kalmerend effect op me hebben, en me aan de andere kant vervullen met bange voorgevoelens. Woorden die nagalmen in mijn hoofd terwijl we onze spullen bij elkaar rapen en met zijn vieren door de vliegtuigslurf slenteren, op weg naar mijn nieuwe leven, een nieuw begin, en iets wat voelt als verlossing.

tweeëntwintig

In de weken die daarop volgen, waarin Andy en ik onze intrek nemen in ons nieuwe huis, doe ik mijn best om op de weg naar verlossing te blijven. Ik word elke ochtend wakker en geef mezelf enthousiaste peptalks, herhaal opgewekte clichés hardop onder de douche – dingen als *Zoals het klokje thuis tikt, tikt het nergens,* en *Geluk is een keuze.* Ik zeg tegen Andy en Margot en Stella, en zelfs tegen wildvreemden, zoals de kassière bij Whole Foods en een vrouw achter me in de rij bij het gemeentehuis, dat ik gelukkig ben hier, dat ik New York niet mis. Ik zeg tegen mezelf dat als ik er maar gewoon, met behulp van pure wilskracht, voor zorg dat deze dingen waar zijn, mijn verleden uitgewist zal worden, ik weer met een schone lei zal kunnen beginnen, en Leo definitief naar de achtergrond zal verdwijnen.

Maar ondanks mijn beste bedoelingen en mijn meest zuivere inspanningen, werkt het toch niet helemaal zo. In plaats daarvan worstel ik me kregelig door alle verhuisperikelen heen – of dat nou het neerzetten van onze ingelijste foto's is op de ingebouwde boekenplanken aan weerskanten van onze stenen open haard, of bij Target de gangen afstropen op zoek naar Rubbermaid opbergboxen, of me samen met Margots woonstylist verdiepen in staaltjes voor gordijnen, of witte caladiums planten in grote, bronskleurige potten op onze veranda – en zit ik helemaal niet lekker in mijn vel.

Erger nog, ik heb het knagende, onaangename gevoel dat ik tijdens die nachtelijke vlucht van L.A. naar New York meer mezelf was dan ik in lange tijd ben geweest – en dat het een vergissing is geweest om uit New York weg te gaan. Een grote vergissing. Het soort vergissing waardoor wrevel en gevaarlijke scheurtjes ontstaan. Het soort vergissing waar je hart pijn van doet. Het soort vergissing dat je doet verlangen naar een andere keuze, het verleden, iemand anders.

Tegelijkertijd maakt Andy's tevredenheid, die grenst aan uitbundige blijdschap, de kloof tussen ons nog veel groter. Niet zozeer omdat gedeelde smart halve smart is – hoewel het daar ook wel iets mee te maken heeft – maar omdat het feit dat hij hier gelukkig is, betekent dat onze verhuizing definitief is, en ik voorgoed opgesloten zal zitten in deze wereld. Zíjn wereld. Veroordeeld tot levenslang in de file staan en overal de auto voor moeten nemen, zelfs voor een snelle kop koffie of een bezoekje aan de manicure. Een leven lang ongezellige winkelcentra en geen enkele mogelijkheid om 's avonds laat nog een maaltijd te laten bezorgen. Een leven lang fonkelnieuwe, overbodige bezittingen vergaren om de lege plekken op te vullen in onze kast van een huis. Een leven lang in slaap vallen in volmaakte, verontrustende stilte in plaats van met het aangename, gonzende geluid van een bruisende stad op de achtergrond. Een leven lang verstikkend hete zomers, en Andy die ieder weekend gaat golfen en tennissen, en geen schijn van kans op een witte kerst. Een leven lang sacharine-zoete, blonde, blauw-ogige, Lily-Pulitzerdragende, klaverjassende buren waarmee ik vrijwel niets gemeen heb.

Op een ochtend in augustus, vlak nadat Andy naar zijn werk is vertrokken, sta ik midden in de keuken met zijn lege, achteloos op tafel achtergelaten cornflakesschaaltje in mijn hand, en realiseer ik me ineens dat het niet meer zo'n heel subtiel gevoel is. Het is puur verstikkend. Ik ren praktisch naar de gootsteen, smijt zijn schaaltje erin en bel in paniek Suzanne op.

'Ik vind het hier afschuwelijk,' zeg ik, vechtend tegen de tranen. Met het hardop uitspreken van deze woorden lijk ik werkelijk een standpunt in te nemen, en worden mijn gevoelens ineens officieel en echt.

Suzanne maakt een sussend geluid en zegt dan: 'Verhuizen is altijd moeilijk. Vond je New York niet ook afschuwelijk in het begin?'

'Nee,' zeg ik, leunend tegen de aanrecht en bijna zwelgend in het feit dat ik me een onderdrukte, ondergewaardeerde huisvrouw voel. 'New York was een hele omschakeling. In het begin vond ik het overweldigend... Maar ik heb het er nooit afschuwelijk gevonden. Niet zoals nu.'

'Wat is het probleem?' vraagt ze, en heel even denk ik dat ze het oprecht meent – totdat ze eraan toevoegt: 'Is het de liefhebbende echtgenoot? Je kast van een huis? Het zwembad? Je nieuwe Audi? Of wacht – het is natuurlijk het uitslapen en het niet meer naar je werk hoeven, hè?'

'Hé, wacht even,' zeg ik, en ik voel me verwend en ondankbaar, als een beroemdheid die mekkert over haar gebrek aan privacy en volhoudt dat ze een ontzettend zwaar leven heeft. Desondanks ga ik verder, in de overtuiging dat mijn gevoelens gerechtvaardigd zijn. 'Het drijft me tot wanhoop dat mijn agente nog steeds niet heeft gebeld met een of andere opdracht, en dat ik mijn dagen doorbreng met kiekjes maken van de magnolia's in de achtertuin, of van Andy die door het huis scharrelt met zijn gereedschapskist en doet alsof hij handig is... of van de kinderen op de hoek die limonade zitten te verkopen totdat hun kindermeisje me vuil aankijkt, alsof ik een soort kinderlokker ben... Ik wíl graag werken –'

'Maar je hóéft niet te werken,' zegt Suzanne, me de mond snoerend. 'Er is een verschil. Geloof me.'

'Dat weet ik. Ik weet dat ik een bofkont ben. Ik weet dat ik dolblij zou moeten zijn – of op zijn minst getroost door... dít allemaal,' zeg ik, om me heen kijkend in mijn ruime keuken – met de natuurstenen aanrechtbladen, het glimmende Viking-fornuis, en de cederhouten vloeren. 'Maar ik voel me hier gewoon niet op mijn plek... Het is lastig uit te leggen.'

'Probeer het eens,' zegt ze.

Mijn hoofd vult zich met een litanie van mijn gebruikelijke klachten, maar uiteindelijk kies ik voor een onbenullige maar op de een of andere manier symbolische anekdote van de avond daarvoor. Ik vertel haar dat het buurmeisje aan de deur was om koekjes te verkopen voor de scouts, en hoe geïrriteerd ik was toen ik Andy zag zwoegen bij het invullen van het bestelformulier, alsof het een enorme beslissing was. Ik imiteer hem met een aangedikt accent – 'Zullen we drie dozen Tagalongs nemen en twee Thin Mints, of twee Tagalongs en drie Thin Mints?'

'Dat ís ook een enorme beslissing,' zegt Suzanne ironisch.

Ik negeer haar en zeg: 'En vervolgens hebben Andy en de moeder van dat meisje twintig minuten staan leuteren over al hun wederzijdse kennissen uit Westminster –'

'In Londen?' vraagt ze.

'Nee. Veel belangrijker dan dat onbeduidende oude kerkje in Engeland. Dit Westminster is de meest elitaire privéschool van Atlanta... van het hele zuidoosten, m'n lieve kind.'

Suzanne grinnikt zachtjes, en ineens besef ik dat ze weliswaar wil dat ik gelukkig ben, maar dat ze hier op een bepaalde manier toch ook van moet genieten. Ze heeft het immers van het begin af aan tegen me gezegd. *Je bent een buitenstaander. Een vreemde eend in de bijt. Je zult er nooit echt bij horen.*

'En vervolgens,' zeg ik, 'als ze eindelijk uitgepraat zijn en we bijna weer verder kunnen met dom televisie kijken – hetgeen voor mijn gevoel overigens het enige is wat we tegenwoordig nog doen samen – spoort de moeder haar dochter aan om "meneer en mevrouw Graham" te bedanken. En in een gedesoriënteerde fractie van een seconde kijk ik over mijn schouder of ik Andy's ouders zie. Totdat het tot me doordringt dat ík mevrouw Graham ben.'

'Wil je mevrouw Graham niet zijn?' vraagt Suzanne scherp.

Ik zucht. 'Ik wil niet dat een gesprek over Thin Mints het hoogtepunt van mijn dag is.'

'Thin Mints zijn anders verdomde lekker,' zegt Suzanne. 'Vooral als je ze in de diepvries legt.'

'Toe nou,' zeg ik.

'Sorry,' zegt ze. 'Ga verder.'

'Ik weet het niet. Ik voel me gewoon zo... opgesloten... geïsoleerd.'

'En Margot dan?' vraagt Suzanne.

Ik denk over deze vraag na, voel me verscheurd tussen een onderliggend gevoel van loyaliteit naar mijn vriendin en iets wat voelt als de trieste waarheid – dat ik, ondanks het feit dat Margot en ik elkaar nog steeds een paar keer per dag spreken, de laatste tijd het gevoel heb dat er een lichte verwijdering aan het ontstaan is, een gevoel dat begonnen is met haar verwijtende blik tijdens ons afscheidsfeestje – en dat is blijven hangen ondanks ons gesprek op het vliegveld de volgende dag.

Op dat moment was ik dankbaar voor haar vrijspraak, voor het feit dat ze me niet uit de familieschoot verstootte, ondanks mijn zonde. Maar nu heb ik het verontrustende, schurende gevoel dat ze eigenlijk van mening is dat ik haar en Andy en de hele familie ontzettend dankbaar moet zijn. Dat ik ongelooflijk blij moet zijn dat ik hier ben, in het hart van de Graham-dynastie, en dat ik New York onmogelijk kan missen, en dat ik niet het recht heb om er een mening op na te houden over iets of iemand als deze op enige wijze afwijkt van hun visie, hun idee van normen en waarden.

Datgene waar je voor valt, is uiteindelijk ook datgene waar je op afknapt, denk ik bij mezelf – en het is echt zo. Ik heb het volmaakte wereldje van de Grahams altijd prachtig gevonden. Ik had bewondering voor hun succes, hun rijkdom, hun hechte familieband – voor het feit dat zelfs de opstandige James (die uiteindelijk toch op zichzelf is gaan wonen) er meestal wel in slaagt om op zondagochtend in de kerk te verschijnen, zij het met bloeddoorlopen ogen en een sterke sigarettenwalm in zijn verkreukelde kleren. Ik vond het geweldig dat ze alles met elkaar bespreken voordat ze een beslissing nemen, en dat ze trots zijn op hun familienaam en hun tradities, en dat ze Stella allemaal op een voetstuk plaatsen. Ik vond het geweldig dat er niemand overleden of gescheiden was, of zelfs maar teleurgesteld.

Maar nu. Nu voel ik me gevangen. Door hen. Door alles.

Heel even overweeg ik of ik dit aan Suzanne zal opbiechten, maar ik weet dat het *game over* zal zijn als ik dat doe. Ik zal het nooit meer kunnen terugnemen of afzwakken, en op een dag, als de storm is gaan liggen, zal mijn zus me er misschien nog een keer mee om de oren slaan. Want zo is ze.

Dus ik zeg enkel: 'Met Margot gaat het prima. We spreken elkaar nog steeds elke dag... Maar we zitten gewoon even niet op hetzelfde spoor... Ze gaat helemaal op in die zwangerschap en zo – hetgeen ook wel begrijpelijk is, denk ik...'

'Denk je dat jullie snel weer op hetzelfde spoor zullen komen?' vraagt ze, onmiskenbaar informerend naar onze plannen om een gezin te stichten.

'Waarschijnlijk wel. Ik kan er net zo goed een paar kinderen uit persen. We gedragen ons nu immers toch al alsof we ze al hebben. Daar zat ik gisteravond nog aan te denken... Dat onze vrienden in de stad die kinderen hebben het ouderschap zo draaglijk laten lijken. Ze lijken geen spat veranderd – dezelfde combinatie van onvolwassen en toch ontwikkeld. Hippe yuppies die nog steeds naar goede concerten gaan en brunchen in trendy restaurants.'

Ik zucht, denkend aan Sabina, die haar drieling niet alleen naar speelafspraken met vriendjes brengt of naar van die stompzinnige muzieklessen, maar ze ook meezeult naar het museum voor moderne kunst of het CMJ filmfestival. En in plaats van gesmokte kruippakjes, trekt ze ze effen zwarte T-shirtjes aan van organisch katoen met een spijkerbroek eronder, zodat het mini-Sabina'tjes worden, en de generatiegrenzen vervagen.

'Maar hier lijkt het tegenovergestelde waar,' zeg ik, me steeds meer opwindend. 'Iedereen is hier al lang en breed echt volwassen, zelfs nog vóórdat ze aan kinderen beginnen. Het is net alsof ik hier terug ben in de jaren vijftig, toen mensen automatisch veranderden in hun eigen ouders zodra ze eenentwintig waren... En ik heb het gevoel dat dat met Andy en mij nu ook gebeurt... Er is geen mysterie meer, geen uitdaging, geen passie, geen spanning. Dit... is het gewoon, weet je? Voortaan is dit ons leven. Alleen is het Andy's leven, niet het mijne.'

'Dus hij is blij dat jullie verhuisd zijn?' vraagt ze. 'Hij heeft geen spijt?'

'Helemaal niet. Hij is door het dolle heen... Hij loopt nog meer te fluiten dan voorheen... Hij is net Andy Griffith. Fluiten in huis. Fluiten in de tuin en in de garage. Fluiten als hij naar zijn werk gaat met pappie of gaat golfen met zijn walgelijke corpsballen-vrienden.'

Suzanne lacht terwijl ik de stukjes overgebleven, felgekleurde ontbijtgranen in een plasje roze geworden melk door de gootsteen spoel, en hoewel ik Andy's ontbijtkeuze misschien ooit vertederend heb gevonden, vraag ik me op dit moment alleen maar af welke volwassen, kinderloze man er nou pastelkleurige ontbijtgranen eet uit een doos met een konijntje erop getekend.

'Heb je hem verteld hoe je je voelt?' vraagt mijn zus.

'Nee,' zeg ik. 'Dat heeft geen enkele zin.'

'Eerlijkheid heeft geen zin?' vraagt ze voorzichtig.

Het is een van de dingen die ik altijd tegen haar zeg als Vince en zij problemen hebben. *Wees open over je gevoelens. Communiceer. Praat het uit.* Ineens dringt het tot me door dat niet alleen onze rollen omgedraaid zijn, maar dat dit advies ook makkelijker gezegd dan gedaan is. Het voelt alleen maar makkelijk als je problemen relatief klein zijn. En op dit moment voelen mijn problemen allesbehalve klein.

'Ik wil niet dat Andy zich schuldig voelt,' zeg ik – hetgeen de gecompliceerde waarheid is.

'Tja, misschien zou hij zich wel schuldig moeten voelen,' zegt Suzanne. 'Hij heeft je gedwongen om te verhuizen.'

'Hij heeft me helemaal nergens toe gedwongen,' zeg ik, in een geruststellende opwelling om Andy te verdedigen. 'Hij heeft me voldoende kansen geboden om te ontsnappen. Ik heb ze alleen niet gegrepen... Ik heb geen enkele weerstand geboden.'

'Nou, dat was dan knap stom,' zegt ze.

Ik loop weg van de aanrecht en zeg, met een gevoel alsof ik ongeveer tien jaar oud ben: 'Jíj bent stom.'

drieëntwintig

Een paar dagen later zorgt Oprah voor achtergrondgeluiden terwijl ik, toegevend aan mijn dwangneurose, strakke witte etiketten aan het maken ben voor onze keukenlades. Als ik het woord *spatels* aan het printen ben, wordt er op de zijdeur geklopt, en als ik opkijk, zie ik Margot door het in vakjes verdeelde glas. Voordat ik zelfs maar kan gebaren dat ze binnen moet komen, doet Margot de deur open en zegt: 'Hé, lieverd. Ik ben het maar!'

Terwijl ik het geluid van de tv uitzet en opkijk van mijn label-maker, ben ik voornamelijk dankbaar voor het gezelschap, maar in mindere mate ook geïrriteerd vanwege haar arrogante loop-maar-meteen-door-naar-binnen houding. En misschien voel ik me ook een klein beetje schaapachtig omdat ze me heeft betrapt op televisie kijken op klaarlichte dag – iets wat ik in New York nooit deed.

'Hé,' zegt ze met een vermoeide glimlach. Gekleed in een nauw-sluitend mouwloos topje, een zwarte legging en slippers, ziet ze er voor het eerst oncomfortabel zwanger uit, bijna lomp – voor haar doen, althans. Zelfs haar voeten en enkels beginnen op te zwel-len. 'Gaat ons etentje vanavond bij mij thuis nog steeds door?'

'Zeker. Ik heb net nog geprobeerd je erover te bellen... Waar ben je geweest?' zeg ik, vaststellend dat het zeer ongebruikelijk is dat ik niet precies weet waar Margot uithangt.

'Zwangerschapsyoga,' zegt ze, en ze laat zich kreunend op de bank zakken. 'En wat heb jij uitgevoerd?'

Ik print een *schuimspanen*-etiket en houd het omhoog. 'Orde scheppen in de chaos,' zeg ik.

Ze knikt afwezig haar goedkeuring en zegt dan: 'Wat vind je van Josephine?'

Ik kijk haar niet-begrijpend aan, tot ik me realiseer dat ze het over babynamen heeft. Alwéér. Onze gesprekken lijken de laatste tijd nergens anders meer over te gaan. Over het algemeen vind ik het namenspelletje wel leuk, en ik begrijp ook zeer zeker hoe belangrijk het bedenken van een naam voor een baby is – soms lijkt het alsof de naam de persoon vormt – maar ik begin het onderwerp een beetje zat te worden. Als Margot nou ten minste al wist of het een jongetje of een meisje werd, dan zouden we de helft minder werk hebben.

'Josephine,' zeg ik hardop. 'Het heeft wel wat... Het is charmant... onalledaags... erg schattig.'

'Hazel?' zegt ze.

'Hmm,' zeg ik. 'Een beetje aanstellerig. Bovendien... heet de dochter van Julia Roberts niet zo? Je wilt toch niet dat mensen denken dat je de sterren na-aapt?'

'Nee, eigenlijk niet,' zegt ze. 'En wat vind je van Tiffany?'

Ik vind de naam niet echt mooi, en hij lijkt een beetje uit de toon te vallen op Margots verder zeer klassieke lijst, maar toch ga ik heel voorzichtig te werk. Zeggen dat je de potentiële babynaam van een vriendin niet mooi vindt, is een gevaarlijke zaak (net als verkondigen dat je haar vriend niet aardig vindt – een absolute garantie dat ze met hem zal trouwen).

'Ik weet het niet,' zeg ik. 'Het is een mooie naam, maar een beetje gewoontjes. Ik dacht dat je voor een traditionele familienaam zou gaan?'

'Klopt. Webbs nichtje heette Tiffany – die ene die is overleden aan borstkanker... Maar mama vindt het een jaren-tachtig naam, een tikje ordinair... vooral nu het merk door alle massamarketing zijn exclusiviteit heeft verloren...'

'Nou, ik ken inderdaad een Tiffany uit Pittsburgh,' zeg ik nadrukkelijk. 'Dus misschien heeft ze gelijk en is het echt een ordinaire naam...'

Mijn steek onder water ontgaat Margot, en ze vervolgt opgewekt: 'Het doet mij denken aan *Breakfast at Tiffany's*, Audrey Hepburn... Hé! Wat vind je van Audrey?'

'Ik vind Audrey leuker dan Tiffany... al rijmt het wel op roombrie,' zeg ik.

Margot lacht – ze is een groot fan van mijn pesten-op-het-speelplein lakmoesproef. 'Welk klein kind kent er nou het woord roombrie?'

'Je weet maar nooit,' zeg ik. 'En als je vasthoudt aan de traditionele familienaam Sims als middelste naam, wordt haar monogram ABS... en hoe weet je nou van tevoren of ze wel verstand van auto's zal hebben?'

Margot begint weer te lachen en schudt haar hoofd. 'Je bent niet goed wijs.'

'Wat is er met Louisa gebeurd?' vraag ik.

Wekenlang is Louisa – een andere familienaam – de koploper geweest bij de meisjesnamen. Margot heeft zelfs al een badpakje gekocht op een kinderkledingparty en er een *L* op laten borduren – voor het geval het een meisje wordt. Hetgeen overigens zo overduidelijk is wat Margot het liefste wil, dat ik me een beetje zorgen begin te maken over hoe het moet als het een jongetje wordt. Ik heb gisteravond nog tegen Andy gezegd dat Margot net een actrice zou zijn die genomineerd is voor een Oscar, wachtend tot het kaartje wordt voorgelezen. Zinderende spanning gevolgd door euforie als ze wint – en moeten doen alsof ze net zo blij is als ze niet wint.

Margot zegt: 'Ik vind Louisa prachtig. Maar ik ben er gewoon niet helemaal weg van.'

'Nou, je mag wel opschieten en zorgen dat je ergens helemaal weg van bent,' zeg ik. 'Je hebt nog maar vier weken.'

'Ik weet het,' zegt ze. 'Daar zeg je wat – we moeten aan de slag met die zwangerschapsfoto's... Ik laat maandag mijn haar highlighten, en Webb zegt dat hij volgende week iedere willekeurige avond vroeg thuis zou kunnen zijn. Dus zeg jij maar wanneer je tijd hebt...'

'Oké,' zeg ik, terugdenkend aan een gesprek dat we maanden geleden hebben gehad en waarin Margot me vroeg – en ik ja heb gezegd – of ik, zoals zij het zei, 'van die kunstzinnige zwart-witte buikfoto's' wilde maken. Op dat moment leek het een prima idee, maar in mijn huidige gemoedstoestand heb ik er gewoon niet zoveel trek in, vooral niet nu ik weet dat Webb ook een rol krijgt in het geheel. Ik stel me voor hoe hij haar liefdevol aanstaart, haar naakte buik streelt, en misschien zelfs wel een kus op haar uitpuilende navel drukt. Jákkes. Hoe diep kun je zinken? Als ik niet uitkijk, glijd ik nog af van fotograferen voor *Platform Magazine* naar babykwijl afvegen of een rammelaar heen en weer schudden voor een dwarse peuter.

Dus met dit alles in mijn achterhoofd, zeg ik: 'Lijkt dat je niet een beetje... ik weet niet... *bourgeois*?'

Op de een of andere manier lijkt het minder erg om haar burgerlijk te noemen in het Frans.

Heel even kijkt Margot gekwetst, maar ze vermant zich direct en zegt, heel nadrukkelijk: 'Nee. Ik hou wel van dat soort foto's... Ik bedoel, niet om ze op te hangen in de gang – maar voor onze slaapkamer of in een album... Ginny en Craig hebben een paar van dat soort foto's laten maken, en die zijn werkelijk schítterend.'

Ik zeg maar niet tegen haar dat ik niet graag een voorbeeld zou willen nemen aan Ginny en Craig, die bovenaan mijn lijst staan van irritante inwoners van Atlanta.

Ginny is Margots oudste, en totdat ik haar onttroonde ook haar beste, vriendin. Ik heb het verhaal over hoe ze elkaar hebben leren kennen al minstens tien keer gehoord, meestal van Ginny zelf. In het kort komt het erop neer dat hun moeders met elkaar bevriend raakten op een peuterspeelzaal in de buurt toen hun dochters nog heel klein waren, maar het vervolgens na twee weken alweer voor gezien hielden op die peuterspeelzaal omdat ze van mening waren dat geen van de andere moeders er dezelfde verfijnde opvattingen op nahield als zij. (Om precies te zijn had een van de moeders haar kind op uitgedroogde Cheerios laten trakteren, hetgeen nog wel door de vingers gezien had kunnen worden, ware het niet dat diezelfde moeder de Cheerios ook voor de volwassenen had meegebracht. In plastic bakjes, nog wel. Op dit punt lardeert Ginny het verhaal altijd met die ontzettend irritante en zeer onoprechte, typisch zuidelijke uitdrukking: 'De lieverd.' Vertaling: 'De arme stákker.')

Het spreekt dus vanzelf dat hun moeders zich distantieerden van die peuterspeelzaal om vervolgens hun eigen peuterspeelzaal op te richten, en de rest is geschiedenis. Aan Margots fotoalbum te zien, waren de meisjes praktisch onafscheidelijk in hun tienerjaren, of ze nou aan het cheerleaden waren (waarbij Ginny overigens altijd Margots linkerhiel vasthoudt in hun piramide, hetgeen ik als symbolisch beschouw voor hun vriendschap), of rondhingen op hun country club in bij elkaar passende gele bikini's, of naar *high teas* of debutantenbals gingen. Altijd breed glimlachend, altijd zongebruind, altijd omringd door een clubje bewonderende, mindere schoonheden. Een wereld van verschil met de weinige kiekjes van mij en Kimmy, mijn beste vriendin van vroeger, rondhangend bij de Ches-A-Rena rolschaatsbaan met ons getoupeerde haar, fluorescerende mouwloze topjes en dikke rijen pluizige, gerafelde touwarmbandjes.

Enfin, Kimmy en ik zijn na het eindexamen ieder onze eigen weg ingeslagen (zij is naar de kappersschool gegaan en knipt nu dezelfde oubollige laagjeskapsels in haar eigen zaak in Pittsburgh), en zo ging het ook met Ginny en Margot. Ik moet erbij zeggen dat hun leven wel min of meer parallel bleef lopen, aangezien Ginny naar de University of Georgia ging en ook lid werd van een studentenvereniging, maar het waren toch andere ervaringen met andere mensen in een intensieve periode in hun leven – waardoor beste vriendinnen in de meeste gevallen gereduceerd worden tot vriendinnen. Ginny bleef ondergedompeld in hetzelfde kliekje in Atlanta (minstens de helft van hun school ging naar UGA) en Margot sloeg haar vleugels uit en deed haar eigen ding op Wake Forest. En haar eigen ding bestond onder andere uit vriendschap sluiten met mij, een Yankee uit het noorden die niet paste in (of misschien zelfs ronduit lak had aan) de sociale orde in Atlanta. Sterker nog, achteraf gezien denk ik soms wel eens dat Margots vriendschap met mij een manier was voor haar om zichzelf opnieuw uit te vinden, een beetje zoals wanneer je fan wordt van een nieuwe, onconventionele band. Niet dat ik alternatief was of zo, maar een katholieke, bruinogige brunette met een Pittsburghs accent was absoluut een wereld van verschil vergeleken met Margots zuidelijke society-opvoeding. Eerlijk gezegd denk ik ook dat Margot het prettig vond dat ik net zo intelligent was als zij, zo niet intelligenter, dit in contrast met Ginny, die een acceptabele boekenwijsheid bezat, maar verder geen enkele intellectuele nieuwsgierigheid. Sterker nog, uit de flarden van telefoongesprekken tussen hen die ik in onze studententijd opving, leek het mij duidelijk dat Ginny geen enkele belangstelling had voor iets anders dan feesten, kleren en jongens, en hoewel Margot die interesses deelde, had zij veel meer diepgang.

Het was dus tamelijk voorspelbaar dat Ginny jaloers op mij zou worden en de concurrentiestrijd met me aan zou gaan, vooral in die eerste jaren van de geleidelijke machtsverschuiving. Het was nooit iets openlijks – enkel een ijzigheid in combinatie met haar venijnige gewoonte om in mijn bijzijn herinneringen op te halen aan vroeger en privégrapjes te maken die ik niet kon volgen. Misschien was ik paranoïde, maar ze leek zich in alle mogelijke bochten te wringen om onderwerpen aan te snijden waar ik niet over mee kon praten – zoals het motief van hun zilveren bestek (dat door hun respectievelijke oma's voor hen was uitgezocht bij Buckhead's Beverly Bremer Silver Shop bij hun geboorte) of de nieuwste roddels op de Piedmont Driving Club, of de ideale karaatgrootte voor diamanten oorknopjes (schijnbaar is alles onder de één karaat te 'sweet sixteen' en alles boven de tweeëneenhalf 'zo nouveau riche').

In de loop der jaren, toen hun vriendschap steeds meer geworteld raakte in het verleden, en mijn vriendschap met Margot midden in het heden kwam te staan, eerst op de universiteit en later in New York, zag Ginny de tekenen aan de wand. Toen Andy en ik vervolgens een relatie kregen en ze inzag dat zij Margot weliswaar al veel langer kende, maar dat ík familie van haar zou worden, stond het als een paal boven water dat ik me haar titel zou toeëigenen en Margots erebruidsmeisje zou worden – de ondubbelzinnige, volwassen equivalent van een beste-vriendinnen-kettinkje dragen. En hoewel Ginny de charmante verliezer speelde op al Margots verlovingsfeestjes en bruidsmeisjeslunches, had ik heel sterk het gevoel dat ze vond dat Margot, en Andy trouwens ook, wel beter had kunnen krijgen.

Dit onderliggende meisjesdrama hield me overigens nauwelijks bezig, totdat Margot terug verhuisde naar Atlanta. In eerste instantie leek ze terughoudend om zich weer in haar oude kliekje te storten. Ze was altijd loyaal gebleven aan Ginny – een van Margots beste eigenschappen – maar maakte wel af en toe een terloopse opmerking over Ginny's bekrompenheid, dat ze nergens anders heen wil op vakantie dan naar Sea Island, of dat ze nooit kranten leest, of hoe 'grappig' het is dat Ginny nog nooit een dag gewerkt heeft in haar leven. (En als ik zeg nooit, dan bedoel ik ook echt nóóit. Geen krantenwijk op de middelbare school, geen kortstondige kantoorbaan voordat ze ging trouwen en vrijwel meteen – hoe kan het ook anders – een zoontje kreeg, en vervolgens, twee jaar later, een dochtertje. Ze heeft nog nooit salaris op haar rekening bijgeschreven gekregen. Iets wat ik, iemand die al onafgebroken werkt sinds haar vijftiende, overigens werkelijk niet grappig kon vinden. Het was eerder vergelijkbaar met iemand kennen die circusacrobaat is, of een Siamese tweeling. Bizar tot in het extreme, en ook een beetje triest.)

Maar sinds wij in Atlanta zijn komen wonen, lijkt Margot dit soort trekjes van Ginny niet langer te zien en omarmt ze haar in plaats daarvan als een oude, vertrouwde sidekick die hard op weg is aan een comeback als beste vriendin. En hoewel weldenkende volwassen mensen (en zo zie ik mezelf graag) niet meer echt één allerbeste vriendin aanwijzen, erger ik me onwillekeurig toch aan mijn blonde voormalige aartsvijand nu ik hier pardoes ben neergepoot in haar gelikte, homogene Buckhead-wereld.

Dus wanneer Margots volgende woorden zijn: 'O, trouwens, ik heb Ginny en Craig ook uitgenodigd vanavond. Ik hoop dat je dat niet erg vindt?' glimlach ik een grote, geveinsde glimlach en zeg: 'Klinkt dolletjes.'

Een passend bijvoeglijk naamwoord voor mijn nieuwe Georgiaanse leven.

Die avond presteer ik het om me pas op het allerlaatste nippertje te gaan klaarmaken voor het etentje, een merkwaardig bijverschijnsel van de hele dag niks dringends te doen hebben. Terwijl ik mijn natte haar uitwring en een dikke laag dagcrème op mijn wangen smeer, hoor ik Andy de trap op rennen en mijn naam roepen op een het-leven-is-mooi-toon, om er vervolgens aan toe te voegen: 'Liefje! Ik ben thuis!'

Ik denk aan dat zogenaamde knipsel uit een jaren vijftig huishoudschoolboek dat permanent circuleert op internet, en waarin vrouwen wordt uitgelegd wat de *do's* en *don'ts* zijn van een goede echtgenote zijn, en in het bijzonder hoe je je echtgenoot hoort te begroeten na een zware dag op kantoor. *Reserveer de avond voor hem... Doe een lint in je haar en zorg dat je er fris uitziet... Bied aan zijn schoenen voor hem uit te trekken... Praat op kalmerende toon.*

Ik geef Andy een kus op zijn mond en zeg dan stijfjes, sarcastisch: 'Goed nieuws, schat. Ginny en Craig komen ook vanavond.'

'Ach, toe,' zegt hij met een glimlach. 'Niet zo onaardig. Ze vallen best mee.'

'Nietes,' zeg ik.

'Niet zo onaardig,' zegt hij nogmaals, terwijl ik me voor de geest probeer te halen of dat ook in het artikel stond. *Wees altijd aardig, ook al doe je de waarheid daarmee geweld aan.*

'Oké,' zeg ik. 'Ik zal aardig zijn totdat ze iets voor de vijfde keer "super schattig" noemt. Vanaf dat moment mag ik mezelf zijn. Afgesproken?'

Andy lacht terwijl ik vervolg, Ginny imiterend: 'Deze jurk is *super schattig*. Dat wiegje is *super schattig*. Jessica Simpson en Nick Lachey waren *zo super schattig* samen. Ik weet dat het naar is wat er in het Midden-Oosten allemaal gebeurt en zo, maar dat die twee uit elkaar zijn, is nog steeds het meest trieste nieuws ooit.'

Andy lacht opnieuw terwijl ik me weer omdraai naar mijn gigantische inloopkast, die hooguit voor één derde vol is, en een spijkerbroek, leren teenslippers en een vintage Orange Crush T-shirt uitkies.

'Denk je dat dit goed genoeg is voor een etentje?' zeg ik, het shirt over mijn hoofd trekkend en bijna hopend dat Andy kritiek zal hebben op mijn keuze.

In plaats daarvan kust hij me op mijn neus en zegt: 'Tuurlijk. Je ziet er super schattig uit.'

Zoals gebruikelijk is Ginny chic gekleed in een fris, mouwloos jurkje en sandaaltjes plus parelsnoer, en Margot draagt een snoezige lichtblauwe positiejurk, eveneens met parelsnoer. (Oké, die van Margot zijn van het type grillige, *oversized* bijouterie die van achteren worden vastgemaakt met een witzijden striklint in plaats van het degelijke snoer dat ze van haar oma heeft geërfd, maar het zijn evengoed parels.)

Ik werp Andy een blik toe, die hem ontgaat omdat hij zich bukt om Ginny's Chinese naakthond pup te aaien die luistert naar de naam Delores en die ze overal mee naartoe neemt (en, nog erger, die ze regelmatig insmeert met zonnebrandcrème). Ik durf te zweren dat ze meer van Delores houdt dan van haar kinderen – of in ieder geval van haar zoon, die zo'n gierende ADHD heeft dat Ginny altijd loopt op te scheppen dat ze hem Benadryl geeft voor een lange autorit of een etentje.

'Ik heb het gevoel dat ik veel te eenvoudig gekleed ben,' zeg ik, Margot een fles wijn overhandigend die ik in het voorbijgaan nog even gauw heb meegegrist uit ons wijnrek in de keuken. Ik strijk met mijn handen over mijn in denim gehulde heupen en voeg eraan toe: 'Ik dacht dat je had gezegd dat het informeel zou zijn?'

Ginny kijkt ietwat triomfantelijk en heeft totaal niet in de gaten dat ik me heimelijk juist prima voel, in mijn nopjes zelfs, in mijn spijkerbroek en T-shirt – en dat ik vind dat zij zich overdreven heeft opgedoft. Margot buigt zich naar me toe voor een zedige sleutelbeen-tegen-sleutelbeen omhelzing om me te bedanken voor de wijn en zegt: 'Klopt. Je ziet er fantastisch uit.' Vervolgens, terwijl ze margarita's inschenkt in grote, handgeblazen glazen, voegt ze eraan toe: 'God, ik wou dat ik jouw lengte had... De laatste tijd al helemaal. Ginny, zou jij geen moord doen voor zulke benen?'

Ginny, die nooit een postnatale comeback heeft gemaakt, ondanks een *personal trainer* en een buikwandcorrectie waarvan ze niet weet dat ik weet dat ze die heeft laten doen, werpt een weemoedige blik op mijn benen voordat ze iets onverstaanbaars mompelt. Het is duidelijk dat ze haar complimentjes aan mij liever op een dubbelzinnige manier overbrengt – zoals het pareltje dat ze onlangs uitdeelde toen we bij Paces Papers uitnodigingen aan het bekijken waren voor Margots babyfeestje (een evenement waar ik tot mijn schaamte vreselijk tegenop zie). Nadat we hadden zitten zwoegen op de juiste bewoordingen en de keuze hadden gemaakt voor lichtroze, handgeschept papier en antracietgrijze inkt en een ouderwetse afbeelding van een kinderwagen, dacht ik dat ons werk erop zat. Ik had mijn tasje al in mijn hand, blij dat ik weg mocht, toen Ginny mijn pols aanraakte, neerbuigend glimlachte en zei: '*Lettertype,* schat. We moeten nog een *lettertype* kiezen.'

'O, oké,' zei ik, denkend aan mijn oude werkruimte in New York, en hoeveel ik van Oscar over lettertypes had geleerd. Veel meer dan Ginny ook maar enigszins had kunnen oppikken tijdens de voorbereidingen voor haar huwelijk en een paar andere feestjes en liefdadigheidsbals. Maar desondanks gunde ik mezelf een pleziertje door achteloos te zeggen: 'Dus Times New Roman is dit keer niet goed genoeg?'

Waarop Ginny haar best deed om afgrijzen over te brengen aan het knappe roodharige meisje dat ons hielp, en vervolgens uitriep: 'O, Ellen. Ik heb zó'n bewondering voor je relaxte houding over dit soort details... Ik doe heel erg mijn best om ook zo te zijn, maar het lukt me gewoon niet.'

De lieverd.

Dus nou ja, daar zit ik dan in Margots woonkamer in mijn Orange Crush T-shirt, de enige felle kleur in een zee van kakkerig chique, zomerse pastels. En de enige die het schokkende nieuws van deze zomer nog niet heeft gehoord – dat Cass Philips erachter is gekomen dat haar man, Morley, een harp van drieduizend dollar had gekocht voor zijn minnares van eenentwintig, die toevallig ook het petekind is van haar beste vriendin. Hetgeen, zoals je je wel kunt voorstellen, voor enorme opschudding heeft gezorgd op Cherokee, de country club waar iedereen van betekenis lid van is.

'Een hárp?' zeg ik. 'Wat is er in vredesnaam gebeurd met een ouderwets negligé?'

Ginny kijkt me aan alsof ik de clou van het verhaal finaal gemist heb en zegt: 'O, Ellen. Ze is harpiste.'

'Oké,' zeg ik, mompelend dat ik zoiets al wel begrepen had, maar wie besluit er nou in godsnaam om harp te willen gaan spelen?

Andy knipoogt naar me en zegt: 'Elizabeth Smart.'

Ik denk aan de 'vermist'-posters van Elizabeth die harp zit te spelen en glimlach om de gave die mijn echtgenoot bezit om voorbeelden ter illustratie aan te dragen van zo ongeveer alles, terwijl Ginny ons onderonsje negeert en me vertelt dat Craig en zij een harpiste hadden bij het oefendiner aan de vooravond van hun bruiloft, en ook een strijkkwartet.

'Elizabeth wie?' zegt Craig, zich tot Andy richtend, alsof hij de naam probeert te plaatsen in zijn bekrompen Buckhead context.

'Je weet wel,' zeg ik. 'Dat Mormoonse meisje dat ontvoerd werd en vervolgens een jaar later weer opdook in Salt Lake City, waar ze rondliep in een soort toga, samen met haar ontvoerder.'

'O ja. Die,' zegt Craig afwerend. Als ik naar hem zit te kijken terwijl hij een dikke plak brie afsnijdt en die tussen twee toastjes doet, valt het me ineens op dat hij in sommige opzichten weliswaar op Webb lijkt – het zijn allebei blozende, moppen-tappende sportliefhebbers – maar dat hij niets heeft van Webbs innemendheid of diens vermogen om anderen op hun gemak te stellen. Nu ik erover nadenk, schenkt hij eigenlijk nooit echt aandacht aan me en keurt me zelfs geen blik waardig. Hij veegt een paar kruimels van zijn seersucker short en zegt: 'Ik heb wel gehoord dat die harpiste een ontzettend lekker ding moet zijn...'

'Craig!' Jammerend spreekt Ginny de naam van haar man uit en kijkt hem vol afgrijzen aan, alsof ze hem heeft betrapt terwijl hij zich zat af te trekken met de *Playboy* in zijn hand.

'Sorry, schatje,' zegt Craig, en hij kust haar op een manier die de suggestie wekt dat ze nog maar net verkering hebben, terwijl ze in feite al praktisch sinds de eerste dag van hun studententijd samen zijn.

Webb kijkt geamuseerd als hij vraagt hoe Morley door de mand is gevallen.

Ginny legt uit dat Cass de afschrijving had gezien op de afschriften van Morley's creditcard van zijn werk. 'Ze vond het verdacht en heeft de winkel opgebeld... Vervolgens heeft ze het gecombineerd met zijn plotselinge belangstelling voor het symfonie-orkest,' zegt ze, en haar ogen schitteren bij deze schandalige details.

'Had hij dan niet gedacht dat ze, gezien zijn reputatie als versierder, zijn zakelijke creditcard-afschriften ook zou controleren?' vraagt Margot.

Craig knipoogt en zegt: 'Meestal is dat een veilige haven.'

Weer spreekt Ginny jammerend haar mans naam uit, en geeft hem vervolgens een speelse por. 'Ik zou onmiddellijk bij je weggaan,' zegt ze.

Ja, vast, denk ik bij mezelf. Ze is precies het soort vrouw dat slippertjes eindeloos door de vingers zou zien. Alles om toch vooral de schone schijn maar op te houden.

Terwijl de rest van het gezelschap verder smult van het harpschandaal, dwalen mijn gedachten af naar Leo, en denk ik voor de honderdste keer na over de vraag of ik, in technische, vraag-het-aan-honderd-mensen-op-Times-Square-achtige zin, Andy ontrouw ben geweest die nacht in het vliegtuig. Tot nu toe wilde ik altijd dat het antwoord nee zou zijn – omwille van Andy en ook voor mezelf. Maar vanavond realiseer ik me dat ik ergens bijna graag in die duistere categorie wíl vallen. Een duister geheim wil hebben waarmee ik me onderscheid van Ginny en deze hele *Desperate-Housewives*-wereld waar ik me ineens in bevind. Ik hoor haar al roddelen met haar Buckhead-Betty vriendinnen – 'Ik weet werkelijk niet wat Margot ziet in die opzichtige-lettertypes-minnende, T-shirt-dragende, highlight-loze Yankee.'

De rest van de avond verloopt zonder noemenswaardige gebeurtenissen – er wordt alleen maar eindeloos gepraat over golf en zaken door de mannen, en over baby's door de vrouwen – totdat Ginny ongeveer halverwege het diner een slok uit haar wijnglas neemt, ineenkrimpt en zegt: 'Margot, líéverd. Wat drinken we eigenlijk?'

'Het is een merlot,' zegt Margot snel, en iets in haar stem alarmeert me. Ik werp een blik op de fles en constateer dat het de wijn is die ik vanavond heb meegebracht – en bij nadere inspectie, dat het de wijn is die Andy en ik van mijn vader en Sharon hebben gekregen toen we ons appartement in New York hadden gekocht.

'Nou, hij is niet te drinken,' zegt Ginny – alsof zíj er verstand van heeft.

Margot werpt Ginny een waarschuwende blik toe – een blik die ze op de middelbare school toch geperfectioneerd zouden moeten hebben, zou je denken – maar Ginny ziet het niet of ze doet net alsof, want ze vervolgt: 'Waar heb je die vandaan? De supermarkt?'

Voordat Margot een preventieve klap kan uitdelen, grist Craig de fles van tafel, bekijkt het etiket en zegt spottend: 'Pennsylvania. Hij komt uit Pennsylvania. Tja. Iedereen weet hoe wereldberoemd de wijngaarden in Philadelphia zijn.' Hij lacht, trots vanwege zijn grap, trots dat hij kan pronken met zijn kennis, zijn waardering voor de verfijndere geneugten in het leven. 'Dat had je nou écht niet moeten doen,' voegt hij eraan toe, in de verwachting dat we allemaal dubbel zullen slaan van het lachen.

Andy kijkt me aan met een blik van *Laat maar gaan*. Net als zijn zus en zijn moeder, gaat hij het liefst iedere confrontatie uit de weg, en diep vanbinnen weet ik dat dat precies is wat ik nu het beste kan doen. Ik weet ook vrijwel zeker dat niemand de bedoeling had om me te beledigen – dat Craig en Ginny waarschijnlijk niet hebben begrepen dat ik de wijn heb meegebracht – en dat het niet meer was dan wat goedaardig geplaag van goede vrienden onder elkaar. Het soort bijdehante opmerkingen dat iedereen weleens maakt.

Maar omdat ze afkomstig zijn van Craig en Ginny, en omdat ik Craig en Ginny niet mag en zij mij niet, en omdat ik op dit moment overal liever zou zijn dan aan deze tafel in mijn nieuwe woonplaats Atlanta voor een etentje met Ginny en Craig, zeg ik: 'Pittsburgh, om precies te zijn.'

Craig kijkt me aan, in verwarring gebracht. 'Pittsburgh?' zegt hij.

Inderdaad. Pittsburgh... níét Philadelphia,' zeg ik, mijn gezicht gloeiend van verontwaardiging. 'Het is de allerbeste merlot uit Pittsburgh.'

Craig, die duidelijk geen flauw idee heeft waar ik vandaan kom, en al helemaal nooit de moeite heeft genomen om ernaar te informeren, blijft niet-begrijpend kijken terwijl ik Webb en Margot een ongemakkelijke blik zie wisselen.

'Ík kom uit Pittsburgh,' zeg ik, komisch, verontschuldigend. 'Ik heb die fles meegebracht vanavond.' Ik vestig mijn blik op Ginny en laat mijn wijn ronddraaien in mijn glas. 'Het spijt me dat-ie niet naar wens is.'

Vervolgens, terwijl Craig schaapachtig voor zich uit kijkt en Ginny onhandig stamelend haar woorden probeert terug te nemen en Margot nerveus lacht en Webb een ander onderwerp aansnijdt en Andy helemaal niets doet, hef ik zwijgend mijn glas en neem een grote slok goedkope rode wijn.

vierentwintig

Tijdens de korte, zwoele wandeling naar huis die avond, wacht ik tot Andy me haastig zijn steun zal betuigen – of op zijn minst nog even terloops zal terugkomen op het merlotverhaal. Zodra hij dat doet, zal ik het lachend wegwuiven, of er misschien nog een paar uitgelezen opmerkingen over Ginny en Craig tegenaan gooien – haar hersenloze gekakel, zijn misplaatste superioriteit, hun nimmer aflatende, bijna komische snobisme.

Maar verrassend en bovenal teleurstellend genoeg, rept Andy er met geen woord over. Sterker nog, hij heeft zo weinig te melden dat hij een ongewoon afstandelijke indruk maakt, hooghartig bijna, en ik begin het gevoel te krijgen dat hij misschien zelfs wel boos is op míj omdat ik deining heb veroorzaakt op Margots zogenaamde barbecue. Als we bijna bij onze oprit zijn, kom ik in de verleiding om hem er op de man af naar te vragen, maar ik doe het niet uit angst dat dit als een schuldbekentenis geïnterpreteerd zou kunnen worden. En ik heb niet het gevoel dat ik iets verkeerd heb gedaan.

Dus in plaats daarvan mijd ik het hele onderwerp zorgvuldig en houd ik het gesprek neutraal, luchtig. 'Wat een heerlijke biefstukken waren dat, hè?' zeg ik.

'Ja. Ze waren best smakelijk,' zegt Andy, en hij knikt naar een

jogger die ons passeert en van top tot teen gehuld is in krankzinnige, reflecterende kleding.

'Die wordt vast zo snel niet ondersteboven gereden,' zeg ik
grinnikend.

Andy negeert mijn halfhartige grapje en vervolgt op serieuze
toon: 'Margots maissalade was ook erg lekker.'

'Hm-m. Ja. Ik zal het recept aan haar vragen,' mompel ik, en
mijn stem klinkt ietsje wranger dan mijn bedoeling is.

Andy werpt me een blik toe die ik niet helemaal kan door-
gronden – een mengeling van droevig en verdedigend – voordat
hij mijn hand loslaat en zijn hand in zijn zak steekt om zijn sleutels te pakken. Hij vist ze eruit en beent dan in versnelde pas de
oprit op naar de voordeur, waar hij de deur openmaakt en blijft
staan om mij als eerste naar binnen te laten gaan. Het is iets wat
hij altijd doet, maar vanavond komt het gebaar formeel, bijna
gespannen, over.

'Tjonge, dank je,' zeg ik, en ik heb het gevoel dat ik gestrand
ben in dat frustrerende niemandsland van ruzie willen maken en
me één met hem willen voelen tegelijk.

Andy geeft me geen van beide. In plaats daarvan stapt hij om me
heen alsof ik een paar tennisschoenen ben dat op de trap is blijven
staan, en loopt rechtstreeks naar boven, naar onze slaapkamer.

Met tegenzin loop ik achter hem aan en kijk naar hem terwijl
hij zich begint uit te kleden. Ik wil wanhopig graag definiëren
wat er tussen ons in de lucht hangt, maar ben onwillig om de eerste stap te zetten.

'Ga je naar bed?' vraag ik met een blik op de klok op de schoorsteenmantel in onze slaapkamer.

'Ja. Ik ben kapot,' zegt Andy.

'Het is pas tien uur,' zeg ik, boos en verdrietig tegelijk. 'Heb je
geen zin om nog even tv te kijken?'

Hij schudt zijn hoofd en zegt: 'Het is een lange week geweest.'
Dan aarzelt hij, alsof hij vergeten is wat hij wilde gaan doen,
voordat hij de bovenste la van zijn kledingkast opentrekt en er
zijn allerbeste pyama van Egyptische katoen uithaalt. Hij kijkt
er verbaasd naar en vraagt: 'Heb je deze gestreken?'

Ik knik alsof het niets voorstelt, terwijl ik me in wezen net een martelaar voelde toen ik die pyjama gisterochtend stond te persen, compleet met stijfsel en alles. *Sproei, zucht, strijk. Sproei, zucht, strijk.*

'Dat had je niet hoeven doen,' zegt hij, langzaam en nadrukkelijk zijn overhemd losknopend, en ondertussen oogcontact mijdend.

'Ik wilde het graag doen,' lieg ik, me concentrerend op de kromming van zijn slanke nek terwijl hij neerkijkt op het bovenste knoopje en ik bij mezelf denk dat ik toch niks beters te doen heb in Atlanta.

'Het was niet nodig geweest... Ik vind kreukels niet zo erg.'

'In je kleren of in mijn gezicht?' zeg ik wrang, in de hoop zo het ijs te kunnen breken – en daarná ruzie te gaan maken.

'Allebei niet,' zegt Andy, nog steeds met een uitgestreken gezicht.

'Mooi,' zeg ik nonchalant. 'Want weet je, ik ben niet echt een botox-type.'

Andy knikt. 'Ja. Dat weet ik.'

'Ginny is wel aan de botox,' zeg ik, en ik voel me lichtelijk onnozel vanwege mijn openlijke, onhandige poging om het gesprek te verleggen naar datgene wat me werkelijk bezighoudt, en des te meer als Andy weigert te happen.

'Echt waar?' zegt hij zonder enige belangstelling.

'Ja. Eens in de zoveel maanden,' zeg ik, uit alle macht zoekend naar houvast. Alsof de frequentie van haar bezoekjes aan de praktijk van de plastisch chirurg hem uiteindelijk over een denkbeeldige grens zal trekken en hem voor mijn zaak zal winnen.

'Tja,' zegt hij schouderophalend. 'Dat moet iedereen zelf maar weten, geloof ik.'

Ik adem diep in, inmiddels zo ver dat ik echt ruzie met hem wil gaan zoeken. Maar voordat ik iets kan zeggen, draait hij zich om en verdwijnt in de badkamer, mij op het voeteneind van het bed achterlatend alsof ík de slechterik ben.

Om de zaak nog erger te maken, valt Andy die avond direct in slaap – hetgeen zo ongeveer het meest irritante is wat je kunt doen na een ruzie of, in ons geval, een impasse. Geen gewoel en gedraai en gezucht naast me in het donker. Alleen koele onverschilligheid toen hij me welterusten kuste, gevolgd door een onmiddellijke, diepe slaap. Uiteraard heeft dit tot gevolg dat ik klaarwakker naast hem lig te koken van woede en in gedachten de hele avond nog eens aan me voorbij laat trekken, en daarna de voorbije weken, en de maanden die daaraan vooraf gingen. Er gaat immers niks boven een portie flinke, door ruzie veroorzaakte slapeloosheid om je in een toestand van koortsachtige hyper-analyse en razernij te brengen.

Dus als de staande klok in onze gang (een cadeau voor ons nieuwe huis van Stella waar ik niet zo blij mee ben, overigens, vanwege zijn onheilspellende uiterlijk en dito geluid) drie uur slaat, ben ik zo opgefokt dat ik verhuis naar de bank beneden, waar ik begin te denken aan onze verloving – de laatste keer dat ik in de verdediging ben geschoten over mijn afkomst, voor zover ik me kan herinneren.

Als ik heel eerlijk ben (waar ik niet voor in de stemming ben), verliepen de voorbereidingen voor onze bruiloft grotendeels zonder problemen. Dat schrijf ik voor een deel toe aan mezelf, aangezien ik een relatief relaxte bruid was en me eigenlijk alleen maar druk maakte over de fotografie, onze geloften, en – om een of andere merkwaardige reden – de taart (Suzanne is van mening dat dit simpelweg mijn excuus was om een heleboel gebak te proeven). Voor een deel verliep alles soepel, denk ik, omdat Margot het net allemaal achter de rug had, en Andy en ik er geen enkel probleem mee hadden om haar schaamteloos te kopiëren, en dezelfde kerk, country club, bloemist en band te nemen als zij. Maar het ging vooral goed, denk ik, omdat er maar één moeder bij betrokken was, en ik het prima vond dat zij de regie in handen nam.

Suzanne snapte het niet – die begreep niet hoe ik me zo makkelijk kon overleveren aan Stella met haar uitgesproken meningen en haar traditionele smaak.

'Roze rozen passen helemaal niet bij je,' zei ze op een middag, het vuur op de Grahams openend terwijl we mijn verzameling cd's doorwerkten, op zoek naar geschikte liedjes voor de eerste dans.

'Ik vind roze rozen prima,' zei ik schouderophalend.

'Schei uit, zeg. Maar dan nog... en al die andere dingen dan?' zei Suzanne, geagiteerd kijkend.

'Zoals?' vroeg ik.

'Zoals alles... het is alsof ze verwachten dat je een van hen wordt,' zei ze met overslaande stem.

'Dat is nou juist de essentie van trouwen,' zei ik kalm. 'Ik word ook een Graham, om het zo maar even te zeggen.'

'Maar het is de bedoeling dat er twee families samengaan bij een bruiloft... en deze bruiloft voelt alsof het meer iets van hén is dan van jóú. Het is bijna alsof ze... je proberen in te lijven... je eigen familie willen elimineren.'

'Hoe bedoel je?' vroeg ik.

'Eens even zien... Om te beginnen, ben je op hun terrein. Waarom ga je eigenlijk in godsnaam in Atlanta trouwen? Hoort de bruiloft niet plaats te vinden in de woonplaats van de brúíd?'

'Ik geloof het wel. In feite wel,' zei ik. 'Maar het is gewoon logischer om in Atlanta te trouwen, aangezien Stella het meeste werk doet.'

'En alle cheques uitschrijft,' zei Suzanne, waarop ik eindelijk in de verdediging schoot en zei dat het niet eerlijk was wat ze zei.

Toch vraag ik me nu af of geld niet toch een rol heeft gespeeld. Ik kan met onwrikbare zekerheid zeggen dat ik niet met Andy ben getrouwd vanwege zijn geld, en dat ik niet, zoals Suzanne leek te impliceren, gekócht ben. Maar ik geloof dat ik in zekere zin wel degelijk het gevoel had dat ik de Grahams dankbaar moest zijn, en dat ik daarom meegaand was als het ging om de details.

Afgezien van het geld, speelde er ook nog iets anders mee – iets duisters waar ik nooit zo heel goed naar heb willen kijken, tot op dit moment, midden in de nacht, op de bank. Het was een gevoel van ontoereikendheid – de angst dat ik in zekere zin misschien niet goed genoeg was. Misschien was ik gewoon niet goed genoeg voor Andy en zijn familie. Ik heb me nooit geschaamd voor mijn geboorteplaats, mijn afkomst of mijn familie, maar naarmate ik dieper in de familie Graham geworteld raakte, in hun manier van leven, hun tradities en gewoontes, ging ik onwillekeurig op een andere manier naar mijn eigen achtergrond kijken. En het was vanwege deze angst – misschien enkel onbewust destijds – dat ik werd overspoeld door een immens gevoel van opluchting toen Stella voorstelde om onze bruiloft in Atlanta te organiseren.

Destijds probeerde ik mijn gevoelens te rechtvaardigen. Ik hield mezelf voor dat ik niet voor niets uit Pittsburgh weg was gegaan. Ik wilde een ander leven voor mezelf – geen béter leven, gewoon een ander leven. En daar hoorde een ander soort bruiloft bij. Ik wilde niet trouwen in mijn tochtige katholieke kerk, gevulde kool eten uit roestvrijstalen warmhoudschalen, en de Vogeltjesdans doen in de VFW Hall. Ik wilde geen bruidstaart in mijn gezicht gesmeten krijgen, geen jarretelgordel van blauw kant om die mijn echtgenoot met zijn tanden moest losmaken, en ik wilde niet dat mijn boeket gevangen zou worden door een meisje van negen omdat praktisch iedere andere vrouwelijke gast al getrouwd is en kinderen heeft. En ik wilde niet bekogeld worden met rijst door de vrienden van mijn man – de weinigen die zich nog niet in een coma hadden gezopen – om vervolgens weg te rijden in een zwarte limousine met lege Iron City-blikjes aan de achterbumper gebonden, helemaal naar de Days Inn, waar we de nacht zouden doorbrengen voordat we naar Cancun zouden vliegen voor onze all inclusive huwelijksreis. Het is niet zo dat ik daar mijn neus voor ophaalde – ik had gewoon een ander beeld van een 'sprookjeshuwelijk'.

Nu begrijp ik dat het niet alleen een kwestie was van wat ik wilde voor mezelf – het was ook mijn angst voor wat de Grahams en hun vrienden van me zouden denken. Ik heb nooit geprobeerd te verbergen hoe ik ben opgegroeid, maar ik wilde niet dat ze het van al te dichtbij zouden zien, uit angst dat er misschien iemand tot de afgrijselijke conclusie zou komen dat ik niet goed genoeg was voor Andy. En het was deze emotie, deze angst, die gestalte kreeg en zich manifesteerde bij het kopen van mijn bruidsjurk.

Het begon allemaal toen Andy mijn vader officieel om mijn hand vroeg – hij was er echt helemaal voor naar Pittsburgh gevlogen zodat hij mijn vader mee uit eten kon nemen bij Bravo Franco, zijn favoriete restaurant in de stad, en hem persoonlijk om toestemming kon vragen. Het gebaar gooide hoge ogen bij mijn vader, die zo trots en gelukkig klonk toen hij het verhaal vertelde, dat ik nog lange tijd daarna schertsend heb gezegd dat hij vast en zeker bang was geweest dat hij me nooit uitgehuwelijkt zou krijgen (een grap die ik nooit meer heb gemaakt toen eenmaal duidelijk werd dat dat misschien wel eens Suzannes lot zou kunnen zijn). Hoe dan ook, tijdens hun lunch, nadat mijn vader jubelend zijn zegen had gegeven, werd hij ernstig en vertelde hij Andy over de spaarrekening die mijn moeder en hij lang geleden hadden geopend voor als hun dochters zouden gaan trouwen – er stond een bedrag op van zevenduizend dollar dat we naar eigen inzicht mochten besteden. Bovendien vertelde hij aan Andy dat hij graag mijn trouwjurk wilde kopen, omdat dat iets was waarvan mijn moeder altijd had gezegd dat ze dat op een dag met haar dochters zou gaan doen – het was een van de dingen waar ze in haar laatste dagen nog symbolisch veel verdriet van had gehad.

Dus toen Andy en ik ons verloofd hadden, deelde hij deze details met mij en sprak hij zijn dankbaarheid uit voor mijn vaders gulheid. Hij vertelde dat hij mijn ouwe heer echt heel graag mocht en dat hij had gewild dat hij mijn moeder ook mee uit lunchen had kunnen nemen. Ondertussen wisten Andy en ik echter allebei dat zevenduizend dollar slechts een druppel op de gloeiende plaat zou zijn van de kosten van onze overdadige bruiloft – en dat de Grahams het nogal omvangrijke verschil voor hun rekening zouden nemen. En daar had ik geen moeite mee. Ik had er geen moeite mee om de rol van dankbare schoondochter te spelen, en ik wist dat ik mijn vaders gevoelens niet zou hoeven kwetsen door tegen hem te zeggen dat zijn bijdrage amper voldoende zou zijn om de roze rozen van te betalen.

Het probleem zat 'm in de jurk. Op enig moment stond mijn vader erop dat ik de rekening rechtstreeks naar hem zou sturen.

Voor mij betekende dit dat ik een keuze moest maken uit twee onverteerbare opties – een goedkope jurk kopen, of iets uitkiezen wat mijn vader zich niet kon permitteren. Dus met dit dilemma in mijn achterhoofd, ging ik met een onbehaaglijk gevoel winkelen voor een jurk, samen met Stella, Margot en Suzanne, waarbij ik constant probeerde op de prijskaartjes te kijken en iets te vinden van onder de vijfhonderd dollar. Hetgeen simpelweg niet bestaat in Manhattan, althans, niet in de dure boetieks op Madison en Fifth Avenue waar Margot afspraken voor ons had gemaakt. Achteraf gezien weet ik dat ik Margot in vertrouwen had kunnen nemen, en dat zij onze zoektocht dan zo had kunnen sturen dat we wel een boetiekje gevonden zouden hebben in Brooklyn dat paste bij mijn vaders budget.

In plaats daarvan moest ik zo nodig verliefd worden op een krankzinnig dure Badgley Mischka-jurk bij Bergdorf Goodman. Het was de droomjurk waarvan ik niet wist dat ik hem moest hebben, totdat ik 'm zag – een simpele maar weelderige ivoorkleurige kokerjurk van crêpe met een met kralen bezette toplaag van tule. Stella en Margot sloegen hun handen in elkaar en hielden vol dat ik hem gewoonweg móést nemen, en zelfs Suzanne kreeg een brok in haar keel toen ik op mijn tenen een langzame pirouette maakte voor de driedelige spiegel.

Op het moment dat er afgerekend moest worden, trok Stella haar creditcard en zei dat zij per se wilde betalen. Ik aarzelde even en accepteerde toen haar genereuze aanbod, daarbij niet alleen mijn vader, maar ook mijn moeder schaamteloos buiten spel zettend, terwijl ik dit ondertussen in mijn hoofd op allerlei manieren probeerde te rechtvaardigen. *Wat niet weet, wat niet deert. Mijn moeder zal er niet bij zijn op mijn bruiloft – laat ik dan op zijn minst wel mijn droomjurk hebben. Zo zou zij het hebben gewild.*

De volgende dag, na lang en diep nadenken, bedacht ik de perfecte strategie om mijn sporen uit te wissen en mijn vaders trots in tact te houden. Ik ging terug naar Bergdorf, zocht daar een sluier uit van vijfhonderd dollar, en zei tegen de winkelbediende dat mijn vader die wilde betalen, en dat hij nog wel zou bellen om zijn creditcardnummer door te geven. Ik liet ook duidelijk doorschemeren dat ik graag wilde dat hij zou denken dat het bedrag ook mijn jurk omvatte. De winkelbediende, een tengere vrouw, Bonnie genaamd, met dunne lippen en een Upper East Side accent dat ik nooit zal vergeten, knipoogde alsof ze het begrepen had, noemde me 'lieverd' en zei op samenzweerderige toon dat ze het wel zou regelen voor me, geen probleem. Maar natuurlijk maakte die brave Bonnie er een potje van en stuurde ze mijn vader de rekening plús de sluier. En hoewel hij er nooit een woord over heeft gezegd, zei de uitdrukking op zijn gezicht toen hij me in Atlanta die sluier overhandigde meer dan genoeg. Ik wist dat ik hem enorm had gekwetst, en we wisten allebei waarom ik het had gedaan. Ik heb me in mijn hele leven nog nooit zo geschaamd.

Ik heb het verhaal nooit aan Andy verteld – ik wilde het zo graag vergeten dat ik het aan niemand heb verteld. Maar ik denk dat die emoties vanavond aan Margots eettafel weer de kop opstaken, en nu weer, midden in de nacht, terwijl ik weer helemaal vervuld word van schaamte. Schaamte die maakt dat ik zou willen dat ik de tijd terug kon draaien en een andere jurk kon dragen op mijn trouwdag. Dat ik zou willen dat ik die uitdrukking op mijn vaders gezicht weg kon nemen. Maar dat kan ik uiteraard niet.

Wat ik echter wél kan doen, is de Ginny's van deze wereld met opgeheven hoofd tegemoet treden. En ik kan haar – en iedereen – laten weten dat ik trots ben op mijn afkomst, trots op wie ik ben. En ik kan verdomme ook op de bank slapen uit protest als mijn eigen echtgenoot het niet begrepen heeft.

vijfentwintig

Als ik de volgende ochtend wakker word, staat Andy over me heen gebogen. Hij is al gedoucht, en gekleed in een felgroene polo, een korte broek met grote ruiten en een geweven leren riem. 'Hoi,' zeg ik, mijn keel schrapend terwijl ik bij mezelf denk dat een korte broek met grote ruiten belachelijk staat bij iedereen boven de vijf.

'Hé,' zegt hij, zo kortaf dat ik begrijp dat een nachtje slapen zijn probleem niet heeft opgelost. Ons probleem.

'Waar ga je heen?' vraag ik bij het zien van de autosleutels in zijn hand en zijn portefeuille die uit zijn achterzak puilt.

'Een paar boodschapjes doen,' zegt Andy.

'Oké,' zeg ik, en ik voel mijn woede weer oplaaien vanwege zijn halsstarrige weigering om het over gisteravond te hebben, om te vragen wat er scheelt, waarom ik op de bank heb geslapen, om zich af te vragen of ik wel gelukkig ben hier in Atlanta.

Hij draait zijn sleutels rond aan zijn wijsvinger – een gewoonte die me op mijn zenuwen begint te werken – en zegt: 'Dus tot straks dan, hè?'

'Ja hoor. Best,' mompel ik.

Ik kijk naar hem terwijl hij een paar nonchalante stappen doet in de richting van de deur voordat ik ontplof. 'Hé!' zeg ik, de noordelijke definitie van het woord gebruikend.

Andy draait zich om en kijkt me koeltjes aan.

'Wat is in godsnaam jouw probleem?' zeg ik, met overslaande stem.

'Míjn probleem?' vraagt Andy met een ironisch glimlachje.

'Ja. Wat is jóúw probleem?' zeg ik, me realiserend dat onze manier van ruzie maken allesbehalve verfijnd is, waarschijnlijk omdat we het niet vaak genoeg doen. Sterker nog, ik kan me geen enkele substantiële ruzie herinneren sinds we getrouwd zijn. Iets waar ik altijd als een soort eremedaille mee pronkte.

'Jíj bent degene die op de bank heeft geslapen,' zegt Andy, ijsberend voor de open haard, nog steeds met zijn sleutels spelend.

'Vind je dat normaal, dan? We hebben altijd gezegd dat we dat nooit zouden doen...'

Ik smijt de plaid van mijn benen af, ga rechtop zitten en gooi het er eindelijk uit. 'Waarom heb je het gisteravond in godsnaam niet voor me opgenomen?'

Andy kijkt me aan, alsof hij aandachtig over de vraag nadenkt, en zegt dan: 'Sinds wanneer heb jij iemand nodig die je komt redden? Je lijkt namelijk volkomen zelfredzaam de laatste tijd.'

'Wat wil je daar nou weer mee zeggen?' bijt ik hem toe.

'Je weet precies wat ik daarmee wil zeggen,' zegt hij – wat me nog veel pissiger maakt.

Doelt hij op het feit dat ik hier helemaal alleen ben terwijl hij werkt en golf speelt? Of dat ik niets gemeen heb met de vrouwen hier uit de buurt? Of dat we bijna nooit meer vrijen – en, áls we het doen, nauwelijks een woord meer wisselen na afloop?

'Ik weet helemaal niet wat je bedoelt,' sputter ik. 'Maar wat ik wél weet, is dat het fijn zou zijn geweest als mijn man iets te zeggen zou hebben gehad tegen die trút en haar debiele echtgenoot met zijn rooie kop toen ze –'

'Alsjeblieft, zeg. Toen ze wat?' zegt Andy. 'Toen ze een grapje maakte over je wijn?'

'Nou, wat grappig,' zeg ik.

'O, toe nou,' zegt Andy. 'Ze dacht dat Margot die wijn had gekocht... Is ze dan meteen een trut?'

'Ze was altíjd al een trut. Maar nu is ze dus ook nog eens een snob... Een snob die geen énkel recht heeft om zich als snob te gedragen,' zeg ik, bij mezelf denkend dat dát me nog het meest tegen de borst stuit aan Ginny en Craig. Snobs zijn altíjd stuitend, maar het is minder erg als ze een bepaald talent bezitten of zo. Maar Ginny en Craig bezitten geen enkel talent – het zijn gewoon ondraaglijke zeikerds die hun hele identiteit ontlenen aan spúllen. Aan mooie auto's en dure wijnen, aan bezadigde parels en seersucker shorts.

'Dan is ze maar een snob,' zegt Andy schouderophalend. 'Vroeger lachte je altijd om zulke mensen... En nu... nu zit je hier met een enorme fuck-Atlanta mentaliteit en vat je alles meteen zo vreselijk persoonlijk op.'

'Het was ook persoonlijk gisteravond,' zeg ik.

'Nou, ik zou denken van niet,' zegt hij op zijn kalme advocatentoon. 'Maar laten we zeggen dat het wel zo was.'

'Ja. Laten we dat eens doen,' zeg ik met een grote nepglimlach.

Hij negeert mijn sarcasme en vervolgt: 'Was het dan echt nodig om mijn zus en Webb in zo'n lastig parket te brengen?'

Mijn zus, denk ik. Andy noemt Margot nooit 'mijn zus' als hij het met mij over haar heeft, en ik denk onwillekeurig bij mezelf dat dit heel veelzeggend is voor zijn gemoedstoestand. Een gemoedstoestand die de mijne begint te weerspiegelen. *Jij versus zij*, hoor ik Suzanne in gedachten zeggen. *Jij bent niet een van hen.*

'Kennelijk vond ik dat nodig, ja,' zeg ik, bij mezelf denkend dat dat de prijs is die je moet betalen als je zulke mislukte vrienden hebt.

'En ik vond kennelijk van niet,' zegt Andy.

Ik kijk naar hem en voel me totaal verslagen en geïsoleerd, terwijl ik bedenk dat het vrijwel onmogelijk is om ruzie te maken met een beheerste, ik-sta-ver-boven-je echtgenoot die je zojuist in zoveel woorden heeft verteld dat hij andermans gevoelens belangrijker vindt. Belangrijker dan de mijne, om precies te zijn. Dus ik zeg: 'Tja, jij bent een veel beter mens dan ik. Dat is duidelijk.'

'O, Ellen, alsjeblíéft zeg. Hou op met ruzie zoeken, wil je?'

Ik realiseer me dat hij volkomen gelijk heeft – ik ben inderdaad ruzie aan het zoeken. En niet zo'n klein beetje ook. Toch maakt dit inzicht me er niet milder op. Het maakt me zo mogelijk juist alleen nog maar kwader – en vastbesloten om dit ook te blijven.

'Ga jij je boodschapjes nou maar doen,' zeg ik, hem in de riching van de deur wuivend. 'Ik ga hier wel de hele dag staan strijken.' Hij rolt met zijn ogen en zucht. 'Oké, Ellen. Wees maar een martelaar. Wat jij wilt. Ik zie je wel weer.' Dan draait hij zich om en loopt naar de deur.

Ik trek een gezicht en steek achter zijn rug mijn beide middelvingers op, en luister vervolgens naar de garagedeur die opengaat en Andy's BMW die aanslaat en wegrijdt, mij alleen achterlatend in de oorverdovende stilte. Ik blijf een paar minuten zitten, vol zelfmedelijden, en vraag me af hoe Andy en ik hierin verzeild zijn geraakt – in de staat Georgia en in deze emotioneel gespannen toestand in ons huwelijk. Een huwelijk dat nog geen jaar oud is. Ik bedenk dat iedereen altijd zegt dat het eerste jaar het moeilijkste is en vraag me af wanneer – óf – het makkelijker zal worden. En in die stille momenten bezwijk ik voor de verleiding om te doen wat ik al sinds onze aankomst in Atlanta heb willen doen.

Ik ga naar boven naar de werkkamer en graaf uit mijn bureaula het verboden *Platform Magazine* op, dat ik niet meer heb opengeslagen sinds ons afscheidsfeestje in New York. Zelfs niet toen ik het tijdschrift zag staan toen ik bij Kroger in de rij stond bij de kassa of toen Andy vol trots zijn eigen, gekochte exemplaar aan zijn ouders liet zien.

Een paar minuten lang staar ik naar de omslagfoto van Drake. Dan klikt er iets in mijn binnenste, haal ik diep adem, ga zitten en blader naar het verhaal. Mijn hart bonkt bij het zien van de vetgedrukte naamregel en Leo's blokken tekst en mijn foto's – foto's die alle emoties van die dag weer oproepen – de misselijkmakende spanning, het verlangen. Emoties die me vreemd zijn de laatste tijd.

Ik doe mijn ogen dicht, en als ik ze opendoe, begin ik te lezen, hongerig het verhaal verslindend. Als ik bij het einde ben gekomen, lees ik het nog twee keer helemaal, langzaam en grondig, alsof ik zoek naar een geheime, dubbele betekenis die verborgen is in de alinea's, zinnen, woorden – en die vind ik ook, telkens weer, tot mijn hoofd ervan tolt en ik niets anders meer wil dan met Leo praten.

Dus ik ga een stap verder.

Ik zet de computer aan, typ zijn e-mailadres en schrijf een berichtje aan hem:

Leo,

Zojuist je artikel gelezen. Het is perfect. Zo bevredigend.
Nogmaals dank voor alles. Hoop dat alles goed met je gaat.

Ellen

Dan, voordat ik mezelf op andere gedachten kan brengen, druk ik op verzenden. Met het indrukken van die ene toets is al mijn frustratie en verontwaardiging en angst in één klap verdwenen. Ergens diep vanbinnen weet ik dat ik fout zit. Ik weet dat ik mijn gedrag voor mezelf probeer te rechtvaardigen, en ik ben bang dat ik zelfs problemen aan het verzinnen ben met Andy om dit resultaat te krijgen. Ik weet ook dat ik mezelf alleen nog maar meer ellende op de hals haal. Maar voorlopig voel ik me goed. Héél goed. Beter dan ik me in lange tijd heb gevoeld.

zesentwintig

Exact vier minuten later verschijnt Leo's naam in mijn post-vakje. Verbijsterd staar ik naar het scherm, alsof ik mijn oma ben die zich verbaast over de technologie – *Hoe komt dat daar nou in vredesnaam?* – en heel even heb ik spijt van wat ik ben begonnen. Ik overweeg zelfs om zijn mailtje te wissen, of op zijn minst een paar uur bij de computer weg te lopen om de knoop in mijn borst wat losser te maken.

Maar de verleiding is te groot. Dus in plaats daarvan schiet ik weer in de rationaliseringsmodus en zeg tegen mezelf dat ik dit punt niet zomaar heb bereikt. Dat ik geen contact met Leo heb gezocht in een opwelling. Ik heb hem níét geschreven na een be-tekenisloze echtelijke ruzie. Er zijn weken van eenzaamheid en depressie en frustratie – grenzend aan wanhoop – aan vooraf ge-gaan. Mijn man die me gisteravond de rug toekeerde – en van-ochtend weer. Bovendien, het is maar een mailtje. Wat kan dat nou voor kwaad?

Dus ik haal diep adem en klik Leo's antwoord open, mijn hart harder bonkend dan ooit terwijl ik zijn berichtje lees, dat intiem in uitsluitend kleine letters geschreven is:

dank. ik ben blij dat je het mooi vond. het was een geweldige dag. Leo
ps waarom duurde het zo lang?

Ik voel dat ik bloos terwijl ik haastig terugschrijf:

Voordat ik je verhaal had gelezen of voordat ik contact opnam?

Hij antwoordt bijna meteen:

allebei.

Ik glimlach en voel mijn stress wegebben. Vervolgens doe ik mijn best om een adrem maar oprecht antwoord te verzinnen. Een weloverwogen reactie die het gesprek op gang houdt zonder een grens te overschrijden en flirterig te worden. Uiteindelijk schrijf ik:

Beter laat dan nooit?

Ik druk op verzenden en buig me dan naar de computer toe, mijn vingers in de aanslag boven het toetsenbord in de basispositie die ik heb geleerd op de typeles op de middelbare school, mijn hele lichaam alert in afwachting van zijn reactie. Die komt weer vrijwel direct:

wat je zegt.

Ik houd mijn hoofd scheef, mijn mond wijd open, terwijl ik nadenk over wat hij precies bedoelt. Ik denk aan al die jaren die zijn verstreken zonder enige vorm van contact, en dan aan de dagen sinds onze vliegreis. Ik bedenk hoe hard ik mijn best heb gedaan, en nog steeds mijn best doe, om hem te weerstaan – en ik denk aan onze gevaarlijke chemie. Ik vraag me af wat het allemaal betekent – het moet iets betekenen. En dat iets is doodeng en vervult me met intense katholieke-schoolmeisjes-schuldgevoelens.

Maar dan zie ik Andy voor me – met zijn lippen stijf op elkaar aan de eettafel gisteravond, vervolgens zijn gesteven pyjama dichtknopend voordat hij naar bed ging, en daarna zoals hij vanochtend over de bank heen gebogen stond met die verwijtende uitdrukking op zijn gezicht. En ik stel me hem voor zoals hij op dit moment vrolijk door de stad banjert, links en rechts bekenden en onbekenden groetend, en overal even een praatje makend. Een praatje op de golfbaan, een praatje in de kerk, een praatje bij de benzinepomp. Zorgeloze, luchtige praatjes.

Ik ga sneller ademhalen terwijl ik schrijf:

Ik heb onze gesprekken gemist.

Ik staar naar de schaamteloze zin en wis hem dan, kijkend hoe de letters in omgekeerde volgorde van mijn beeldscherm verdwijnen. Maar zelfs als ze weg zijn, zie ik ze nog. Voel ik ze nog, in mijn hart gegrift. Het is de waarheid, precies wat ik voel, exáct wat ik wil zeggen. Ik heb de gesprekken met Leo gemist. Dat is al jaren zo – en sinds onze vliegreis helemaal. Dus ik schrijf de woorden opnieuw, doe mijn ogen dicht en druk op verzenden, misselijk en opgelucht tegelijk. Als ik mijn ogen weer opendoe, heeft Leo al gereageerd:

ik heb jou ook gemist, ellen.

Ik hap naar adem. Het feit dat hij mijn naam gebruikt, doet iets met me. En het feit dat hij het woord 'ook' gebruikt – alsof hij weet, zonder het te zeggen, dat ik niet alleen de gesprékken met hem heb gemist, maar ook hemzélf. En dan de aanblik van de letters op het scherm – simpel en onomwonden en oprecht, alsof het niks bijzonders is om dit te zeggen, omdat het het meest vanzelfsprekende, onmiskenbare feit van de wereld is. Als verlamd denk ik na over mijn opties terwijl er alweer een nieuw mailtje mijn postvak binnen rolt.

Ik klik het open en lees:

ben je er nog?

Ik knik naar het scherm, stel me zijn gezicht voor terwijl hij wacht op mijn reactie, en denk dan bij mezelf dat Andy thuis zou kunnen komen, de keuken in brand zou kunnen steken en vervolgens over mijn schouder zou kunnen meekijken, en dat ik dan waarschijnlijk nog steeds op deze stoel geplakt zou blijven zitten.

Ja.

Ik druk op verzenden, wacht. Hij schrijft terug:

mooi.

En dan, seconden later, in een nieuw mailtje:

misschien zou dit makkelijker gaan over de telefoon... kan ik je bellen?

Dít, denk ik bij mezelf. Wat is dít? Dit gesprek? Deze biecht? Deze dans naar ontrouw? Ik aarzel, wetend hoeveel veiliger mailen is, wetend dat instemmen met bellen weer een brug verder is. Maar het deel van mij dat graag met hem wil praten, wil begrijpen wat we samen hadden en waarom het voorbij is, kan me er niet van weerhouden om te schrijven:

Ja.

Dus hij belt. Ik hoor het gedempte geluid van mijn mobieltje dat vrolijk rinkelt in mijn tas, die ik de vorige avond in mijn kast heb gesmeten, en ren ernaartoe om op te nemen voordat hij op de voicemail gaat.

'Hoi,' zeg ik, mijn best doend om niet te hijgen en om vooral nonchalant te klinken, alsof ik niet in extase ben nu ik zijn stem weer hoor.

Ik kan horen dat hij glimlacht als hij zegt: 'Hoi, Ellie.'

Mijn hart smelt en ik beantwoord zijn glimlach met een grijns. 'Zo,' zegt hij. 'Heb je mijn artikel echt net pas gelezen?'

'Hm-m,' zeg ik, uit het raam starend naar onze oprit beneden.

'Heeft je agente je het exemplaar niet gegeven dat ik had opgestuurd?' vraagt hij.

'Jawel,' zeg ik, en ik voel me merkwaardig schuldbewust omdat ik zo onverschillig lijk over zijn verhaal. Hij moet echter beter weten. Hij moet weten hoeveel die dag voor me heeft betekend – hetgeen de ware reden was waarom ik zo lang heb gewacht met het lezen van zijn artikel. Toch zoek ik hakkelend naar een excuus en zeg: 'Jawel. Maar ik... heb het ontzettend druk gehad de laatste tijd.'

'O ja?' zegt hij. 'Heb je veel opdrachten?'

'Niet echt,' zeg ik, terwijl ik Bob Dylan 'Tangled up in blue' hoor zingen bij hem op de achtergrond.

'Druk waarmee dan?' dringt hij aan.

Druk met etiketten maken en Oprah *kijken en strijken,* denk ik bij mezelf, maar ik zeg: 'Nou, om te beginnen ben ik naar Atlanta verhuisd.' Ik zwijg even, overspoeld door een nieuwe golf van schuldgevoel vanwege mijn gebruik van het woord *ik.* Maar ik verbeter mezelf niet. Het voelt tegenwoordig immers echt als *ik.*

Leo vraagt: 'Atlanta, zeg je?'

'Ja.'

'Heb je het naar je zin daar?'

'Echt niet!' zeg ik met luchtige, opgewekte ironie.

Leo lacht en zegt: 'Serieus? Een vriend van me woont in Atlanta – Decatur, geloof ik? Hij zegt dat het best hip is daar. Veel te doen... goeie muziek, cultuur.'

'Niet echt, hoor,' zeg ik, bij mezelf denkend dat ik Atlanta waarschijnlijk te kort doe. Dat het waarschijnlijk gewoon de Graham-versie van Atlanta is waar ik een probleem mee heb. En dat is op zich natuurlijk een groot probleem.

'Wat vind je er niet leuk aan?' vraagt Leo.

Ik aarzel, bedenk dat ik het beter vaag kan houden, algemeen, kort, maar in plaats daarvan geef ik een gedetailleerde opsomming van alles wat me niet bevalt aan het zogenaamde goede leven, strooiend met woorden als *bekrompen* en *verwend, omhooggevallen* en *verstikkend.*

Leo fluit. 'Nou nou,' zegt hij. 'Gooi het er maar uit.'

Ik glimlach, me realiserend hoeveel beter ik me voel na mijn tirade – en nog veel beter als Leo zegt, met een hoopvolle klank in zijn stem: 'Kun je terugverhuizen naar New York?'

Ik begin nerveus te lachen en dwing mezelf om de naam van mijn man te noemen. 'Ik denk niet dat Andy daar blij mee zou zijn.'

Leo schraapt zijn keel. 'Nee. Vast niet... Hij is... van daar, toch?'

'Ja,' zeg ik, en ik denk bij mezelf, *Hij is de held van de buurt.*

'Heb je hem dan verteld dat je vindt dat zijn stad waardeloos is?' vraagt Leo. 'Dat ergens anders wonen dan in New York net zoiets is als lauwe frisdrank drinken waar de prik uit is?'

'Niet echt,' zeg ik luchtig, balancerend op een koord van loyaliteit. Ik heb altijd gevonden dat je beklag doen over je eega in sommige opzichten nog erger is dan fysiek verraad: ik zou bijna liever hebben dat Andy een andere vrouw kust dan dat hij tegen diezelfde vrouw zou zeggen dat ik, bijvoorbeeld, beroerd was in bed. Dus ondanks onze ruzie van gisteravond, neem ik een andere toon aan en probeer zo eerlijk mogelijk te zijn. 'Hij is hier heel gelukkig... hij werkt nu bij zijn vader in de zaak... je weet wel, het familiebedrijf en zo... en we hebben al een huis gekocht.'

'Laat me raden,' zegt Leo. 'Een kast van een huis met alles erop en eraan?'

'Zo ongeveer,' zeg ik, gegeneerd vanwege mijn rijkdom – en tegelijk ook een klein beetje defensief. Ik heb er immers zelf voor gekozen. Ik heb gekózen voor Andy. Zijn familie. Dit leven.

'Hmm,' zegt Leo, alsof hij het allemaal even moet laten bezinken.

Ik vervolg: 'Zijn familie zou het niet overleven als we terug verhuisden.'

'Dus Margot is daar ook?' vraagt Leo met een zweem van minachting.

In innerlijke tweestrijd gebracht, zeg ik: 'Ja. Ze is ongeveer een jaar geleden hierheen verhuisd... en ze is hoogzwanger... Dus... het is... in feite te laat om terug te verhuizen.'

Leo maakt een geluid – alsof hij lacht of heel diep uitademt.

'Wat?' zeg ik.

'Niks,' zegt hij.

'Vertel het me,' zeg ik zacht.

'Nou,' zegt hij. 'Hadden we niet net nog gezegd... dat het nooit te laat is?'

Ik krijg een wee gevoel in mijn maag, schud mijn hoofd en zeg geluidloos *fuck*. Dit gaat niet goed. En dit gevoel wordt alleen maar sterker als Leo zegt: 'Misschien zou je je beter voelen als je terugkwam voor nog een shoot?'

'Terug naar New York?'

'Ja,' zegt hij.

'Met jou?' vraag ik aarzelend, hoopvol.

'Ja,' zegt Leo. 'Met mij.'

Ik adem in, laat mijn tanden langs mijn onderlip glijden en zeg: 'Ik weet niet of dat wel een goed idee is...' Mijn stem sterft weg, en er valt een gespannen stilte waarin mijn hart als een bezetene tekeergaat.

Hij vraagt waarom – al móét hij weten waarom.

'Eens even denken,' zeg ik, me verschuilend achter een schild van speels sarcasme. 'Eens even denken... Omdat ik getrouwd ben misschien?... En jij mijn ex bent?' Dan, tegen beter weten in, kan ik de verleiding niet weerstaan om eraan toe te voegen: 'Mijn ex die jaren geleden spoorloos uit mijn leven verdwenen is, die ik nooit meer heb gezien, waar ik nooit meer iets van heb vernomen, tot ik hem op een dag toevallig tegen het lijf liep?'

Ik wacht tot hij antwoord geeft, bang dat ik misschien te veel heb gezegd. Na een hele tijd – voor mijn gevoel, althans – zegt hij mijn naam, *Ellie*, en hij klinkt weer precies zoals hij vroeger klonk, in het prille begin.

'Ja?' fluister ik terug.

'Ik moet je iets vragen...'

Ik verstijf in afwachting van zijn vraag terwijl ik zeg: 'Wat dan?'

Hij schraapt zijn keel en zegt: 'Heeft Margot je ooit verteld... dat ik terug ben gekomen?'

Er schiet van alles door mijn hoofd terwijl ik me afvraag waar hij het over heeft, en ik vrees het ergste – wat tegelijkertijd ook het béste is.

'Je bent teruggekomen?' zeg ik uiteindelijk, duizelig van de enorme impact die zijn woorden hebben. Ik wend me af van het raam. 'Wannéér ben je teruggekomen?'

'Ongeveer twee jaar later,' zegt Leo.

'Hoezo, twee jaar later?' vraag ik, maar ik weet het antwoord al.

En jawel, hij zegt: 'Twee jaar nadat we uit elkaar waren gegaan –'

'Wanneer precies?' zeg ik, terwijl ik als een bezetene probeer om een en ander te plaatsen in de tijd – ongeveer een maand nadat Andy en ik verkering kregen, mogelijk zelfs wel op de dag dat we voor het eerst met elkaar naar bed gingen – negenentwintig december.

'O, ik weet niet. Vlak na de kerst...'

Ik laat deze idiote, onwaarschijnlijke chronologie op me inwerken en vraag dan: 'Naar ons appartement?'

'Ja. Ik was in de buurt... en ben gewoon... even langs gegaan om je te zien. Ze heeft het je niet verteld, hè?'

'Nee,' zeg ik ademloos. 'Nee... Dat heeft ze me nooit verteld.'

'Ja,' zegt hij. 'Dat dacht ik al.'

Ik zwijg even, voel me licht in mijn hoofd, en zwak, en nog meer uit het lood geslagen dan die dag op het kruispunt. 'Wat heb je tegen haar gezegd? Waar kwam je voor?'

'Ik weet het niet meer... precies,' zegt Leo.

'Je weet niet meer waar je voor kwam? Of wat je hebt gezegd?'

'O, ik weet nog wel waar ik voor kwam,' zegt Leo.

'Nou?'

'Ik wilde tegen je zeggen dat... het me speet... Dat ik je miste...'

Misselijk en duizelig doe ik mijn ogen dicht en zeg: 'Heb je dat tegen Margot gezegd?'

'Ik kreeg de kans niet.'

'Waarom niet? Wat is er gebeurd? Vertel me alles,' gebied ik.

'Nou. Ze wilde me niet boven laten komen... in plaats daarvan kwam ze zelf naar beneden... We hebben in jullie lobby staan praten... Ze heeft me ronduit verteld hoe ze over me dacht.'

'En hoe was dat?' vraag ik.

'Ze haatte me,' zegt hij. 'Vervolgens vertelde ze me dat je een relatie had... dat je heel erg gelukkig was. Ze zei tegen me dat ik je met rust moest laten – dat je niets met me te maken wilde hebben. Zoiets...'

Ik probeer zijn woorden te verwerken terwijl hij verder gaat en vraagt: 'Was dat echt zo... had je op dat moment een relatie?'

'Een beginnende relatie,' zeg ik.

'Met Andy?'

'Ja.' Ik schud mijn hoofd en ik voel dat ik boos word. Boosheid die nog over is van gisteravond. Boos vanwege de timing. Boos op mezelf omdat ik me zo kwetsbaar voel, zo naakt. En vooral boos op Margot omdat ze zoiets belangrijks voor me heeft verzwegen. Zelfs na al die jaren.

'Ik kan gewoon niet geloven dat ze nooit iets heeft gezegd,' zeg ik, en ik voel de tranen branden terwijl ik me afvraag waarom hij niet heeft gebeld of gemaild. Hoe heeft hij Margot nou kunnen vertrouwen?

'Ja,' zegt hij. 'Alhoewel... ik weet dat het geen verschil zou hebben gemaakt.'

Er valt weer een stilte op de lijn terwijl ik nadenk over mijn antwoord. Ik weet wat ik zou moeten zeggen. Ik zou moeten zeggen dat hij gelijk heeft – dat het geen verschil zou hebben gemaakt. Ik zou tegen hem moeten zeggen dat hij te laat was, en dat ik dezelfde beslissing zou hebben genomen die Margot voor me heeft genomen. Ik zou tegen hem moeten zeggen dat ze het beste met me voor had en daarnaar handelde. Dat Andy nog steeds het beste voor me is.

Maar ik kan me er niet toe zetten om iets van dit alles te zeggen. Ik kan me niet over het gevoel heen zetten dat me iets ontnomen is. In het ergste geval is me de keuze voor een ander leven ontnomen – een keuze die ík had moeten maken, en niet iemand anders. Wat me in ieder geval is ontnomen, is de kans om het af te sluiten – belangrijke informatie die me een beter gevoel zou hebben gegeven over het ergste wat me ooit was overkomen sinds de dood van mijn moeder – en de kans om mijn gevoelens voor Leo te verzoenen met de manier waarop het is geëindigd tussen ons. Ja, we zijn uit elkaar gegaan. Ja, Leo was degene die er een punt achter heeft gezet. Maar hij had er spijt van. Hij hield genoeg van me om terug te komen. Ik was het waard om voor terug te komen. Het zou misschien geen verschil hebben gemaakt in mijn leven, maar het zou wel een verschil hebben gemaakt in mijn hart. Ik doe mijn ogen dicht, laat me meevoeren op een golf van verontwaardiging en wrevel en nog meer woede.

'Nou ja,' zegt Leo, en hij klinkt niet helemaal op zijn gemak terwijl hij zijn uiterste best doet om van onderwerp te veranderen, terug te keren naar het heden.

'Nou ja,' echo ik.

Dan, op het moment dat ik de garagedeur hoor opengaan en Andy hoor thuiskomen van waar hij ook geweest moge zijn, geef ik toe aan wat ik de hele tijd al wil. 'Dus,' zeg ik. 'Vertel me eens iets over die opdracht.'

'Dus je komt?' vraagt Leo hoopvol.

'Ja,' zeg ik. 'Ik kom.'

zevenentwintig

In de paar minuten die daarop volgen, luister ik terwijl Leo me een korte omschrijving geeft van de opdracht – een artikel over Coney Island – biddend dat Andy niet de kamer binnenstormt en me betrapt, ademloos en met rode konen. Op een gegeven moment zal ik hem moeten vertellen dat ik naar New York ga – maar het mag niet zo zijn dat deze opdracht verband houdt met onze ruzie. Er is geen verband.

'Ik heb gewoon een paar algemene foto's van het strand nodig... de pier... de attracties,' zegt hij.

'O, prima,' zeg ik afwezig. Ik ben nog niet zo ver dat ik wil ophangen – nog lang niet – maar ik wil geen risico's nemen.

'Een stuk minder spectaculair dan de vorige shoot, hè?' zegt Leo, alsof ik deze shoot zou doen vanwege de glitter en glamour.

'Dat geeft niet,' zeg ik, nerveus hengelend naar nog meer details. 'Voor welk blad is het?'

'*Time Out.*'

Ik knik en zeg: 'Wanneer heb je de foto's nodig?'

'Binnen een paar weken. Lukt dat?'

'Vast wel,' zeg ik, mijn best doend om cool over te komen, te doen alsof mijn hoofd niet tolt van de ontdekking dat hij teruggekomen is. 'Ik wil er graag meer over horen... maar...'

'Je moet ophangen?' vraagt Leo, en tot mijn genoegen klinkt hij teleurgesteld.

'Ja,' zeg ik – en dan spel ik het voor hem. 'Andy is thuis...'

'Duidelijk,' zegt Leo op een manier die onze status van samenzweerders lijkt te bevestigen. In tegenstelling tot de shoot met Drake, is dit iets van ons samen. Van het begin tot het eind.

'Ik bel je nog wel...' Mijn stem sterft weg.

'Wanneer?' vraagt hij, en hoewel zijn toon niet gretig is, is de vraag dat zeker wel.

Ik glimlach onwillekeurig als ik bedenk hoe ik hem vroeger altijd op precies dezelfde manier probeerde vast te pinnen, altijd wilde weten wanneer we elkaar weer zouden spreken, elkaar weer zouden zien. Dus vuur ik een van zijn eigen, ironische antwoorden van vroeger op hem af. 'Zo snel als maar enigszins mogelijk is,' zeg ik, me afvragend of hij zich zijn eigen tekst zal herinneren – en of hij die bij hoe-heet-ze ook gebruikt.

Leo lacht, en dat klinkt zo goed. Reken maar dat hij het zich nog herinnert. Hij weet alles nog, net als ik.

'Fantastisch,' zegt hij. 'Ik wacht op je telefoontje.'

'Oké,' zeg ik, en er loopt een rilling over mijn rug als ik bedenk hoe lang ik op hem heb gewacht, hoe lang het duurde voordat ik het uiteindelijk opgaf.

'Nou... dag, Ellen,' zegt Leo, en de glimlach is weer terug in zijn stem. 'Dag, dag.'

'Dag, Leo,' zeg ik, en ik klap mijn telefoon dicht en haal een paar keer diep adem om tot mezelf te komen. Dan wis ik de oproepgeschiedenis en loop naar de badkamer. *Dit is puur zakelijk,* denk ik bij mezelf terwijl ik in de spiegel kijk. *Dit is puur het zoeken van mijn eigen geluk.*

Ik poets mijn tanden, plens koud water over mijn gezicht en trek een schoon T-shirt en een witte, korte broek aan. Vervolgens ga ik naar beneden, zet me schrap voor de confrontatie met Andy en realiseer me dat de boosheid van vanochtend weliswaar nog niet helemaal is weggeëbd, maar dat mijn gesprek met Leo de intensiteit van mijn woede wel heeft afgezwakt en heeft vervangen door ingetogen opwinding en een door schuldgevoelens ingegeven tolerantie. Als Andy in de achtertuin een potje croquet aan het spelen zou zijn met Ginny, zou ik werkelijk geen spier vertrekken, geloof ik. Misschien zou ik ze zelfs wel een muntcocktail serveren.

Maar in plaats van Ginny, blijkt Stella bij Andy te zijn; in plaats van croquet, zie ik een hele rij glimmende Neiman Marcus-tassen op de aanrecht staan. Andy werpt me een blik toe die of verontschuldigend is, of simpelweg een smeekbede om onze echtelijke spanningen privé te houden – of misschien wel allebei – terwijl hij wit vloeipapier van een grote, zilveren fotolijst wikkelt. Ik schenk hem een geruststellende, bijna neerbuigende glimlach en schiet dan automatisch in de goede-schoondochter-modus.

'Hallo, Stella,' zeg ik opgewekt, mijn rug rechtend om haar perfecte houding te evenaren – net zoals ik vaak merk dat ik duidelijker ga articuleren en langzamer ga praten in haar nabijheid.

'Hé, lieve schat!' zegt ze, en omhelst me ter begroeting.

Ik inhaleer haar kenmerkende zomerparfum – een mengeling van oranjebloesem en sandelhout – terwijl ze vervolgt: 'Ik hoop dat je het niet erg vindt... ik heb een paar fotolijstjes voor jullie gekocht.'

Ik werp een blik op de aanrecht en zie nog minstens tien andere zilveren fotolijstjes in diverse maten, stuk voor stuk met allemaal tierelantijntjes, stuk voor stuk deftig, en ongetwijfeld stuk voor stuk peperduur.

'Ze zijn prachtig... Maar dat had je niet hoeven doen,' zeg ik, wensend dat ze het inderdaad niet had gedaan. Want hoewel het wérkelijk prachtige lijstjes zijn, zijn ze ook totáál niet mijn stijl. Onze simpele, zwarte, houten lijstjes zijn mijn stijl.

'Och, het was niets,' zegt Stella terwijl ze een lijst met parelrand openschuift en er een familieportret uit haar jeugd in stopt, waarop iedereen gekleed is in fijn wit linnen, breed grijnzend aan boord van een kleine boot in Charleston. Het ultieme, nonchalant elegante, burgerlijke zomerkiekje. Ze blaast een stofje van het glas en veegt met haar duim een vieze plek van een hoekje. 'Gewoon een klein cadeautje voor jullie nieuwe huis.'

'Je hebt ons al zoveel gegeven,' zeg ik, denkend aan de staande klok, de linnen gastendoekjes voor op het toilet, het tweedehandse maar nog steeds onberispelijke Italiaanse meubilair voor op de veranda, het olieverfschilderij van Andy als kind – allemaal zogenaamde cadeautjes voor het nieuwe huis, allemaal dingen die ik niet kon weigeren, en allemaal geheel in stijl met Stella's goedbedoelde passieve agressie. Ze is zo aardig, zo attent, zo gul, dat je het gevoel hebt dat je alles op haar manier moet doen. En dat doe je dus ook.

Ze wuift mijn woorden weg en zegt: 'Het mag werkelijk geen naam hebben.'

'Nou, dank je wel dan maar,' zeg ik gespannen, bedenkend dat het Margot was die me de regel heeft geleerd van één of twee keer protesteren, maar uiteindelijk nooit een cadeautje of compliment weigeren.

'Geen dank, lieverd,' zegt Stella, zich van geen kwaad bewust, en ze geeft mijn hand een klopje. Haar vingernagels zijn perfect rood gelakt in dezelfde kleur als haar plooirok en haar Ferragamo handtasje, en geven de kolossale saffieren prul aan haar rechterringvinger patriottische flair.

'Zo. Ell,' zegt Andy, nerveus kijkend. 'Wat denk je ervan om deze lijstjes te gebruiken voor de foto's van onze bruiloft en van onze huwelijksreis? Die nu in de hal staan?'

Stella kijkt me stralend aan, wachtend tot ik, als *lady of the house*, mijn goedkeuring zal geven.

'Prima,' zeg ik glimlachend terwijl ik bedenk dat dat een zeer passende bestemming zou zijn – gezien het feit dat Stella de bruiloft ook helemaal naar haar hand heeft gezet.

Andy raapt een paar fotolijstjes bij elkaar en gebaart naar de voorkant van het huis. 'Kom... Dan gaan we even kijken hoe het staat.'

Knipoog, knipoog. Por, por.

Terwijl Stella neuriënd de boodschappentassen begint op te vouwen, rol ik met mijn ogen en volg Andy naar de hal op onze zogenaamde fotolijstjes-missie.

'Het spijt me zo,' fluistert hij, leunend op de hoogglans mahoniehouten tafel (het zoveelste 'cadeautje' van zijn ouders), waar onze trouwfoto's op staan. Zijn gezichtsuitdrukking en zijn lichaamstaal zijn oprecht, ernstig zelfs, maar ik vraag me onwillekeurig af hoeveel van zijn boetvaardigheid te maken heeft met zijn moeders aanwezigheid in ons huis. 'Het spijt me werkelijk,' zegt hij.

'Mij ook,' zeg ik, zijn blik mijdend aangezien ik in hevige innerlijke tweestrijd verkeer. Ergens wil ik het wanhopig graag goedmaken met Andy en me weer verbonden met hem voelen, maar een ander deel van mij zou de verwijdering tussen ons bijna in stand willen houden om te kunnen rechtvaardigen waar ik mee bezig ben. Wat dat ook moge zijn.

Ik sla mijn armen strak over elkaar terwijl hij vervolgt: 'Ik had iets moeten zeggen gisteravond... over dat commentaar op de wijn...'

Uiteindelijk kijk ik hem in zijn ogen, lichtelijk verslagen omdat hij werkelijk schijnt te denken dat onze ruzie ging over een mislukte wijngaard in de buurt van Pittsburgh. Hij ziet toch zeker wel dat er meer aan de hand is – veel grotere dingen dan wat er gisteravond speelde. Zoals de vraag of ik gelukkig ben in Atlanta, of we wel zo goed bij elkaar passen als we ooit dachten, en waarom ons prille huwelijk zo stroef loopt.

'Het geeft niet,' zeg ik, me afvragend of ik zo vergevingsgezind zou zijn geweest als ik Leo niet had gesproken. 'Mijn reactie was waarschijnlijk nogal overtrokken.'

Andy knikt, alsof hij het eens is met wat ik zeg, hetgeen mijn afnemende verontwaardiging weer voldoende aanwakkert om er een kleinzielige opmerking achteraan te gooien. 'Maar ik kan Ginny en Craig echt niet uitstaan.'

Andy zucht. 'Ik weet het... Maar het zal lastig worden om ze te mijden...'

'Kunnen we het op zijn minst proberen?' zeg ik, bijna echt glimlachend nu, terwijl ik mijn armen langs mijn zij laat vallen.

Andy lacht zacht. 'Tuurlijk,' zegt hij. 'We zullen het proberen.'

Ik glimlach terug naar hem terwijl hij zegt: 'En de volgende ruzie – laten we die nou eerst uitpraten voordat we naar bed gaan. Mijn ouders zijn nog nooit boos gaan slapen – waarschijnlijk houden ze het daarom al zo lang met elkaar uit...'

Alweer een zelfingenomen plusje voor de volmaakte Grahams, denk ik bij mezelf, en ik zeg: 'Nou, technisch gezien ben ik boos naar de bank gegaan.

Hij glimlacht. 'Juist. Laten we dat ook maar niet doen.'

'Oké,' zeg ik schouderophalend.

'Dus alles is weer goed zo?' vraagt Andy, de zorgelijke rimpels uit zijn voorhoofd verdwenen.

Ik voel een steek van verontwaardiging vanwege het gemak waarmee hij deze episode achter zich meent te kunnen laten, onze problemen en mijn gevoelens bagatelliseert. 'Ja,' zeg ik onwillig. 'Alles is weer oké.'

'Alleen maar oké?' dringt Andy aan.

Ik kijk in zijn ogen en overweeg heel even om het allemaal voor hem te spellen. Om hem te vertellen dat we ons midden in een kleine crisis bevinden. Om hem álles te vertellen. In mijn hart weet ik dat het de enige manier is om alles op te lossen, om onze verbondenheid te herstellen. Maar omdat ik er nog niet helemaal aan toe ben om weer met hem verbonden te zijn, glimlach ik halfhartig en zeg: 'Ergens tussen oké en goed.'

'Nou ja, dat is in ieder geval een begin,' zegt Andy, en hij slaat zijn armen om me heen. 'Ik hou zoveel van je,' ademt hij in mijn nek.

Ik doe mijn ogen dicht, ontspan me en sla mijn armen ook om hem heen terwijl ik probeer niet meer te denken aan onze ruzie, aan alle klachten over ons leven en, bovenal, aan Margot die misschien wel heeft geknoeid in mijn verleden, al dan niet met goede bedoelingen.

'Ik ook van jou,' zeg ik tegen mijn man, en ik word overspoeld door een golf van genegenheid en aantrekkingskracht – en vervolgens opluchting omdat ik dit nog steeds voor hem voel.

Maar in de fractie van een seconde voordat we elkaar loslaten, daar naast onze trouwfoto's en met mijn ogen nog steeds dicht, zie ik alleen maar Leo zoals hij al die jaren geleden in mijn lobby moet hebben gestaan. En zoals hij nu in zijn appartement in Queens, luisterend naar Bob Dylan, zit te wachten tot ik terugbel.

achtentwintig

Ik slaag erin om Leo de rest van het weekend niet meer te bellen, mailen of sms'en, ondanks de bijna constante neiging daartoe. In plaats daarvan doe ik alleen maar verstandige dingen – alleen maar dingen die van me verwacht worden. Ik lijst onze trouwfoto's opnieuw in. Ik schrijf Stella een opgewekt, bijna-geheel-gemeend bedankbriefje. Ik ga naar de kerk en aansluitend brunchen met de voltallige Graham-clan. Ik maak bijna honderd zwart-witfoto's van Webb en Margot en haar buik. Ondertussen druk ik opborrelende woede steevast de kop in en houd ik mezelf voor dat ik de opdracht niet aanneem uit onvrede of wraak of om het verleden nieuw leven in te blazen. Nee, ik ga naar New York vanwege het werk – en om wat tijd met Leo door te brengen. Ik heb het volste recht om te werken – en om vrienden te zijn met Leo. En geen van deze dingen zou, op enige wijze, afbreuk moeten doen aan mijn huwelijk of mijn vriendschap met Margot of mijn leven in Atlanta.

Dus tegen de tijd dat het zondagavond is, als ik achter de computer kruip om een vliegticket naar New York te kopen, ben ik er volledig van overtuigd dat mijn intenties misschien niet helemaal zuiver zijn, maar wel zuiver genoeg. Als ik Andy echter uiteindelijk in de woonkamer aantref, waar hij golf zit te kijken op televisie, en ik terloops laat vallen dat ik een shoot heb op Coney Island voor *Time Out*, vult mijn hart zich met het bekende schuldgevoel.

'Dat is fantastisch,' zegt Andy, zijn blik strak op Tiger Woods gevestigd.

'Ja... Dus ik denk dat ik er niet komende week maar de week daarna ernaartoe vlieg... die shoot ga doen... een nachtje overblijf... en misschien een paar vrienden bezoek,' zeg ik, alsof ik hardop aan het nadenken ben. Mijn hart bonst van de nerveuze spanning. Ik hoop maar dat Andy niet te veel vragen zal stellen, en dat ik niet zal hoeven liegen over hoe ik aan de opdracht gekomen ben.

Maar als hij enkel zegt: 'Super,' in plaats van te informeren naar details, voel ik me onwillekeurig een beetje te kort gedaan, of eigenlijk zelfs genegeerd. Per slot van rekening hebben we het constant over zijn zaken, en over de onderlinge persoonlijke dynamiek bij hem op kantoor – de interactie met zijn vader, de secretaresses, en de andere junior partners. Hij oefent altijd zijn openings- en zijn slotpleidooi voor mij. En vorige week heb ik me helemaal opgedirkt en ben ik gaan kijken naar de grote finale van een letselschadezaak, waar ik hem voor in de rechtszaal stilletjes heb zitten aanmoedigen terwijl hij de zogenaamd ernstig gewonde eiser, die van top tot teen in het gips zat, meevoerde op een pad van leugens om vervolgens videobeelden te laten zien van de man tijdens een potje frisbee in Piedmont Park. Na afloop hebben we er in de auto hartelijk om gelachen en elkaar een *high five* gegeven terwijl we steeds uitgelaten '*You can't handle the truth*' riepen – onze favoriete zin uit *A few good men*.

En dan is dít het beste dat ik kan krijgen als het over mijn werk gaat? Eén nietszeggend, lovend woord. *Super?*

'Ja,' zeg ik, me voorstellend hoe het zal zijn om zij aan zij met Leo te werken. 'Het lijkt me wel leuk.'

'Klinkt goed,' zegt Andy, fronsend wanneer Tiger een lange put probeert. De bal koerst recht op de hole af, valt erin, maar floept er meteen weer uit. Andy slaat met zijn vuist op de salontafel en roept: 'Verdomme! Hoe kan die er nou niet in gaan?'

'Dus hij staat nu één slag achter of zo?' vraag ik.

'Ja. En hij had die ene écht nodig.' Andy schudt zijn hoofd en buigt de klep naar beneden van zijn groene Masters-pet, die hij uit bijgeloof altijd op heeft om zijn idool geluk te brengen. 'Tiger wint altijd,' zeg ik terwijl de camera inzoomt op zijn liefhebbende, beeldschone vrouw.

Ik merk dat ik me afvraag hoe goed hún huwelijk eigenlijk is terwijl Andy zegt: 'Niet altijd.'

'Daar lijkt het anders wel op. Gun iemand anders ook een keer een kans,' zeg ik, en hoewel ik me een klein beetje erger aan Andy, walg ik ook van mezelf omdat ik een discussie op gang probeer te brengen over iets oncontroversieels als de alom aanbeden Tiger.

'Ja,' zegt Andy, alsof hij me amper hoort. 'Misschien heb je wel gelijk.'

Ik draai mijn hoofd om naar hem te kijken en bestudeer de sexy zweem van haargroei op zijn kaken, zijn oren die een klein beetje uit lijken te staan als hij een pet op heeft, en het geruststellende blauw van zijn ogen – precies dezelfde kleur als de azuurblauwe strepen van zijn polo. Ik ga dichter tegen hem aan zitten op de bank zodat er geen enkele ruimte meer is tussen ons, en onze dijen elkaar raken. Ik leg mijn hoofd op zijn borst en verstrengel mijn armen met de zijne. Dan doe ik mijn ogen dicht en zeg tegen mezelf dat ik niet zo prikkelbaar moet zijn. Het is niet eerlijk om Andy alsmaar zo onder de loep te nemen – vooral niet als hij geen idee heeft dat hij beoordeeld wordt. Er verstrijken een paar minuten waarin we in die knusse houding blijven zitten, terwijl ik luister naar het kalmerende geluid van de commentatoren en zo nu en dan een rimpeling van applaus van het anderszins eerbiedig stille publiek en tegen mezelf zeg, telkens weer, dat ik gelukkig ben.

Maar een paar minuten later, als er weer iets mis gaat voor Tiger, en Andy acuut overeind veert, zwaaiend met zijn armen en pratend tegen de televisie, meer steun biedend dan hij mij in weken gegeven heeft – 'Kom op, jochie. Je mist deze nóóit als ze belangrijk zijn!' – kan ik het niet helpen dat ik een nieuwe golf van verontwaardiging voel.

Geen wonder dat we problemen hebben, denk ik bij mezelf, nu een officieel etiket plakkend op wat voorheen slechts een eenzijdige onderstroom leek. Mijn man toont meer passie voor golf – golf op de televísie, nota bene – dan voor onze relatie.

Ik sla hem nog een paar minuten gade, observeer stoïcijns het huiselijke tafereel dat in één klap korte metten maakt met ieder schuldgevoel vanwege het feit dat ik naar New York ga. Dan sta ik op, loop naar boven, pak mijn mobieltje en bel Leo.

Na vier keer overgaan neemt hij op, lichtelijk buiten adem, alsof hij heeft gerend naar de telefoon.

'Zeg nou niet dat je van gedachten bent veranderd,' zegt hij voordat ik zelfs maar iets kan uitbrengen.

Ik glimlach en zeg: 'Geen sprake van.'

'Dus je komt?'

'Ik kom.'

'Echt waar?'

'Ja,' zeg ik. 'Echt waar.'

'Wanneer?'

'Volgende week maandag.'

'Super,' zegt Leo – precies dezelfde manier waarop Andy ons gesprek beneden afsloot.

Ik staar omhoog naar het plafond en vraag me af hoe precies hetzelfde woord zo totaal anders kan klinken als het uit Leo's mond komt. Hoe het kan dat álles anders voelt met Leo.

De volgende ochtend bel ik Suzanne als ze op weg is naar haar werk op het vliegveld, en breng verslag uit van de nieuwste ontwikkelingen in het ogenschijnlijk oneindige Leo-verhaal. Als ik bij het gedeelte over Margot kom, gaat ze – voorspelbaar – door het lint.

'Wie denkt ze wel dat ze is?' briest Suzanne.

Ik wist dat mijn zus het zwaartepunt bij Margot zou leggen, en ik voel me geïrriteerd en defensief tegelijk als ik zeg: 'Ik weet het. Ze had het me moeten vertellen... Maar ik geloof werkelijk dat ze het beste met me voor had.'

'Ze had het beste met haar bróér voor,' zegt Suzanne vol walging. 'Niet met jou.'

'Dat is hetzelfde,' zeg ik, denkend dat in de beste relaties de belangen van beiden volmaakt en onlosmakelijk van elkaar op één lijn zitten. En ondanks onze problemen, vind ik het prettig om te denken dat Andy en ik nog steeds zo'n band hebben.

'Die twee dingen zijn nóóit hetzelfde,' zegt Suzanne onvermurwbaar.

Terwijl ik mijn koffie voor de tweede keer opwarm, denk ik na over deze opmerking en vraag me af wie er gelijk heeft. Ben ik te idealistisch – of is Suzanne gewoon bitter?

'Bovendien,' zegt Suzanne, 'wie is zij om zo voor God te spelen?'

'Ik zou het niet bepaald "voor God spelen" willen noemen,' zeg ik. 'Dit is geen euthanasie... Ze heeft me simpelweg willen behoeden –'

Suzanne valt me in de rede en zegt: 'Je behoeden? Waarvoor?'

'Voor Leo,' zeg ik. 'Voor mezelf.'

'Dus je zou Leo gekozen hebben?' vraagt ze met een triomfantelijke klank in haar stem.

Ik voel een steek van frustratie, wensend dat ze minder bevooroordeeld kon zijn op dit soort momenten. Wensend dat ze meer zoals onze moeder kon zijn, die van nature altijd het goede zag in mensen, dingen positief bekeek. Aan de andere kant is de dood van onze moeder misschien wel de reden waarom Suzanne is zoals ze is – waarom ze altijd van het ergste uit lijkt te gaan en nooit echt gelooft dat dingen wel goed zullen komen. Ik duw deze gedachten opzij terwijl ik me realiseer hoe vaak de dood van mijn moeder allerlei dingen ingewikkelder maakt die heel weinig met haar te maken hebben. Hoezeer ze alles kleurt, zelfs in haar afwezigheid. Voorál in haar afwezigheid.

'Ik wil graag denken dat ik hem precies hetzelfde zou hebben verteld,' zeg ik, mijn uiterste best doend om eerlijk te zijn tegen mijn zus – en mezelf. 'Maar ik weet het niet... misschien zou ik me ook wel... weer zo mee hebben laten slepen door mijn gevoelens uit het verleden dat ik het met Andy verprutst zou hebben. Ik zou een enorme fout hebben kunnen maken.'

'Weet je zeker dat het een fout zou zijn geweest?' vraagt ze.

'Ja,' zeg ik, denkend aan een passage uit mijn dagboek die ik onlangs heb herlezen – een passage die ik heb geschreven rond de tijd dat Andy en ik net een relatie kregen, precies in de periode dat Leo terugkwam. Ik aarzel en vertel Suzanne er dan over. 'Ik was zo blij dat ik een gezonde, stabiele, gelijkwaardige relatie had.'

'Heb je dat geschreven?' vraagt ze. 'Heb je die woorden gebruikt?'

'Min of meer,' zeg ik.

'Gezond en stabiel, hm? Dat klinkt... plezierig,' zegt Suzanne, duidelijk implicerend dat plezier niet iets is wat je moet nastreven in een relatie. Dat hartstocht beter is dan plezier, te allen tijde.

'Plezier wordt ondergewaardeerd,' zeg ik, denkend dat half Amerika een moord zou doen voor plezier. Ik zou tegenwoordig genoegen nemen met plezier.

'Als jij het zegt,' zegt Suzanne.

Ik zucht en zeg: 'Het is beter dan wat ik had met Leo.'

'En dat was?' vraagt Suzanne.

'Onrust,' zeg ik. 'Angst... Onzekerheid... Alles voelde totaal anders met Leo.'

'Anders in welke zin?' vraagt ze automatisch, meedogenloos.

Ik doe de achterdeur open en ga op de bovenste tree van de trap naar ons terras zitten met mijn kop koffie, mijn uiterste best doend om een antwoord op haar vraag te formuleren. Maar telkens als ik het onder woorden probeer te brengen, heb ik het gevoel dat ik Andy te kort doe, dat ik op de een of andere manier een tweedeling impliceer tussen hartstocht en platonische liefde. En zo is het niet. Sterker nog, Andy en ik hebben gisteravond nog seks gehad – fantástische seks – op mijn initiatief, en niet uit een soort schuld- of plichtsgevoel, maar omdat hij er zo onweerstaanbaar uitzag in zijn boxershort, languit in ons bed naast me. Ik kuste hem langs de grens waar witte huid overgaat in gebruinde huid en bewonderde zijn strakke buik die eruitziet als die van een tiener. Andy kuste me terug terwijl ik bedacht dat er zoveel vrouwen zijn die klagen dat hun man het voorspel overslaat – en dat Andy nooit vergeet om me te kussen.

'Ellen?' zegt Suzanne geërgerd in de telefoon.

'Ik ben er nog,' antwoord ik, voor me uit starend naar onze van warmte zinderende achtertuin. Het is nog voor negenen maar het loopt nu al tegen de zevenendertig graden. Te heet voor koffie. Ik neem nog één slok en giet de rest in een border.

'Anders in welke zin?' vraagt Suzanne nogmaals – hoewel ik het gevoel heb dat ze precies weet in welke zin – dat alle vrouwen het verschil weten tussen degene waar je mee trouwt en degene die de dans ontsprongen is.

'Het is als... de bergen en het strand,' zeg ik uiteindelijk, uit alle macht zoekend naar een vergelijking die de lading dekt.

'Wie is het strand?' vraagt Suzanne terwijl ik het piepende geluid hoor van een koffer die door de controlepoortjes gaat, gevolgd door een mededeling die wordt omgeroepen.

Ineens voel ik een steek van verlangen en zou ik willen dat ik op het vliegveld was en op het punt stond om ergens naartoe te vliegen. Om het even waarheen. Voor het eerst ben ik een beetje jaloers op Suzannes baan – haar fysieke vrijheid, het feit dat ze constant in beweging is. Misschien zit 'm daar voor haar ook de aantrekkingskracht in – is dat de reden waarom ze werk blijft doen dat ze vaak omschrijft als serveerster zonder fooi.

'Andy,' zeg ik, opkijkend naar de witgeblakerde lucht. Het is bijna alsof de meedogenloze warmte de lucht heeft gebleekt, al het blauw heeft weggebrand en een kleurloze leegte heeft achtergelaten. 'Andy is een zonnige dag met kalm, azuurblauw water en een glas wijn.' Ik glimlach en voel een kortstondige opleving bij de gedachte aan ons, ergens samen luierend op een strand. Misschien hebben we alleen een lekkere vakantie nodig. Misschien moet ik samen met Andy in een vliegtuig stappen – in plaats van bij hem vandaan te vliegen. Maar diep vanbinnen weet ik dat een romantische uitspatting ons probleem niet zou oplossen – en dat ik misschien sowieso wel op de afgrond afsteven.

'En Leo?' vraagt Suzanne.

'Leo.' Zijn naam rolt van mijn tong terwijl mijn hart sneller gaat kloppen. 'Leo is een zware boswandeling in de bergen. In de druilerige regen. Als je een beetje verdwaald bent en honger hebt en de avond invalt.'

Suzanne en ik beginnen allebei te lachen.

'Da's een makkie,' zegt ze. 'Het strand wint.'

'Altijd,' zeg ik met een zucht.

'Wat is dan het probleem?'

'Het probleem is... dat ik het heerlijk vind daar midden in het bos. Ik houd van het donker... de stilte. Het is mysterieus... spannend. En het uitzicht bovenop de berg, over de toppen van de naaldbomen heen, op het dal in de diepte...'

'Is adembenemend,' zegt Suzanne, mijn zin afmakend.

'Ja,' zeg ik, schuddend met mijn hoofd wanneer ik Leo's sterke onderarmen en zijn stoere schouders voor me zie. Zoals hij eruitziet in een versleten Levi's spijkerbroek, een klein eindje voor me lopend, altijd de leiding nemend. 'Dat is echt zo.'

'Tja,' zegt mijn zus. 'Dan moet je maar lekker van dat uitzicht gaan genieten...'

'Denk je?' zeg ik, wachtend tot ze duidelijke grenzen afbakent – zegt wat ik wel en niet mag doen.

In plaats daarvan zegt ze alleen maar: 'Als je maar niet te dicht bij de afgrond komt.'

Ik begin nerveus te lachen, al voel ik me eerder onrustig dan geamuseerd.

'Anders spring je misschien nog,' zegt ze.

En toch, in de dagen voorafgaand aan mijn vertrek, en ondanks Suzannes advies en mijn voornemen om Leo op gepaste afstand te houden, merk ik dat ik veel te dicht bij de afgrond kom en weer helemaal opgeslokt word in zijn atmosfeer. Onze formele mailwisseling verandert geleidelijk in een heen-en-weer slingeren van persoonlijke – en zelfs flirterige – berichtjes, die vervolgens weer plaatsmaken voor een gestage stroom van langere en steeds intiemere sms'jes, mailtjes en zelfs telefoontjes. Totdat het een ware obsessie is geworden, net als vroeger, en ik mezelf er weer onafgebroken van probeer te overtuigen dat het geen obsessie voor me is. Dat het níét weer net zo is als vroeger.

En dan ineens breekt de ochtend aan van de dag voor mijn vertrek – hetgeen toevallig ook de dag is van Margots baby-feestje, een evenement waar ik ergens toch al tegenop zag, al-thans, in die zin dat Ginny de organisatie ervan heeft getorpe-deerd en er een formele, pretentieuze toestand van heeft gemaakt in plaats van een paar goede vriendinnen die samenkomen om de op handen zijnde geboorte van een geliefde baby te vieren. Maar inmiddels zie ik het feestje, meer dan ooit, als iets wat ik moet doorstaan, waar ik doorheen moet, voordat ik kan ont-snappen naar New York om de draad op te pakken waar Leo en ik na onze gezamenlijke vliegreis gebleven waren, en op zoek te gaan naar de kern van de zaak – wat die ook moge zijn.

Ik rek me uit onder de dekens nadat ik Andy gedag heb gekust en hem een goede golfwedstrijd heb gewenst, als mijn mobieltje begint te rinkelen en trillend naar de rand van het nachtkastje danst. Ik steek mijn hand ernaar uit, hopend dat het Leo is, hon-gerig naar mijn ochtenddosis van hem. En jawel, zijn naam licht op in het scherm.

'Hallo,' zeg ik slaperig, dolblij, terwijl mijn hart sneller gaat slaan in afwachting van zijn eerste woorden.

'Hoi,' zegt Leo, zijn eigen stem ook nog slaperig. 'Ben je alleen?'

'Ja,' zeg ik, me voor de honderdste keer afvragend of hij nog steeds samen is met zijn vriendin. Te oordelen naar de abrupte manier waarop hij af en toe ophangt, zou ik denken van wel, en hoewel het jaloerse, bezitterige deel van mij graag wil dat hij vrijgezel is, vind ik het in sommige opzichten wel prettig dat hij ook een relatie heeft. Op de een of andere manier maakt zij het speelveld gelijk, maakt ze dat hij ook iets te verliezen heeft.

'Wat ben je aan het doen?' vraagt hij.

'Ik lig lekker in bed,' zeg ik. 'Te denken.'

'Waaraan?'

Ik aarzel even voordat ik iets zeg wat voelt als een biecht. 'Aan morgen,' zeg ik, overlopend van zowel euforie als angst. 'Aan jou.'

'Dat is nou ook toevallig,' zegt hij, en hoewel zijn woorden ingetogen zijn, spreekt hij duidelijke, klare taal. 'Ik kan niet wachten om je te zien.'

'Ik ook niet,' zeg ik, en ik begin van top tot teen te tintelen als ik ons samen voorstel op Concy Island, slenterend langs het water, terwijl we foto's maken in het romantische gouden uur voor zonsondergang, samen lachen en praten en gewoon samen zijn.

'Wat wil je graag doen?' vraagt Leo, en hij klinkt net zo lichtzinnig als ik me voel.

'Op dit moment?' vraag ik.

Hij lacht zijn diepe, hese lach. 'Nee. Niet nú. Morgen. Na de shoot.'

'O, dat maakt me niet uit. Waar zat jij aan te denken?' zeg ik, en ik heb onmiddellijk spijt van mijn antwoord, bang dat ik te veel klink als de ruggengraatloze Ellen van vroeger – die hem altijd de beslissingen liet nemen.

'Mag ik je mee uit eten nemen?' vraagt hij.

'Tuurlijk,' zeg ik, hunkerend naar de dag van morgen. 'Dat klinkt zéér aantrekkelijk.'

'Jij klinkt aantrekkelijk,' zegt Leo. 'Ik vind het wel leuk als je stem zo slaperig klinkt. Dat haalt herinneringen naar boven...'

Ik glimlach en rol van Andy's kant van het bed vandaan, zijn geur nog vers tussen de lakens. Dan doe ik mijn ogen dicht en luister naar de adembenemende, intieme stilte. Zo gaat er minstens een minuut voorbij – misschien nog wel langer – terwijl mijn gedachten afdwalen naar ons gezamenlijke verleden. Een tijd voor Andy. Een tijd waarin ik mocht voelen wat ik nu voel, zonder berouw, zonder schuldgevoelens. Niets anders dan het pure genot van het moment zelf. Totdat ik uiteindelijk toegeef aan het aanzwellende gevoel in mijn binnenste, het verlangen dat zich al zo lang aan het opbouwen is.

Na afloop zeg ik tegen mezelf dat hij niet weet wat ik zojuist heb gedaan – en dat hij beslist niet hetzelfde aan het doen was. Ik zeg tegen mezelf dat ik eraan moest toegeven om het uit mijn systeem te krijgen, zodat we morgen uitsluitend zakelijk bezig zullen kunnen zijn – of hooguit als goede vrienden die toevallig ook een romantisch verleden hebben. En bovenal zeg ik tegen mezelf dat ik van Andy houd, wat er ook gebeurt. Ik zal altijd van Andy houden.

negenentwintig

Een paar uur later is Margots babyfeestje achter de rug, zijn haar hordes gasten weer naar huis, en dwaal ik door Ginny's vorstelijke, opgesmukte woonkamer (compleet met olieverfschilderijen van haar honden, een geborduurd wandtapijt met Craigs familiewapen erop, en een mini-vleugel die door niemand in huis wordt aangeraakt – en overigens ook niet mág worden aangeraakt), links en rechts verdwaalde stukjes lint en cadeaupapier in een witte Hefty vuilniszak proppend terwijl ik worstel met mijn gevoelens. Ik doe niet anders de laatste tijd, en vooral nu, aan de vooravond van mijn reis.

Aan de ene kant word ik verteerd door lichtzinnige gedachten aan Leo, ben ik in gedachten mijn koffer alweer anders aan het inpakken, en probeer ik me een voorstelling te maken van het moment waarop ik hem weer zal zien en het moment dat we weer afscheid van elkaar moeten nemen. Aan de andere kant heb ik het, verrassend genoeg en ondanks alles, best naar mijn zin gehad vandaag – bijna leuk zelfs, mede dankzij de royale hoeveelheid mimosa's. Ik vind nog steeds dat het sociale leven in Buckhead op macro-niveau oppervlakkig en extreem saai is, maar een-op-een waren de meeste vrouwen op het feest oprecht – en interessanter dan je zou denken als je ze ziet kakelen in hun mobieltjes in hun Range Rovers met hun designer kroost op de achterbank.

Bovendien, toen ik naast Margot op de bank zat in de eervolle rol van cadeautjes-stenograaf, voelde ik me helemaal op mijn plek, en trots dat ik een Graham ben. Andy's vrouw. Margots schoonzus. Stella's schoondochter.

Op één moment in het bijzonder, kreeg mijn emotionele dilemma gestalte – toen een van Stella's buren me vroeg waar mijn ouders wonen en ik in een fractie van een seconde moest beslissen of ik zou uitleggen dat mijn vader nog steeds in mijn geboortestad woont, maar dat mijn moeder jaren geleden is overleden. Intussen had Stella, de snel denkende koningin van de tact, al met een subtiel gebaar haar hand uitgestoken en me een kneepje in de mijne gegeven, reagerend op een manier die volkomen natuurlijk leek, en niet alsof ze voor mij antwoord wilde geven.

'Ellens vader woont in Pittsburgh – nog steeds in het huis waarin Ellen is opgegroeid. Dat hebben Margot en zij dus gemeen!' zei ze opgewekt, terwijl het licht van Ginny's kroonluchter glinsterde in haar diamanten ring. Ik wierp haar een dankbare blik toe, opgelucht dat ik de herinnering aan mijn moeder niet te kort hoefde te doen om dat ongemakkelijke moment te omzeilen waarop mijn toehoorders tranen in hun ogen krijgen – en ik moet kiezen tussen samen met hen verdrietig zijn of het ongemak verlichten met een nonchalant 'O, het geeft niet, hoor. Het is al heel lang geleden.'

Want uiteindelijk, ook al is het inderdaad lang geleden gebeurd, zal het verdriet nooit echt slijten.

En nu zit ik te wachten tot Andy me komt halen nadat hij zesendertig holes heeft gegolfd, en voel ik onverwachts een steek van moederloos verdriet in het gezelschap van Margot, Ginny en hun moeders, terwijl we genieten van nog meer champagne en aan de gebruikelijke nabespreking van het feestje zijn begonnen. Alles komt aan bod, inclusief het mooiste cadeau (een knalgroene Bugaboo wandelwagen, gegeven door Margots tennisvriendinnen), het meest gênante cadeau (een quilt waar, zonder dat de geefster dit wist, de naam van haar dochter, *Ruby*, op geborduurd was), de best geklede gast (die vintage Chanel droeg), de slechtst geklede genodigde (gehuld in een gehaakte, knalroze haltertop met een zwarte beha), en er wordt verontwaardigd gespeculeerd over wie er in vredesnaam merlot heeft geknoeid op Ginny's eetkamerstoel.

'Had ik nou mijn *nanny cam* maar aangezet,' zegt Ginny giechelend, en ze struikelt over haar hoge hakken voordat ze neerploft in een luie stoel met luipaardprint.

Ik glimlach en denk bij mezelf dat Ginny een stuk tolerabeler is – bijna aardig, zelfs – als ze dronken is en niet constant zo gekunsteld doet en uit alle macht probeert te bewijzen dat haar band met Margot veel hechter is dan de mijne. Ze blijft een trut met een verbluffend ego, maar dan is ze tenminste een lichtzínnige trut met een verbluffend ego.

'Heb je wérkelijk zo'n ding?' vraagt Stella, omhoog turend naar het plafond.

'Het heet niet voor niks een verbórgen camera,' merk ik op, spelend met een sliertje gele raffia. Zuinig als ik ben, heb ik de neiging om de hele vuilniszak mee naar huis te zeulen, aangezien Margot haar cadeautjes heel voorzichtig heeft uitgepakt – maar gezien mijn toestand van emotionele onrust, lijkt het me vrij onzinnig om me druk te maken over een berg cadeaupapier.

'Natuurlijk heeft ze een *nanny cam*, Stell,' zegt Ginny's moeder, Pam, en ze wijst naar een boeket kunstbloemen bovenop een ingebouwde boekenkast, in wat voelt als een subtiele vorm van de materiële kunst om de ander een slag voor te zijn. 'En Margot moet er ook eentje laten installeren... vooral met een pasgeboren baby en het bijbehorende komen en gaan van kraamzusters en andere hulp.'

Ik krimp inwendig ineen bij de veel gebruikte term 'hulp' – die zo'n beetje alles beslaat van tuinmannen tot kindermeisjes tot huishoudsters tot, in Pams geval, chauffeurs (ze heeft al in geen tweeëntwintig jaar meer achter het stuur van een auto gezeten op de snelweg – iets waar ze, bizar genoeg, heel trots op is). Sterker nog, of ze nu klagen of opscheppen over hun hulp, het is verreweg mijn minst favoriete gespreksonderwerp in Margots wereld – samen met de privéscholen van hun kinderen, en galabals (en

vaak zijn het galabals ván de privéscholen van hun kinderen).
Stella vervolgt: 'Heb je ooit wel eens iemand betrapt op...
iets?' Haar ogen worden groot terwijl ik constateer dat mijn
schoonmoeder, die anders altijd zo dominant en dynamisch is,
nu ietwat passief lijkt te worden in het gezelschap van haar
bijdehante, bazige beste vriendin. Ik kijk naar hen en vraag me
af of ik in Margots gezelschap ook een andere versie van mezelf
ben.

Ginny schudt haar hoofd en plukt een lavendelkleurig petit-
fourtje van een zilveren dienblad, een erfstuk dat die ochtend
vast en zeker door haar hulp is gepoetst. 'Tot nu toe niet... Maar
je kunt nooit voorzichtig genoeg zijn als het om je kinderen
gaat.'

We knikken allemaal zwijgend, alsof we de diepe wijsheid van
dit nieuwste pareltje van Ginny even op ons in willen laten werken – pareltjes die ze altijd op onthullende toon uitdeelt, alsof ze
de eerste is die ooit zoiets heeft gezegd of gedacht. Mijn favoriet,
die ik haar heb horen uitspreken toen de gasten speculeerden dat
Margot vast een jongetje zou krijgen omdat ze zo laag draagt, is:
'Ik ben zo blij dat Webb en zij het nog niet willen weten! Het is
de énige verrassing die het leven nog kent.' Ach, wat ben je toch
origineel, Ginny! Die had ik nog nooit gehoord. En nog afgezien
daarvan, hoewel ik geen echte mening heb over iets wat een zeer
beladen, met normen en waarden omgeven beslissing lijkt – hoe
is het mogelijk dat zoveel stellen het idee hebben dat géén gebruik maken van de moderne techniek van echografie een verrassing genoemd kan worden? Bovendien, welke andere verras-
singen zijn er in de afgelopen decennia dan gesneuveld? Geven
mensen geen verrassingsfeestjes meer? Worden er nergens meer
onverwachts bloemen of cadeautjes bezorgd? Dat wil er bij mij
niet in.

Ik drink mijn champagne op, wend me tot Ginny, en verkondig: 'Nou. Ik denk dat ik wel weet wie die wijn heeft geknoeid.'

'Wie dan?' zegt iedereen tegelijk, zelfs Margot, die het meestal wel kan horen als ik een grapje ga maken.

'Die lelijke trol van een meid,' zeg ik, een grijns onderdrukkend.

'Wie dan?' zeggen ze weer met zijn allen terwijl Ginny begint te raden, en daadwerkelijk namen van minder aantrekkelijk uitziende gasten begint op te noemen.

Ik schud mijn hoofd en verkondig dan trots: 'Lucy,' verwijzend naar Andy's Lucy. Zijn liefje van de middelbare school dat Margot aan de lijst met genodigden heeft toegevoegd na mij eerst om toestemming te hebben gevraagd.

'Als je je er ook maar enigszins ongemakkelijk bij voelt, dan doe ik het niet,' zei Margot meer dan eens, om vervolgens steevast tekst en uitleg te gaan geven over de connecties die ze met Lucy had via diverse liefdadigheidsinstellingen en de country club – naast de ietwat ongelukkige, zij het verre, familiebanden (Lucy is getrouwd met Webbs achterneef).

Ik verzekerde Margot herhaaldelijk dat ik het geen enkel probleem vond, en dat ik eigenlijk heel nieuwsgierig was naar Andy's eerste liefde – en dat ik haar dan liever onder veilige omstandigheden wilde ontmoeten, dat wil zeggen, met make-up op. Maar heimelijk denk ik dat mijn werkelijke motivatie meer met Leo te maken had. Lucy's komst naar het feestje zou immers dienen als de zoveelste onweerlegbare redenering in mijn hele arsenaal aan innerlijke excuses: *Margots ex doet haar tuinaanleg; Andy's ex komt naar het babyfeestje van zijn zus. Dus waarom kan ik dan niet af en toe samenwerken met die van mij?*

Hoe het ook zij, het is nu wel duidelijk dat ik een grapje maak, aangezien Lucy verre van lelijk is. Met haar poppengezichtje, haar ivoorkleurige huid en haar rode pijpenkrulletjes hoort ze onomstotelijk in de categorie 'knap' thuis, en haar lichaam is waarschijnlijk het mooiste dat ik ooit van dichtbij heb gezien – een stripfiguurachtige zandloper die er nog veel adembenemender uitgezien zou hebben als ze minder conservatief gekleed zou zijn geweest. Margot en Stella lachen waarderend – terwijl hun bekrompen tegenhangers met opgetrokken wenkbrauwen een tevreden blik wisselen, verheugd over dit signaal dat op haat en nijd lijkt te duiden.

Ik rol met mijn ogen en zeg: 'Kom op. Ik maak maar een grápje. Die meid is een plaatje.'

Ginny kijkt teleurgesteld nu er geen sprake blijkt te zijn van wrijving, terwijl Pam haar hoofd in haar nek gooit met een irritant lachband-giecheltje en zegt, véél te enthousiast: 'Is ze niet enig?'

'Dat is ze zeker,' zeg ik grootmoedig terwijl ik terugdenk aan mijn gesprek met Lucy, eerder die middag – hoe lief, bijna nerveus, ze leek toen ze tegen me zei dat ze het ontzettend leuk vond om me te ontmoeten. Ik zei tegen haar dat dat gevoel wederzijds was, en ik meende het ook werkelijk. Vervolgens, ondanks een aanstootgevend beeld van haar als negentienjarige schrijlings bovenop mijn echtgenoot, voegde ik eraan toe: 'Ik heb zulke goede dingen over je gehoord.'

Lucy, die best wel eens hetzelfde visioen zou kunnen hebben gehad, bloosde, glimlachte en begon toen te lachen. Vervolgens vertelde ze over Andy – en hun tijd samen – op precies de juiste manier, door weliswaar te erkennen dat hij haar vriendje was geweest, maar het in het grotere perspectief van de tijd – en tienerverliefdheden in het algemeen – te plaatsen, en niet over hún specifieke relatie.

'Ik hoop alleen wel dat hij die foto's van het eindexamenbal heeft weggegooid. Afschuwelijk ontploft haar. Was ik blind, of zo? Had jij ook ontploft haar in de jaren tachtig, Ellen?'

'Of ik ontploft haar had?' zei ik. 'Ik kom uit Pittsburgh – waar *Flashdance* is opgenomen. Ik had ontploft haar én beenwarmers.'

Ze lachte terwijl we voorzichtig, naadloos, de overgang maakten naar het heden. We hadden het over haar zoon van vijf, Liam, zijn milde vorm van autisme, en het feit dat hij zoveel baat heeft gehad bij – hoe is het mogelijk – paardrijden. Vervolgens hadden we het over onze verhuizing naar Atlanta en mijn werk (ik kwam tot mijn verbazing tot de ontdekking dat Margot Lucy had verteld – en een heleboel andere gasten ook, trouwens – over mijn shoot met Drake). En dat was het wel zo'n beetje – toen zijn we allebei met iemand anders in gesprek geraakt. Gedurende de rest van het feestje, echter, heb ik haar nog minstens tien keer betrapt op een zijdelingse blik in mijn richting – blikken waaruit ik afleidde dat ze misschien nog steeds ergens iets van gevoelens heeft voor Andy. Dit maakte uiteraard allerlei gemengde gevoelens bij me los, maar helemaal bovenaan de lijst stonden toch schuldgevoelens en dankbaarheid.

Diezelfde gemengde gevoelens heb ik nu weer, wanneer Stella naar me kijkt en zo volkomen oprecht zegt: 'Lucy is een mooi meisje, maar jij bent véél mooier, Ellen.'

'En veel intelligenter,' zegt Margot, het striklint van haar lichtgele wikkeljurk verstellend.

'Andy boft maar dat hij jou heeft,' voegt Stella eraan toe.

Als ik mijn mond opendoe om hen te bedanken, maakt Ginny een abrupt einde aan dit, naar haar idee waarschijnlijk zoetsappige, familiemoment met de mededeling: 'Waar blijven die kerels eigenlijk? Het is al bijna drie uur... Craig had beloofd dat hij vanmiddag zou oppassen terwijl ik mijn champagneroes ga uitslapen.'

Ik reik naar mijn tasje en denk bij mezelf dat het geen 'oppassen' zou mogen heten als vaders tijd doorbrengen met hun eigen kinderen.

'Misschien heeft Andy wel gebeld,' zeg ik, mijn mobieltje tevoorschijn halend, precies op het moment dat Leo's naam oplicht op mijn scherm. Ik krijg een wee gevoel in mijn maag van opwinding, en hoewel ik weet dat ik de telefoon beter meteen weer terug kan stoppen in mijn tas, sta ik op en hoor ik mezelf zeggen: 'Sorry, maar deze moet ik even opnemen. Dit gaat over mijn shoot van morgen.'

Iedereen knikt begrijpend terwijl ik me haastig naar de keuken begeef – die alweer helemaal aan kant is dankzij Ginny's ijverige cateraars en haar onzichtbare huishoudster – en neem op gedempte toon op.

'Ben je nog steeds van plan om morgen te komen?' zegt Leo.

'Doe niet zo raar,' fluister ik, en ik voel de adrenaline door mijn lijf gieren.

'Even checken,' zegt hij.

Er stijgt gelach op in de woonkamer, waarop Leo vraagt: 'Waar ben je?'

'Op een babyfeestje,' mompel ik.

'Ben je zwanger?' vraagt hij adrem.

'Ja, tuurlijk,' zeg ik, en ik voel me opgelucht omdat dat onmogelijk is – en vervolgens schuldbewust omdat ik zulke intense opluchting voel.

'Dus. Nog even over morgen. Wil je gewoon rechtstreeks naar mijn huis komen? En dan daar vandaan wel verder zien?'

'Tuurlijk,' fluister ik. 'Lijkt me prima.'

'Oké... nou, dan kan ik waarschijnlijk maar beter ophangen,' zegt Leo, hoewel ik kan horen dat hij liever nog even wil blijven kletsen.

'Oké,' zeg ik, met evenveel tegenzin.

'Tot morgen, Ellen.'

'Tot morgen, Leo,' zeg ik, en ik voel me flirterig en opgewonden terwijl ik mijn telefoon dichtklap, me omdraai, en zie dat Margot me staat aan te staren. Mijn onnozele grijns verdwijnt als sneeuw voor de zon.

'Wie had je aan de telefoon?' vraagt ze, haar ogen verbijsterd en beschuldigend fonkelend.

'Het ging over de shoot,' zeg ik hakkelend terwijl ik in gedachten het gesprek terugspeel en me afvraag wat ze precies heeft gehoord.

Het is duidelijk dat ze me Leo's naam heeft horen zeggen – en ook de klank van mijn stem is haar niet ontgaan – want ze zegt: 'Hoe kun je dit doen?'

'Wat doen?' mompel ik, en mijn gezicht wordt warm.

Margot fronst haar voorhoofd, en haar lippen worden een dunne streep. 'Je gaat naar New York om hem op te zoeken, hè?'

'Ik ga... naar New York voor wérk,' zeg ik – wat duidelijk geen ontkenning is.

'Voor wérk? Werkelijk, Ellen?' zegt ze, en ik weet niet of ze nou meer gekwetst of boos is.

'Ja. Het is écht voor werk,' zeg ik, verwoed knikkend en me vastklampend aan dit laatste greintje waarheid. 'Het is een legitieme fotoshoot op Coney Island.'

'Ja. Ik weet het, ik weet het. Coney Island. Tuurlijk,' zegt ze, schuddend met haar hoofd terwijl ik terugdenk aan de weinige

vragen die ze heeft gesteld over de shoot – en de vluchtige antwoorden die ik haar heb gegeven om vervolgens een veiliger onderwerp aan te snijden. 'Maar is het met hém? Je gaat hem daar
zien, hè?'

Ik knik langzaam, hopend op haar genade, een beetje begrip
– net zoals ik heb geprobeerd dat voor haar op te brengen, voor
haar beslissing van al die jaren geleden. 'Weet Andy het?' vraagt ze. Het is dezelfde vraag die ze me op
het vliegveld stelde, alleen dit keer kan ik zien dat ze absoluut
haar kantelpunt heeft bereikt.

Ik kijk haar aan maar zeg niets – wat uiteraard een volmondig 'nee' is.

'Waarom, Ellen? Waarom doe je dit?' vraagt ze.

'Ik... ik moet het doen,' zeg ik verontschuldigend maar resoluut.

'Je móét het doen?' vraagt ze, één hand tegen haar buik drukkend terwijl ze haar Lanvin flatjes tegen elkaar schuift. Zelfs in
tijden van crisis ziet ze er elegant uit, beheerst.

'Margot,' zeg ik. 'Probeer het alsjeblieft te begrijpen –'

'Nee. Nee, Ellen,' zegt ze, me in de rede vallend. 'Ik begrijp het
niet... Ik begrijp niet waarom je zo onvolwassen bezig bent... en
kwetsend... en destructief... Het aannemen van die klus met
Drake was één ding, maar dít... Dit is te veel.'

'Zo is het niet,' zeg ik aarzelend.

'Ik heb je gehoord, Ellen. Ik heb je stem gehoord – de manier
waarop je tegen hem praatte... Ik kan het niet geloven... Je ver-
pest alles...'

En terwijl ze haar andere hand ook op haar buik legt, weet ik
dat ze ook echt álles bedoelt. Haar feestje. De vriendschap. Mijn
huwelijk. Onze familie. Alles.

'Het spijt me,' zeg ik.

En hoewel het me inderdaad spijt, voel ik mijn schaamte overgaan in verontwaardiging wanneer ik bedenk dat we dit gesprek
misschien nooit gehad zouden hebben als zij al die jaren geleden
eerlijk tegen me was geweest. Als ze zich had herinnerd dat we
in de eerste plaats vriendinnen waren – al voordat ik iets met
Andy kreeg. Ik denk koortsachtig na over de vraag of ik haar zal

vertellen dat ik weet wat ze heeft gedaan – of dat ook een keer-
zijde heeft. Ik zinspeel erop door te zeggen: 'Ik moet gewoon...
een paar dingen uitzoeken die lang geleden al uitgezocht hadden
moeten worden...'

Kennelijk begrijpt ze de hint niet, want ze schudt haar hoofd
en zegt: 'Nee. Hier bestaat werkelijk geen enkel excuus voor –'

'O nee?' vraag ik, haar in de rede vallend. 'Nou, wat is jóúw
excuus dan, Margot?'

'Mijn excuus waarvoor?' Ze kijkt me aan, niet-begrijpend, terwijl ik me afvraag of ze zijn bezoekje vergeten is of de geschiedenis anderszins geweld aan heeft gedaan door zijn terugkeer
zonder pardon uit haar geheugen te wissen.

'Voor het feit dat je me nooit hebt verteld dat hij is teruggе-
komen,' zeg ik. Mijn stem is kalm, maar mijn hart bonst.

Margot knippert met haar ogen, kortstondig uit balans gebracht voordat ze zichzelf al snel weer hervindt. 'Je was met
Andy,' zegt ze. 'Je had een relátie met Andy.'

'Nou en?' zeg ik.

'Nou én?' herhaalt ze, vol afgrijzen. 'Nou én?'

'Ik bedoel niet "nou en" dat ik met Andy was... ik bedoel...
waarom denk je dat mijn relatie met hem gevaar zou lopen als
je me had verteld dat Leo langs was geweest?'

Ze slaat haar armen over elkaar en lacht. 'Nou. Ik geloof dat
dit, hier, het antwoord is op die vraag.'

Ik staar in haar ogen, weigerend om die twee kwesties door
elkaar te laten lopen. 'Je had het me moeten vertellen,' zeg ik,
de woorden uitspuwend. 'Ik had het recht om het te weten. Ik
had het recht om zelf die keuze te maken... En als je dacht dat
er zelfs maar een mogelijkheid bestond dat ik bij Andy weg zou
gaan... dan was dat des te meer reden geweest om het me te
vertellen.'

Margot schudt haar hoofd in volledige, onmiddellijke ontkenning, terwijl ik me realiseer dat ik haar nog nooit sorry heb
horen zeggen – of dat ze het bij het verkeerde eind had. Nergens
over, tegen niemand. Nooit.

'Nou, Andy heeft het recht om dít te weten,' zegt ze, mijn opmerking totaal negerend. 'Hij heeft het recht om te weten waar zijn vrouw mee bezig is.'

Dan recht ze haar rug, heft haar kin op, en zegt op onwrikbare, kille, felle toon: 'En als jij het hem niet vertelt, Ellen... dan zal ík het wel doen.'

dertig

Een paar seconden later stormen Craig, Webb, Andy en James
door de zijdeur naar binnen. Ze zien er bezweet, gebruind en
voldaan uit. Ik adem scherp in, worstelend om mijn kalmte terug
te vinden terwijl ik Margot hetzelfde zie doen. Heel even ben ik
bang dat ze, geheel tegen haar gewoonte in, een scène zal schop-
pen en alles ter plekke eruit zal gooien. Maar ze zou in ieder
geval haar broer nooit op die manier in verlegenheid brengen. In
plaats daarvan rent ze praktisch naar Webb toe en legt haar
hoofd tegen zijn borst, alsof ze steun wil zoeken bij haar eigen,
vlekkeloze relatie.

Ik kijk naar hen en verbaas me erover dat ik slechts een paar
maanden geleden nog precies hetzelfde voelde voor Andy – dat
hij mijn steun en toeverlaat was. Nu sta ik een paar passen bij
hem vandaan en voel me eenzaam en verloren.

'Wie heeft er gewonnen?' vraagt Margot terwijl ze een steelse
blik op Andy werpt, ogenschijnlijk hopend dat hij heeft gewonnen. Als zijn vrouw hem dan zo nodig moet bedriegen, laat hij
dan in ieder geval een goede dag op de golfbaan achter de rug
hebben.

En jawel hoor, Andy schenkt haar een onweerstaanbaar, bij-
dehand glimlachje, knipoogt en zegt: 'Wie denk je dat er gewonnen heeft, Mags?'

'Die gast is zó'n mazzelaar,' zegt James, terwijl Ginny, Stella en Pam zich bij ons voegen in de keuken, opgetogen nu ze weer in het gezelschap van hun mannen verkeren.

'Andy heeft gewonnen!' verkondigt Margot met valse opgewektheid terwijl de mannen ons trakteren op hun golfverhalen, inclusief een je-had-het-moeten-zien moment toen Craig, in een uitbarsting van frustratie, een magnolia aan gort heeft geslagen met zijn gloednieuwe driver. Meer dan eens. Iedereen lacht, behalve Margot en ik, terwijl Craig ons vol trots vertelt hoe duur die driver precies was. Ondertussen vist hij vier biertjes uit de koelkast en maakt ze zo razendsnel achter elkaar open dat hij me doet denken aan een barman tijdens happy hour – een baantje waarvan ik vrij zeker weet dat hij het nooit heeft gehad. Hij deelt ze uit aan Andy, Webb en James en slaat zijn eigen biertje gulzig achterover, terwijl hij tussen twee slokken door met het flesje zijn voorhoofd afveegt.

'En hoe was het feestje?' vraagt Andy, die de enige man in huis schijnt te zijn – de aanstaande vader incluis – die nog weet dat hun partijtje golf niet hetgene was waar het vandaag werkelijk allemaal om draaide. Ik schrijf een paar punten bij op zijn conto van goede echtgenoot, ondanks het feit dat ik weet dat er geen enkele reden is om hem voortdurend zo kritisch onder de loep te leggen.

Margot houdt haar hoofd scheef, produceert een gematigde glimlach en zegt: 'Het was fantastisch.'

'Het was zó enig,' vallen Stella en Pam haar bij, met precies dezelfde intonatie. Ze wisselen een vriendschappelijke blik vol genegenheid die me doet verlangen naar diezelfde dynamiek met Margot – en die me doet vrezen dat we die misschien nooit meer terugkrijgen.

'En is de buit een beetje de moeite waard?' vraagt James aan Margot met een quasi New Yorks accent terwijl hij zijn zonneklep honderdtachtig graden draait om zijn favoriete gangster-look te krijgen.

Margot glimlacht opnieuw geforceerd en zegt dat ze inderdaad een paar prachtige cadeaus heeft gekregen, terwijl Ginny, niet in staat om haar blijdschap te beteugelen, er uitflapt: 'En Ellen heeft Lucy ontmoet!'

Mijn maag draait om als ik bedenk hoeveel groter Ginny's blijdschap zal zijn als Margot haar in vertrouwen neemt over de volle omvang van de ironie van de situatie.

'Is dat zo?' vraagt Andy, zijn wenkbrauwen belangstellend opgetrokken op een manier die, onder andere omstandigheden, een lawine van jaloezie en onzekerheid in me zou hebben ontketend.

'En, wat vond je van haar?' vraagt James aan mij met zijn karakteristieke grijns, vermoedelijk aansturend op een unieke kans om zijn moeders preutse protocol te torpederen.

'Ik vond haar erg aardig,' zeg ik rustig terwijl James, zoals te verwachten was, iets mompelt over haar 'aardige memmen'.

'James!' roept Stella uit, naar adem happend.

'Weet je eigenlijk wel wat memmen zijn, mam?' zegt James grinnikend.

'Ik heb een vermoeden,' zegt Stella, haar hoofd schuddend.

Ondertussen doet Andy alsof hij het hele spektakel negeert en is hij zo welwillend om te doen alsof het onderwerp Lucy hem verveelt – waardoor Margots woede alleen nog maar verder aangewakkerd wordt.

'Nou ja,' zegt ze uiteindelijk, mijn nabijheid duidelijk geen seconde langer verdragend. 'Ik ben bekaf.' Ze kijkt op naar Webb en zegt: 'We kunnen waarschijnlijk maar beter gaan voordat ik weer last krijg van Braxton Hicks...'

Webb masseert haar nek en zegt: 'Zeker weten. Ik neem je lekker mee naar huis, liefje.'

'Ja,' zegt Andy gapend, en hij neemt een grote slok bier. 'Wij kunnen ook maar beter gaan. Ellen heeft morgen een belangrijke dag. Ze gaat naar New York voor een grote shoot.'

'Ik heb het gehoord,' zegt Margot. Haar gezichtsuitdrukking is nietszeggend en haar stem volkomen emotieloos – maar het is desondanks volkomen duidelijk, voor mij althans, dat ze zich druk maakt over iets anders dan mogelijke weeën. Ik kijk naar haar, wanhopig mijn best doend om nog een laatste keer oogcontact te maken, al weet ik niet precies met welke boodschap.

Een smeekbede om genade? Een laatste verklaring? Een onomwonden verontschuldiging? Als ze uiteindelijk naar me kijkt, werp ik haar een klaaglijke blik toe die al het bovenstaande omvat. Ze schudt afwerend haar hoofd, kijkt neer op Ginny's stenen vloer, en beweegt nauwelijks merkbaar met haar lippen, alsof ze bezig is om te formuleren wat ze tegen haar broer zal gaan zeggen op het moment dat hij haar het hardste nodig heeft.

Die avond, als Andy en ik weer thuis zijn, zijn we het toonbeeld van een normaal stel op een zondagavond, althans, aan de buitenkant. We maken een verse salade voor bij onze pepperoni pizza van Mellow Mushroom. We kijken tv, waarbij de afstandsbediening heen en weer gaat. Ik help hem met het verzamelen van ons afval, dat de volgende ochtend wordt opgehaald. Hij komt bij me zitten terwijl ik de rekeningen betaal. We gaan gezamenlijk naar boven om naar bed te gaan. Vanbinnen, echter, ben ik een wrak, en in gedachten speel ik mijn gesprek met Margot telkens opnieuw af, ik schrik op als de telefoon gaat, en ik probeer uit alle macht de woorden – en de kracht – te vinden om mijn bekentenis te doen.

Dan liggen Andy en ik eindelijk in bed met het licht uit, en weet ik dat dit mijn allerlaatste kans is om iets te zeggen. *Wat dan ook.* Voordat Margot het voor me doet.

Er schieten wel honderd openingszinnen door mijn hoofd terwijl Andy zich naar me toe buigt voor een nachtkus. Ik kus hem terug, een paar seconden langer dan normaal, en ik voel me nerveus en intens verdrietig.

'Het was erg leuk om Lucy vandaag te ontmoeten,' zeg ik als we elkaar uiteindelijk loslaten, ineenkrimpend omdat ik zo'n slappeling ben dat ik de kun-je-vrienden-zijn-met-je-ex discussie weer probeer aan te zwengelen.

'Ja. Het is een leuke meid,' zegt Andy. Met een zucht voegt hij eraan toe: 'Doodzonde dat ze met zo'n klootzak getrouwd is.'

'Is haar man een klootzak?'

'Ja... Hij schijnt de geboorte van zijn eigen zoon te hebben gemist.'

'Tja. Zoiets kan gebeuren. Had hij er een goede reden voor?' zeg ik, hopend dat mijn vergevingsgezindheid aanstekelijk zal zijn.

'Ik weet best dat zoiets kan gebeuren,' zegt Andy. 'Als de baby te vroeg geboren wordt, of zo... Maar hij is op zakenreis gegaan op de uitgerekende datum... En toen – goh, wat raar – kon hij niet meer op tijd terugkomen.'

'Wie heeft je dat verteld?'

'Luce.'

Ondanks alles krimp ik ineen bij het horen van haar verkorte koosnaampje. Andy moet het ook horen, want hij schraapt haastig zijn keel en verbetert zichzelf door te zeggen: 'Dat heeft Lucy me verteld.'

'Wanneer?' vraag ik, schaamteloos hengelend naar gedeelde schuld. 'Ik dacht dat jullie geen contact meer hadden?'

'Dat hebben we ook niet,' antwoordt hij snel. 'Ze heeft het me heel lang geleden verteld.'

'Haar zoon is vijf. We zijn al meer dan vijf jaar samen.'

'Hij is bijna zes,' zegt Andy, en hij trekt de deken strakker om zich heen.

'Weet je uit je hoofd wanneer hij jarig is?' kaats ik terug, maar half schertsend.

'Makkelijk zat, inspector Morse,' zegt Andy lachend. 'Je weet dat Lucy en ik elkaar al jaren niet meer gesproken hebben. Het was gewoon zo'n allerlaatste post-relatiegesprek waarbij je even wilt weten hoe het met de ander gaat en –'

'En opbiecht hoe beroerd je huidige relatie is? Dat je man niet in de schaduw kan staan van je eerste liefde?'

Andy lacht. 'Nee. Ze leek er eigenlijk niet zo'n moeite mee te hebben dat haar man niet op tijd kwam om bij de geboorte aanwezig te zijn. Het kwam ook min of meer toevallig ter sprake... Ze is altijd zo'n type geweest dat kinderen belangrijker leek te vinden dan een echtgenoot.'

'Dus heeft zij jou gebeld? Of heb jij haar gebeld?' vraag ik, me steeds misselijker voelend.

'Jemig, Ell. Ik weet het werkelijk niet meer... We hadden elkaar zo lang niet gesproken... Ik geloof dat we allebei gewoon wilden weten dat het goed ging met de ander... Dat er geen onuitgesproken verwijten waren.'

'En waren die er? Onuitgesproken verwijten?' vraag ik, bij mezelf denkend dat Leo en ik nooit een dergelijk gesprek hebben gehad. We hebben het nooit goed afgesloten, tenzij je onze vliegreis meetelt – die overduidelijk niet afdoende was.

'Nee,' zegt hij, en vervolgens gaat hij rechtop zitten en vraagt kalm: 'Waar wil je heen met dit gesprek?'

'Nergens heen,' zeg ik. 'Ik ben gewoon... ik wil gewoon dat je weet dat ik er geen problemen mee zou hebben als je wel contact met haar had... als je vrienden met haar wilt zijn.'

'Toe nou, Ell. Je weet dat ik geen enkele behoefte heb om vrienden te zijn met Lucy.'

'Waarom niet?'

'Daarom niet,' zegt hij. 'Om te beginnen heb ik geen vrouwelijke vrienden. En bovendien... ik kén haar niet eens meer.'

Ik denk na over deze bewering en realiseer me dat ik, ondanks de vervelende manier waarop Leo en ik uit elkaar zijn gegaan, en ondanks het feit dat we elkaar jarenlang niet gesproken hebben, nooit op deze manier over Leo heb gedacht. Ik was misschien niet meer op de hoogte van de details van zijn dagelijks leven, maar ik heb nooit het gevoel gehad dat ik niet meer wist wie híj was.

'Dat is triest,' mijmer ik, hoewel ik ineens niet meer weet welk scenario het meest trieste is. Dan, voor de allereerste keer, vraag ik me af hoe het zou zijn als Andy en ik ieder onze eigen weg zouden gaan – in welke van de twee scenario's wij terecht zouden komen. Ik zet de gedachte van me af en zeg tegen mezelf dat het nooit zou gebeuren. Of toch wel?

'Wat is er zo triest aan?' vraagt Andy nonchalant.

'Ach, ik weet niet...' zeg ik, en mijn stem sterft weg.

Andy rolt naar me toe en kijkt me aan terwijl mijn ogen zich opnieuw aanpassen aan het donker.

'Wat zit je dwars, Ell?' zegt hij. 'Ben je van streek vanwege Lucy?'

'Nee,' zeg ik snel. 'Helemaal niet. Ik vond het écht leuk om haar te ontmoeten.'

'Oké,' zegt hij. 'Prima.'

Ik doe mijn ogen dicht, wetend dat het moment van de waarheid is aangebroken. Ik schraap mijn keel, lik mijn lippen af en rek het nog een paar laatste seconden.

'Andy,' zeg ik uiteindelijk, en mijn stem begint te trillen. 'Ik moet je iets vertellen.'

'Wat?' vraagt hij zacht.

Ik adem eerst diep in en daarna uit. 'Het gaat over de shoot van morgen.'

'Wat is daarmee?' vraagt hij, zijn hand uitstekend om mijn arm aan te raken.

'De shoot... is met Leo,' zeg ik, en ik voel me opgelucht en misselijk tegelijk.

'Leo?' zegt hij. 'Je ex?'

Ik dwing mezelf om ja te zeggen.

'Hoe bedoel je, het is met Leo?' vraagt Andy.

'Hij schrijft het artikel,' zeg ik, met zorg mijn woorden kiezend. 'En ik maak de foto's.'

'Oké,' zegt hij, en hij knipt zijn lampje naast het bed aan en kijk me recht in mijn ogen. Hij ziet er zo kalm en vol vertrouwen uit dat ik voor het eerst overweeg om de shoot af te blazen. 'Maar hoe kan dat dan?... Hoe is dat zo gekomen?'

'Ik ben hem tegen het lijf gelopen in New York,' zeg ik, wetend dat ik veel te weinig opbiecht, en veel te laat. 'En hij heeft me een klus aangeboden...'

'Wanneer?' vraagt Andy. Hij doet duidelijk zijn best om me het voordeel van de twijfel te geven, maar ik voel dat hij in zijn verhoor-modus schiet. 'Wanneer ben je hem tegen het lijf gelopen?'

'Een paar maanden geleden... Niks bijzonders...'

'Waarom heb je het me dan niet verteld?' vraagt hij, een logische vraag, en duidelijk de kern van de zaak. Kennelijk was het immers wél iets bijzonders – anders was dit allemaal nooit begonnen op die winterse dag op dat kruispunt en had ik bij thuiskomst niet besloten om dat allereerste geheim voor mijn man te bewaren. Heel even vraag ik me af of ik terug zou willen gaan in de tijd om de dingen anders te doen.

Ik aarzel en zeg dan: 'Ik wilde je niet van streek maken.' Dit is de waarheid – de laffe waarheid, maar desalniettemin de waarheid.

'Tja, maar door het niet te vertellen, wordt het alleen maar groter,' zegt Andy, zijn ogen groot en gekwetst.

'Ik weet het,' zeg ik. 'Het spijt me... Maar ik... ik wilde die klus heel graag doen... dit type werk,' zeg ik, worstelend om een zo goed mogelijke draai aan de zaak te geven. In mijn hart geloof ik werkelijk dat een deel van de reden waarom ik ga inderdaad het werk is. Dat ik meer nodig heb in het leven dan alleen maar rondhangen in een mooi, groot huis en wachten tot mijn man thuiskomt. Dat ik weer mijn eigen dingen wil doen. In een kleine, hoopvolle opleving dat hij het misschien daadwerkelijk zal begrijpen, voeg ik eraan toe: 'Ik mis het heel erg. Ik mis New York héél erg.'

Andy trekt aan zijn oor, en zijn gezicht klaart even op als hij zegt: 'We kunnen er een weekendje naartoe gaan... Lekker uit eten gaan en naar het theater...'

'Dat is niet wat ik mis... Ik mis het werken in de stad. Er deel van uitmaken... de energie.'

'Ga er dan werken,' zegt hij.

'Dat ga ik ook doen.'

'Maar waarom moet het per se met Leo? Kun je ineens niet meer werken zonder Leo? Je fotografeert Drake Watters voor *Platform Magazine*, maar je hebt je ex nodig om je aan werk te helpen?' vraagt Andy, en hij klinkt zo kortaf bij het opzetten van deze val, dat ik heel even denk dat hij Leo's naam toch moet hebben zien staan bij het artikel. Of misschien heeft Margot hem al verteld over dat artikel. Zelfs Andy heeft nooit zoveel geluk bij een kruisverhoor.

'Nou. Eigenlijk,' zeg ik, neerkijkend op mijn gisteren gemanicuurde nagels voordat ik zijn onderzoekende blik beantwoord, 'heeft hij díé opdracht ook voor me geregeld.'

'Wacht even. Wat?' zegt Andy, en de eerste echte sporen van

woede worden zichtbaar op zijn gezicht terwijl de puzzelstukjes op hun plaats beginnen te vallen. 'Hoe bedoel je? Hoe heeft hij die shoot voor je geregeld?'

Ik bereid mezelf voor op het ergste als ik zeg: 'Hij heeft het artikel geschreven... Hij heeft mijn agent gebeld met die opdracht.'

'Was hij erbij in L.A.?' vraagt Andy, en zijn stem wordt steeds harder, steeds bozer. 'Heb je hem daar gezien?'

Ik knik en probeer uit alle macht om mijn bekentenis af te zwakken. 'Maar ik zweer dat ik niet wist dat hij er zou zijn... We zijn niet samen wat gaan drinken... of uit eten geweest... of wat dan ook... Ik heb de hele tijd met Suzanne opgetrokken. Het was allemaal... puur zakelijk.'

'En nu?' vraagt hij – een vraag met een open einde die me vervult met angst.

'En nu... hebben we weer een shoot,' zeg ik.

'En dan? Worden jullie een soort team samen?' vraagt hij terwijl hij uit bed springt, zijn armen over elkaar slaat en me woedend aankijkt.

'Nee,' zeg ik, mijn hoofd schuddend. 'Zo is het niet.'

'Leg uit. Hoe is het dan wél?' vraagt hij, en zijn borst zwelt op door de overdosis testosteron die door zijn lichaam giert.

'We zijn vrienden,' zeg ik. 'Die samenwerken... af en toe. Twee keer. Niet eens af en toe.'

'Nou, ik weet niet of ik me daar wel prettig bij voel.'

'Waarom niet?' zeg ik, alsof daar enige twijfel over bestaat.

'Omdat... Omdat ik nog nooit iets goeds heb gehoord over die gast... en nu wil jij een vriendschap met hem beginnen?'

'Het beeld dat Margot van hem schetst, is niet helemaal eerlijk,' zeg ik. 'Nooit geweest ook.'

'Jij hebt me anders ook vreselijke dingen over hem verteld.'

'Ik was gekwetst.'

'Ja,' zegt Andy, rollend met zijn ogen. 'Door hém.'

'Hij is een goed mens,' zeg ik.

'Hij is een schoft.'

'Hij is geen schoft... En ik geef om hem... Hij is...'

'Wat?'

'Hij is... belangrijk voor me.'

'Nou, dat is fantastisch, Ellen. Dat is fantastisch,' zegt Andy, zijn stem druipend van sarcasme. 'Je ex is belangrijk voor je. Dat is precies wat elke echtgenoot graag wil horen.'

'Lucy is ook op het babyfeestje van je zus geweest,' zeg ik, weer terug bij het punt waar ik begonnen ben. 'En Ty doet de tuin van je zus.'

'Ja,' zegt hij, ijsberend aan het voeteneind van het bed. 'Maar zij heeft die uitnodiging gekregen, en hij doet de tuin, juist omdat ze niet belangrijk zijn. Het zijn gewoon mensen uit het verleden waar we ooit verkering mee hebben gehad. Dat is alles... Het lijkt er niet op dat jij hetzelfde kunt zeggen over Leo.'

Ik hoor dat hij een vraag stelt, dat hij wanhopig graag wil dat ik haastig mijn antwoord bijstel – ontken dat ik ook maar iets voor Leo voel.

Maar dat kan ik niet. Ik kan niet ook nog eens liegen tegen Andy, bovenop al het andere.

Dus in plaats daarvan zeg ik: 'Vertrouw je me niet?' Door het stellen van de vraag, voel ik me meteen een stuk beter – krijg ik het gevoel dat ik mezelf kan vertrouwen.

'Dat heb ik wel altijd gedaan,' zegt Andy, duidelijk implicerend dat dat niet langer het geval is.

'Ik zou je nooit bedriegen,' zeg ik, en ik heb meteen spijt van mijn verbale belofte, wetend dat dit een onuitgesproken gegeven hoort te zijn. Iets wat je niet hoeft uit te spreken.

En jawel hoor, Andy zegt: 'Goh, Ellen. Nou nou. Dat is nogal wat. Dank je wel. We zullen niet vergeten om het mee te wegen bij de echtgenote-van-het-jaar-verkiezing.'

'Andy,' zeg ik smekend.

'Nee. Ik meen het. Dank je wel. Bedankt dat je belooft me niet te zullen bedriegen met je belangrijke ex-vriendje om wie je zo intens veel geeft,' zegt Andy, terwijl ik me realiseer dat ik hem nog nooit zo kwaad heb gezien.

Ik haal diep adem en neem in opperste wanhoop mijn toevlucht tot mijn laatste redmiddel: de aanval. 'Oké. Dan ga ik wel niet. Ik bel wel af en ik blijf wel hier om nog meer kiekjes te maken van Margots buik en... en limonadekraampjes terwijl jij... de hele dag aan het golfen bent.'

'Wat bedoel je daar nou weer mee?' zegt Andy, en hij knijpt niet-begrijpend zijn ogen tot spleetjes.

'Daar bedoel ik mee dat jouw leven fantastisch is. En het mijne is waardeloos.' Ik haat de bittere klank in mijn stem – en toch geeft die precíes weer hoe ik me voel. Ik bén bitter.

'Oké. Dus even voor alle duidelijkheid,' schreeuwt Andy. 'Jij vliegt naar New York om bij je ex te zijn omdat ik van golfen houd? Probeer je me te straffen voor het golfen?'

'Zo simpel ligt het natuurlijk niet,' zeg ik, terwijl ik eigenlijk denk: *Wat ben je toch simpel.*

'Nou, het lijkt erop alsof je ineens beweert dat dit allemaal mijn schuld is.'

'Het is niet jouw schuld, Andy... Het is niemands schuld.'

'Het is wel iemands schuld,' zegt hij.

'Ik... ik ben hier niet gelukkig,' zeg ik, en mijn ogen vullen zich met tranen. Ik sper ze wijd open, mezelf dwingend om niet te huilen.

'Hier? Waar, hier?' vraagt Andy. 'In dit huwelijk? In Atlanta?'

'In Atlanta. In jouw stad... Ik ben het zo zat om te doen alsof...'

'Hoezo, doen alsof?' vraagt Andy. 'Doen alsof je graag bij me bent?'

'Doen alsof ik iemand ben die ik niet ben.'

'Wie verlangt er dan van je dat je dat doet?' vraagt hij, onaangedaan door mijn emoties – hetgeen merkwaardig genoeg tot gevolg heeft dat mijn tranen toch vallen. 'Wanneer heb ik je ooit gevraagd om iemand te zijn die je niet bent?'

'Ik pas hier niet,' zeg ik, mijn gezicht droogvegend met de punt van het laken. 'Zie je dat dan niet?'

'Je doet net alsof ik je heb gedwongen om hierheen te verhuizen,' zegt Andy, zijn gezicht vertrokken van frustratie, 'terwijl je tegen me hebt gezegd dat het was wat je wilde.'

'Ik wilde jou gelukkig maken.'

Andy lacht een trieste, verslagen lach en schudt zijn hoofd.

'Natuurlijk. Dat is jouw missie in het leven, Ellen. Mij gelukkig maken.'

'Het spijt me,' zeg ik. 'Maar ik moet dit doen.'

Hij kijkt naar mijn gezicht, alsof hij wacht tot ik nog meer zal zeggen – een betere verklaring, een diepere verontschuldiging, de geruststelling dat hij de enige voor me is. Maar als ik de juiste woorden niet kan vinden – of helemaal geen woorden – kijkt hij naar het vloerkleed en zegt: 'Waarom móét je dit doen?'

Als hij uiteindelijk naar me opkijkt, zeg ik: 'Ik weet het niet.'

'Je wéét het niet?'

'Ik heb het gevoel alsof ik niets meer weet...'

'Nou, Ellen,' zegt hij, terwijl hij haastig zijn spijkerbroek en zijn schoenen aanschiet en zijn sleutels en portefeuille van het nachtkastje grist. 'Je bent niet de enige.'

'Waar ga je heen?' vraag ik, door nog meer tranen heen.

'Weg,' zegt hij, zijn hand door zijn haar halend bij wijze van kam. 'Ik ga hier in ieder geval niet slapen vannacht en je morgenochtend als een of andere domme sukkel gedag kussen.'

Ik kijk naar hem, overmand door verdriet en wanhoop terwijl ik stamel: 'Andy... probeer het alsjeblieft te begrijpen. Het ligt niet aan jou... Het ligt aan mij... Ik... moet dit gewoon doen. Alsjeblieft.'

Hij negeert me en loopt naar de deur.

Ik stap uit bed en loop achter hem aan, mijn keel praktisch dichtgeknepen terwijl ik zeg: 'Kunnen we er niet gewoon verder over praten? Ik dacht dat we hadden gezegd dat we niet met ruzie zouden gaan slapen?'

Andy draait zich om en kijkt me aan, en dan dwars door me heen. 'Ja,' zegt hij verdrietig. 'Nou ja, we hebben zoveel gezegd, Ellen... nietwaar?'

eenendertig

In een moment dat eerder surrealistisch is dan verdrietig, sta ik bij ons slaapkamerraam te kijken naar Andy, die langzaam en voorzichtig achteruit de oprit af rijdt en vervolgens zijn knipperlicht aanzet terwijl hij de hoofdweg door onze buurt op draait. Ik kan het geluid bijna horen – *klikklak, klikklak, klikklak* – in de stilte van zijn nog steeds nieuw ruikende auto en zeg tegen mezelf dat een man die de moeite neemt om zijn knipperlicht aan te zetten niet écht boos is. Ik weet niet zo goed of dit een troost is, of een bewijs dat we niet voor elkaar bestemd zijn. Dat Suzanne gelijk heeft – dat het ontbreekt aan hartstocht tussen ons en dat we enkel een liefdevolle, aangename verbintenis hebben die niet eens zo heel aangenaam meer is.

Ik wend me af van het raam en zeg tegen mezelf dat ik niet aan het zoeken ben naar bewijzen, van wat dan ook. Misschien is het struisvogelpolitiek, maar ik wil gewoon morgenochtend in het vliegtuig stappen, naar New York gaan, en mijn werk doen en Leo zien, en proberen te zorgen dat ik me een beetje beter voel over alles – het verleden, mijn huwelijk, mijn vriendschap met Margot, mijn werk, mezelf. Ik weet niet precies hoe ik dat voor elkaar denk te krijgen, maar ik weet zeker dat het niet zal gebeuren als ik hier blijf, in dit huis.

Ik knip Andy's lamp uit en stap weer in bed. Ik heb het idee dat het gepast zou zijn om nu te huilen, maar ik constateer met een mengeling van opluchting en angst dat al mijn emoties afgezwakte versies zijn van wat ik een paar minuten geleden voelde toen Andy hier nog was. Sterker nog, ik ben zo kalm en beheerst dat het bijna is alsof ik zit te kijken naar de nasleep van de knallende ruzie van een ander stel, in afwachting van de dingen die komen gaan: *Blijft ze of gaat ze weg?*

Ik doe mijn ogen dicht, uitgeput en ervan overtuigd dat ik best in slaap zou kunnen vallen als ik een klein beetje mijn best zou doen. Maar ik probeer het niet eens; ik heb in ieder geval het gelijk deels aan mijn kant, en dat zou door slapen misschien teniet gedaan kunnen worden – slapen zou van mij de harteloze echtgenote maken die lekker op één oor ligt terwijl haar door verdriet verteerde echtgenoot rondrijdt door de lege straten.

Dus in plaats van te gaan slapen, probeer ik Andy te bellen op zijn mobiele nummer, in de volste verwachting dat ik zijn opgewekte voicemailboodschap te horen zal krijgen met de vertrouwde, verdwaalde taxi die toetert op de achtergrond. *Je moet die voicemailboodschap nooit veranderen*, heb ik onlangs nog tegen hem gezegd, niet goed wetend of het me om zijn vrolijke stem te doen was of om het geluid van New York op de achtergrond. Hoe het ook zij, hij neemt nu niet op – en de volgende drie keren dat ik bel evenmin. Het is duidelijk dat Andy niet met me wil praten, en omdat ik geen idee heb wat ik tegen hem moet zeggen, spreek ik geen bericht in. Ik besluit ook niet naar Margots huis te bellen, waar hij uiteindelijk ongetwijfeld zal belanden. Laat ze zich maar lekker met zijn allen tegen me keren. Laat ze Stella maar uitnodigen, een goede fles wijn opentrekken, en in hun superieure sop gaarkoken. Laat ze hun ding maar doen terwijl ik het mijne doe. Ik staar in het donker voor me uit en voel me eenzaam, en tegelijkertijd dolblij dat ik alleen ben.

Na een tijdje ga ik rusteloos naar beneden, waar alles donker en netjes is, precies zoals Andy en ik het hebben achtergelaten toen we naar bed gingen. Ik loop rechtstreeks naar de drankkast, waar ik een glas wodka inschenk, puur, in een klein sapglas. Drinken in mijn eentje voelt als een deprimerend cliché, en ik wil wanhopig graag geen cliché zijn. En toch is wodka precies waar ik op dit moment behoefte aan heb, en *waar Ellen behoefte aan heeft* voelt als het thema van deze avond. Althans, ik weet zeker dat mijn man dat zou zeggen.

Ik sta midden in de keuken en snak ineens naar frisse lucht, dus ik loop naar de achterdeur en zie dat Andy het inbraakalarm wel weer heeft ingeschakeld toen hij wegging; hij mag me dan weliswaar haten, maar desondanks wil hij kennelijk toch niet dat ik gevaar loop. Dat is tenminste iets, denk ik bij mezelf terwijl ik op de bovenste tree ga zitten, hetgeen inmiddels mijn favoriete plekje is in Atlanta, wodka drinkend en luisterend naar de krekels en de zware, zwoele stilte.

Lang nadat ik mijn wodka heb opgedronken, Andy nog een laatste keer heb gebeld op zijn mobieltje, naar binnen ben gegaan, de achterdeur weer op slot heb gedaan en mijn glas in de gootsteen heb gezet, vind ik zijn briefje. Ik begrijp niet hoe ik het eerst over het hoofd heb kunnen zien, want het ligt midden op de aanrecht. Een gele Post-it, die we normaal gesproken voor een heel ander soort berichtjes gebruiken. Voor 'ik hou van je' en 'veel plezier vandaag' of 'nieuwe scheermesjes nodig'. Ik krijg een wee gevoel in mijn maag als ik het vierkantje omhoog houd, in het licht boven het fornuis, en Andy's blokletters lees:

ALS JE GAAT, HOEF JE NIET MEER TERUG TE KOMEN.

Ik trek het briefje van het blok en vraag me af wat ik moet doen – niet wat ik morgenochtend zal doen, maar simpelweg wat ik met het briefje zelf zal doen. Schrijf ik een antwoord in de lege ruimte onder zijn instructie? Laat ik het verfrommeld op de aanrecht liggen? Smijt ik het in de prullenbak? Plak ik het in mijn dagboek als triest aandenken aan een trieste tijd? Geen van deze opties lijkt echt gepast – dus ik plak het gewoon weer terug op het blok, precies op de plek waar het hoort, zodat het eruitziet alsof het nooit van zijn plaats is geweest, nooit is gelezen. Ik kijk er nog een laatste keer naar en voel een scherpe steek van berouw en spijt dat we zo'n stel zijn geworden dat niet alleen midden in de nacht ruzie maakt, maar ook ultimatums achterlaat op Post-its in de keuken.

Misschien worden we zelfs wel zo'n Buckhead-stel waar mensen over praten tijdens een feestje op de club. *Heb je het gehoord van Ellen en Andy? Heb je gehoord wat ze heeft gedaan? Dat hij haar een ultimatum heeft gesteld?*

Ik kan de Ginny's van deze wereld al horen: *En toen?*

Ze is weggegaan.

En daarna is hij bij haar weggegaan.

Ik blijf een hele tijd bij de aanrecht staan terwijl er beelden uit het verre verleden en daarna uit het recente verleden door mijn hoofd schieten, en een paar beelden er tussenin, me afvragend of ik Andy's woorden moet geloven. Ik besluit van wel. Hij zal misschien nog wel van gedachten veranderen, maar voorlopig meent hij het.

En toch, in plaats van dat de angst me om het hart slaat of dat het me tot nadenken stemt, voel ik me juist kalm, vastbesloten en verontwaardigd als ik naar boven ga en weer onder de dekens kruip. Hoe haalt hij het in zijn hoofd om me de wet voor te schrijven? Hoe haalt hij het in zijn hoofd om niet eens te willen begrijpen hoe ik me voel? Hoe haalt hij het in zijn hoofd om me in een hoek te drijven met zijn ultimatum? Ik probeer de rollen om te draaien en me Andy voor te stellen, ziek van heimwee, verlangend naar contact met iets of iemand. En dan dringt het tot me door dat dat de reden is waarom ik naar Atlanta ben verhuisd. Met hem. Voor hem. Dat is exact de reden waarom ik hier nu ben.

Ik val in slaap en droom willekeurige, banale filmbeelden over het bekleden van de luie stoel in onze slaapkamer, zoete thee knoeien over mijn toetsenbord, en op het laatste nippertje nog een geïmproviseerd zigeunerkostuum in elkaar flansen voor een Halloweenfeestje bij de buren. Dromen die, zelfs na grondige ontleding, nergens op slaan als je bedenkt dat ik me op een tweesprong bevind, midden in een crisis.

Als ik definitief wakker word, is het één minuut voor vijf – één minuut voordat mijn wekker afgaat. Ik sta op, ga onder de douche, kleed me aan en tref rustig alle voorbereidingen voor mijn reis alsof het een dag is als alle andere. Ik zoek mijn foto-apparatuur bij elkaar, pak mijn koffer beter in, print mijn boardingpas, en bekijk zelfs het weerbericht voor New York. Rond de achttien graden en af en toe een bui. Gek genoeg kan ik me niet meer voor de geest halen hoe achttien graden voelt, misschien omdat ik het al zo lang bloedheet heb, dus ik concentreer me op de regen en pak mijn paraplu en een zwarte trenchcoat in.

Al die tijd denk ik aan Andy's briefje, tegen mezelf zeggend dat ik altijd nog op het laatste moment terug kan. Als de zon opkomt, kan ik besluiten thuis te blijven. Ik kan met de MARTA-trein naar het vliegveld gaan, me slingerend een weg zoeken in de menigte, door de beveiligingspoortjes heen, helemaal tot aan de gate, en nog steeds teruggaan naar huis.

Maar diep vanbinnen weet ik dat dat niet zal gaan gebeuren. Ik weet dat ik al lang en breed vertrokken zal zijn als Andy thuiskomt en zijn briefje onaangeroerd op onze natuurstenen aanrecht aantreft.

Vijf wazige uren later bevind ik me in de rij voor een taxi op La-Guardia. De geluiden, de geuren en de beelden zijn allemaal zo pijnlijk vertrouwd. *Thuis*, denk ik bij mezelf. *Ik ben thuis.* Meer dan Pittsburgh, meer dan Atlanta, meer dan waar ook ter wereld, voelt deze stad, deze rij waar ik nu in sta, als thuiskomen.

'Waar moet je naartoe?' vraagt een jong meisje achter me, mijn eenzaamheid verstorend. Met haar gescheurde spijkerbroek, paardenstaart en veel te grote rugzak ziet ze eruit als een student. Ik stel me voor dat ze bijna platzak is en hoopt een taxi naar de stad te kunnen delen.

Ik schraap mijn keel en realiseer me dat ik vandaag nog geen woord heb gesproken. 'Queens,' zeg ik, hopend dat zij naar Manhattan moet. Ik ben niet in de stemming voor een gesprek, maar heb ook het hart niet om haar teleur te stellen.

'Hè, verdorie,' zegt ze. 'Ik had gehoopt dat we een taxi konden delen... Ik was eigenlijk van plan om de bus te nemen, maar ik heb nogal haast.'

'Waar moet je heen?' vraag ik, niet omdat ik het echt wil weten, maar omdat ik aan haar kan zien dat ze het dolgraag wil vertellen. Ik durf te wedden dat er een man in het spel is. Er is altíjd een man in het spel.

En jawel, ze zegt: 'Naar mijn vriend. Hij woont in Tribeca.'

Ze spreekt *Tribeca* heel trots uit, alsof het woord slechts een paar keer eerder van haar tong is gerold. Misschien heeft ze nog maar pas geleerd dat het staat voor *Triangle Below Canal Street*. Ik weet nog precies wanneer ik dat wist-u-datje leerde – net zoals ik nog weet dat ik Houston Street verkeerd uitsprak en dat Margot me verbeterde, maar daarbij wel toegaf dat zij de dag daarvoor precies dezelfde fout had gemaakt.

'Hmm,' mompel ik. 'Te gekke buurt.'

'Jep,' zegt ze, en ik bespeur een accent uit Minnesota of Canada. 'Hij heeft er sinds kort een waanzínnige loft.' Ook het woord 'loft' spreekt ze met trotse flair uit, zoals hij vast en zeker ook heeft gedaan om haar te imponeren. Ik vraag me af of ze deze 'waanzinnige' woonruimte al heeft gezien en stel me voor dat het een bedompt en somber hok is – maar op de een of andere manier toch fantastisch.

Ik glimlach, knik. 'En waar woon jij?'

Ze trekt een verkreukeld spijkerjack uit haar rugzak, terwijl ik bij mezelf denk: denim op denim – *niet goed*. Ze knoopt het jack bijna helemaal tot boven dicht – ze ziet er nu echt niet uit – en zegt: 'Toronto... Mijn vriend is kunstenaar.'

Het is wederom een schitterend staaltje on-logica dat haar liefde bewijst, dat bewijst dat alles uiteindelijk altijd om hem draait.

Gevaarlijk, denk ik bij mezelf, maar ik glimlach weer en zeg: 'Te gek,' terwijl ik me afvraag hoe ze elkaar ontmoet hebben, hoe lang ze al samen zijn, of zij naar New York zal verhuizen om bij hem te kunnen zijn. Hoe hun verhaal zal eindigen. Of het zal eindigen.

De rij schuift langzaam een stukje op naar voren, en brengt me centimeters dichter bij Leo.

'En jij... ga je naar huis?' vraagt ze.

Ik kijk haar niet-begrijpend aan totdat ze verduidelijkt: 'Woon je in Queens?'

'O... nee,' zeg ik. 'Ik heb er een afspraak met iemand... voor mijn werk.'

'Ben je fotograaf?' vraagt ze.

Heel even sta ik paf van haar intuïtie, maar dan herinner ik me mijn tassen met apparatuur.

'Inderdaad,' zeg ik, en ik voel me steeds meer mezelf worden. *Ik ben fotograaf. Ik ben in New York. Ik heb een afspraak met Leo.*

Ze glimlacht en zegt: 'Cool.'

Ineens voor in de rij aangekomen, neem ik afscheid van mijn nieuwe, naamloze vriendin.

'Dag,' zegt ze, helemaal gelukkig. Ze zwaait – hetgeen een raar gebaar is als je zo dichtbij iemand staat.

'Succes,' zeg ik tegen haar.

Ze bedankt me maar kijkt me onderzoekend aan, zich waarschijnlijk afvragend wat succes ermee te maken heeft. *Heel veel* wil ik tegen haar zeggen. Het heeft er heel veel mee te maken, met alles. In plaats daarvan schenk ik haar een glimlach en draai me dan om naar de taxichauffeur om hem mijn tassen aan te geven.

'Waarheen?' vraagt hij terwijl we allebei in de auto stappen.

Ik noem het adres dat nog altijd in mijn geheugen gegrift staat en controleer nerveus mijn make-up in mijn handspiegeltje. Ik heb alleen mascara en lipgloss op, en weersta de verleiding om nog meer op te doen, net zoals ik mezelf heb gedwongen om het te laten bij een paardenstaart en een simpele outfit van een spijkerbroek, een witte blouse met opgerolde mouwen en zwarte flatjes. Deze reis mag dan misschien niet alleen maar over werk gaan, maar ik heb me in ieder geval wel als zodanig gekleed.

Nerveus vis ik mijn telefoon uit mijn tas, precies op het moment dat Leo sms't: *Ben je er al?*

Mijn hart bonkt terwijl ik hem in gedachten voor me zie, fris gedoucht, op zijn horloge kijkend, wachtend op mij.

Ik sms terug: *In de taxi. Zie je zo.*

Even later sms't hij alleen een glimlachende *smiley* terug, die me op mijn gemak stelt, maar ook enigszins verbaast. Leo is nooit een emoticon-type geweest, tenzij je zijn incidentele dubbele punt-liggend streepje-slash gezichtje :-/ meetelt dat hij soms onderaan zijn mailtjes hing, een plagende verwijzing naar mijn asymmetrische lippen – iets wat Andy nooit is opgevallen, of waar hij in ieder geval nooit een opmerking over heeft gemaakt.

Ik glimlach naar mijn telefoon, ondanks de stemming waarin ik verkeer – die niet slecht is, maar ook allerminst *smiley*. Dan doe ik mijn oortjes in, zet mijn iPod aan en luister naar Ryan Adams die 'La cienega just smiled' zingt, een van mijn favoriete liedjes waar ik of heel blij of heel verdrietig van kan worden, afhankelijk van het moment. Op dit moment ben ik beide, en terwijl ik luister naar de woorden, verbaas ik me erover hoe dicht die twee emoties bij elkaar liggen.

I hold you close in the back of my mind,
Feels so good but, damn, it makes me hurt.

Ik draai de volumeknop helemaal open terwijl ik in gedachten mijn moeder hoor zeggen: 'Je zult nog doof worden, Ellie.' Dan doe ik mijn ogen dicht, denkend aan Leo, dan aan Andy, en dan weer aan Leo.

Gaat het uiteindelijk immers niet altijd over een man? denk ik bij mezelf.

tweeëndertig

Als we Newton Avenue op rijden, weet ik niet zo goed of het nou voelt alsof het gisteren was, of juist een eeuwigheid geleden dat ik hier voor het laatst was om Leo af te zetten na onze terugkomst uit Californië, in de overtuiging dat het een definitief einde was. Ik denk even terug aan de emoties van die ochtend – hoe vreselijk verdrietig ik was – en vraag me af of ik ooit werkelijk heb geloofd dat ik hem nooit meer zou zien. Ik vraag me ook af wat me hier precies heeft teruggebracht, naar dit moment. Was het de verhuizing naar Atlanta en alles wat erbij hoorde? Mijn ontdekking over die decemberdag van lang geleden, toen hij heeft geprobeerd terug te komen? Of was het simpelweg Leo's onverklaarbare, onverbiddelijke macht over mijn hart? We stoppen naast de stoep voor zijn huis en ik betaal de taxichauffeur, hopend dat ik vandaag antwoorden zal krijgen. Ik moet dringend antwoorden vinden.

'Bonnetje?' vraagt mijn taxichauffeur terwijl hij de kofferbak met een druk op de knop openmaakt en uitstapt.

'Nee, bedankt,' zeg ik, ook al weet ik dat ik eigenlijk mijn uitgaven zou moeten bijhouden – dat mijn reis daarmee meer een legitieme, zakelijke onderneming wordt.

Als ik uit de taxi stap, vang ik een eerste glimp op van Leo, leunend tegen de reling van zijn veranda. Hij heeft blote voeten, draagt een spijkerbroek en een antracietgrijze fleece-trui, en staat naar de lucht te turen alsof hij probeert vast te stellen of het gaat regenen. Mijn hart slaat een slag over, maar ik dwing mezelf tot kalmte door mijn blik af te wenden en me alleen te concentreren op het van de kofferbak naar de stoep overhevelen van mijn bagage. Ik kan niet geloven dat ik hier nu werkelijk ben, zelfs niet als ik de moed verzamel om Leo's blik te ontmoeten. Hij heft een hand op en glimlacht, ogenschijnlijk volkomen op zijn gemak.

'Hoi,' zeg ik, en mijn stem gaat verloren in een plotselinge windvlaag en de luide klap waarmee de kofferbak wordt dichtgeslagen. Ik houd mijn adem in terwijl mijn taxi uit het zicht verdwijnt. Mijn bezoek is nu officieel.

Een paar tellen later staat Leo naast me.

'Je bent er,' zegt hij, daarmee klaarblijkelijk erkennend dat er heel wat meer voor nodig was dan alleen maar in een vliegtuig stappen om hier te komen. *Daar heeft hij gelijk in*, denk ik bij mezelf, en in gedachten zie ik het briefje op de aanrecht voor me, en Andy die het daar vanochtend weer heeft aangetroffen – terwijl zijn vrouw vertrokken is.

'Ja,' zeg ik, overmand door een golf van schuldgevoel. 'Ik ben er.'

Leo kijkt neer op mijn tassen en zegt: 'Kom. Laat mij die maar dragen.'

'Dank je,' zeg ik, om vervolgens de ongemakkelijke stilte die daarop volgt op te vullen met de woorden: 'Wees maar niet bang... ik blijf hier niet slapen. Ik heb een hotel geboekt.' Hetgeen alles uiteraard alleen nog maar ongemakkelijker maakt.

'Daar was ik ook niet bang voor,' zegt Leo, alsof hij wel degelijk bang was – maar voor iets heel anders.

Ik kijk naar hem terwijl hij met zijn rechterhand mijn koffer optilt, ondanks het feit dat er wieltjes onder zitten, en tegelijkertijd mijn cameratas over zijn andere schouder gooit. Ik onderdruk een verlangend gevoel als ik achter Leo aan naar boven loop, naar zijn veranda, en vervolgens zijn appartement binnenga, waar ik de geur van koffie inadem, en de vertrouwde geur van zijn oude huis. Ik kijk zijn woonkamer rond, overweldigd door een lawine van – voornamelijk goede – herinneringen. Zintuiglijke overbelasting, denk ik bij mezelf, en ik voel me zwak, nostalgisch, alsof ik weer drieëntwintig ben.

'En?' vraagt Leo. 'Wat vind je ervan?'

Ik weet niet precies wat hij bedoelt, dus ik houd het veilig en concentreer me op allesbehalve het verleden. 'Je hebt nieuwe meubels,' zeg ik vol bewondering.

'Ja,' zegt hij, wijzend op een zwart-met-blauw abstract schilderij en de kaneelkleurige leren bank die eronder staat. 'Ik heb hier en daar wat dingetjes veranderd... Als je het niet erg vindt?' Hij werpt me een luchthartige blik toe.

'Nee hoor,' zeg ik, mijn best doend om me te ontspannen en niet in de richting van zijn slaapkamer te kijken, mijn best doend om niet zoveel herinneringen boven te laten komen. Althans, niet allemaal tegelijk.

'Mooi,' zegt hij, met gespeelde opluchting. 'Jij trouwt en verhuist naar Georgia... dan mag ik op zijn minst wel een nieuwe bank kopen.'

Ik glimlach. 'Nou, volgens mij heb je wel een beetje meer gedaan dan dat,' zeg ik, voornamelijk doelend op zijn werk, maar ook op Carol. Ik kijk nog een keer om me heen, speurend naar details die wijzen op medebewoning. Die zijn er hoegenaamd niet. Geen vrouwelijke inbreng, geen foto's van Carol. Helemaal geen foto's, zelfs.

'Zoek je iets?' vraagt hij plagend, alsof hij precies weet wat ik aan het doen ben, wat ik denk.

'Ja,' kaats ik terug. 'Wat heb je met mijn foto gedaan?'

Hij schudt met zijn wijsvinger naar me, doet dan twee stappen in de richting van een oude, gehavende buffetkast, trekt een la open en begint erin te rommelen. 'Je bedoelt... deze?' vraagt hij, het kiekje van mij zonder voortanden ophoudend.

'Hou je mond,' zeg ik, blozend.

Hij haalt zijn schouders op en kijkt zelfvoldaan en schaapachtig tegelijk.

'Niet te geloven dat je die nog steeds hebt,' zeg ik, en ik voel me veel opgetogener dan gerechtvaardigd is.

'Het is een mooie foto,' zegt hij, en hij zet het kiekje op een plank die bedoeld is voor serviesgoed maar bezaaid ligt met kranten. Net als vroeger is Leo's huis puur minimalistisch, op al het papier na. Letterlijk overal liggen boeken en kranten en tijdschriften en notitieblokken – op de grond, de salontafel, de stoelen, de planken.

'Zo,' zegt hij, en hij draait zich om en loopt naar de keuken, voor zover ik kan zien de enige ruimte die nog precies hetzelfde is, inclusief de groene linoleumvloer uit de jaren zeventig. 'Heb je honger? Zal ik iets voor je maken?'

'Nee, dank je,' zeg ik, en ik bedenk dat ik nu toch geen hap door mijn keel zou krijgen, zelfs al had ik wél honger.

'Koffie?' vraagt hij, terwijl hij zijn eigen mok bijvult. Een pérzikkleurige mok. *A-ha,* denk ik. *Carol.*

'Graag,' zeg ik. 'Doe maar... een half kopje.'

'Een half kopje?' zegt hij, zijn mouwen opstropend. 'Wie ben je? Mijn oma?'

'Au,' zeg ik vol genegenheid bij de herinnering aan zijn oma. Ik heb haar maar één keer ontmoet – op een verjaardagsfeestje voor zijn neefje – maar ze was echt zo'n levendige, excentrieke oudere dame die precies zegt wat ze denkt en dit enkel ongestraft kan doen vanwege haar leeftijd.

'Hoe ís het met je oma?' vraag ik, me realiserend dat we nauwelijks over onze familie hebben gesproken tijdens die nachtvlucht.

'Ze staat nog steeds midden in het leven... Sterker nog, ze staat nog steeds op de bowlingbaan,' zegt hij, en hij pakt een heel andere, witte mok voor mij uit de kast. Er staat iets op de zijkant geschreven, maar ik kan het niet lezen vanaf de plek waar ik sta.

'Dat is super,' zeg ik. Mijn moeder flitst door mijn hoofd, zoals altijd wanneer ik verhalen hoor over bejaarde familieleden die nog kerngezond zijn, maar ik weiger haar echt gestalte te laten aannemen in mijn toch al overbevolkte hoofd.

'Dus?' vraagt Leo. 'Wil je echt maar een half kopje, oma?'

Ik glimlach en zeg: 'Oké, prima. Geef me dan maar een volle mok... ik denk alleen –'

'Wat?'

'Dat we beter kunnen gaan.'

'Hebben we haast?'

'Het gaat misschien regenen.'

'Dus?'

'Ik moet foto's maken,' zeg ik nadrukkelijk.

'Dat weet ik,' zegt hij even nadrukkelijk.

'Nóú,' zeg ik, alsof ik al heb gezegd waar het op staat en niet begrijp dat hij het niet snapt.

'Kun je geen foto's maken in de regen?'

'Natuurlijk wel.'

'Nou?' zegt hij, mijn intonatie imiterend.

De kwinkslagen vliegen nu over en weer – hetgeen gevaarlijk is als je vastbesloten bent om niet iets te doen waar je misschien spijt van krijgt.

'Ik zeg alleen...' zeg ik, mijn favoriete antwoord uit mijn middelbareschooltijd, goed in bijna elke ongemakkelijke situatie.

'Nou, ik zeg alleen dat foto's van Coney Island in de regen helemaal niet zo slecht zouden zijn... of wel soms?'

'Misschien niet,' zeg ik, bij mezelf denkend dat ze misschien zelfs wel beter zullen zijn in de regen. Dat tijd doorbrengen met Leo in de regen misschien ook wel erg leuk zal zijn.

'Dus ga nou maar zitten,' zegt Leo, mijn afdwalende gedachten onderbrekend. Hij wijst naar zijn bank, kijkt in mijn ogen en zegt: 'Blijf nog even.'

Ik houd zijn blik vast, vol hoop en vrees voor wat dit *even* misschien zal brengen. Dan draai ik me om en ga op het uiterste puntje van de bank zitten, zet mijn elleboog op de armleuning en wacht op mijn koffie, op hem. Ik kijk naar hem terwijl hij mijn mok vult, maar net voldoende ruimte overlatend voor een wolkje melk en twee theelepeltjes suiker. 'Licht en zoet, toch?' vraagt hij.

'Waarom denk je dat ik mijn koffie nog steeds zo drink?' zeg ik, en ik schenk hem een koket glimlachje.

'O, dat weet ik gewoon,' zegt Leo met een uitgestreken gezicht, op een toon die desondanks flirterig overkomt.

'Hoe weet jij dat?' vraag ik, terug flirtend.

'Zo dronk je je koffie ook in dat eetcafé,' zegt hij, me mijn mok overhandigend. Vervolgens gaat hij zitten op precies de goede plek op de bank – dichtbij, maar niet te dichtbij. 'In januari.'

'Je hebt gezien hoe ik mijn koffie dronk?' vraag ik.

'Ik heb álles gezien,' zegt hij.

'Zoals?' dring ik aan terwijl de vertrouwde, door Leo opgewekte duizeligheid over me heen spoelt.

'Zoals... de blauwe trui die je aanhad... Zoals de manier waarop je je hoofd scheef hield toen ik binnenkwam... Zoals je gezichtsuitdrukking toen je me vertelde dat je getrouwd was –'

'En hoe was die?' val ik hem in de rede, wensend dat hij het woord 'getrouwd' niet had gebruikt.

'Je weet wel wat voor gezicht je dan trekt.'

'Vertel het me.'

'Het ik-haat-je gezicht.'

'Ik heb je nooit gehaat.'

'Leugenaar.'

'Oké,' zeg ik. 'Ik haatte je wel een beetje.'

'Dat weet ik toch.'

'En nu?' zeg ik, mezelf uitdagend om in zijn bruine ogen te kijken. 'Trek ik nu ook zo'n gezicht?'

Leo knijpt zijn ogen tot spleetjes, alsof hij op mijn gezicht zoekt naar een antwoord. Dan zegt hij: 'Nee. Het is er niet meer. Dat gezicht is er al niet meer sinds... sinds onze nachtvlucht vanuit L.A. toen ik je heb gered van die vieze oude kerel.'

Ik lach en doe alsof ik huiver. 'Hij was echt ranzig.'

'Ja. Nou en of. Godzijdank... Anders zou je misschien niet zo blij zijn geweest om me te zien.'

Ik schud mijn hoofd, niet op een ontkennende manier, maar op een manier die betekent: *Geen commentaar – althans, niets wat ik met je wil delen.*

'Wat?' vraagt hij.

'Niets,' zeg ik. Mijn 'werkbezoek' is amper tien minuten bezig – en ik bevind me al op onmiskenbaar gevaarlijk terrein.

'Vertel,' zegt hij.

'Nee, vertel jíj maar,' zeg ik, en ik neem een eerste slok van mijn koffie. Die is nog een beetje te heet – maar verder perfect.

'Nou... Eens even zien... Wat zal ik zeggen?' Leo kijkt omhoog naar het plafond terwijl ik kijk naar zijn gladgeschoren gezicht, zijn springerige bakkebaarden, zijn olijfkleurige huid. 'Ik kan je vertellen dat ik blij ben dat je gekomen bent... Dat ik blij ben om je te zien... Héél blij om je te zien.'

'Ik ben ook heel blij om jou te zien,' zeg ik, overweldigd door plotselinge verlegenheid.

'Nou, mooi,' zegt Leo knikkend, en hij neemt een slok van zijn koffie en zwaait dan zijn benen op de salontafel. 'Dat is dan alvast iets, hè?'

'Ja,' zeg ik, terwijl we allebei naar de grond staren. 'Dat is zeker iets.'

Een paar seconden later vinden onze ogen elkaar weer en verdwijnen onze glimlachjes, en hoewel ik niet weet hoe, weet ik vrijwel zeker dat zijn hart net zo hard bonst als het mijne. Ik denk aan Andy en realiseer me dat mijn schuldgevoel begint af te nemen, wat vervolgens weer nieuwe schuldgevoelens in me losmaakt, vooral als Leo zijn keel schraapt en de naam van mijn man hardop zegt.

'Weet Andy dat je hier bent?' vraagt hij.

Het is een simpele vraag, maar met de onmiskenbare onderliggende erkenning van het feit dat ik hier misschien ben voor iets meer dan een fotoshoot.

'Ja,' zeg ik, me realiserend dat mijn antwoord niets opheldert. Mijn *ja* zou kunnen betekenen dat ik de reis als puur zakelijk beschouw, en mijn man om die reden alleen over het werk heb verteld. Of het zou kunnen betekenen dat ik alles heb opgebiecht. Of het zou kunnen betekenen dat ik hem enkel voldoende heb verteld om te resulteren in knallende ruzie en een Post-it ultimatum.

'En... Vond hij dat wel oké?' vraagt Leo, bezorgd kijkend.

Ik kijk neer op mijn koffie en schud mijn hoofd, in de hoop dat dat genoeg zegt.

Dat zal wel, want Leo zegt enkel: 'Het spijt me.'

Ik knik dankbaar, me realiserend dat het – net als vroeger – bij zoveel van onze interactie draait om de onderliggende betekenis, om wat er speelt onder de oppervlakte.

'En... jouw vriendin dan?' vraag ik, de rollen omdraaiend.

Hij schudt zijn hoofd, maakt een snijdend gebaar met zijn hand in de lucht, vergezeld van een klakkend geluid met zijn tong. 'Dat is voorbij,' zegt hij.

'Zijn jullie uit elkaar?'

'Jep.' Hij knikt.

'Sinds wanneer?' vraag ik – maar wat ik werkelijk wil weten is: *Waarom? Wie heeft het uit gemaakt?*

'Een paar weken geleden,' zegt hij vaag.

'Wil je... erover praten?'

'Wil *jíj* erover praten?' zegt hij.

'Als jij dat wilt,' zeg ik aarzelend.

Leo haalt zijn schouders op en begint dan te praten in nonchalante, staccato zinnen. 'Ik zei tegen haar dat ik weer contact met jou had. Ze ging door het lint. Ik zei tegen haar dat het niet was wat ze dacht. Dat je getrouwd bent. Ze zei, wat is het dan wél? Ik zei dat het niets voorstelde, maar ze beschuldigde me ervan dat ik nog steeds gevoelens voor je had.' Hij kijkt naar me terwijl ik mijn blik van zijn ogen naar zijn kin laat glijden, en dan weer omhoog naar zijn lippen.

'En?' zeg ik.

'En.' Leo haalt opnieuw zijn schouders op. 'Ik kon haar niet vertellen wat ze wilde horen. Dus ze is opgestapt.'

Ik stel me dat heftige, misselijkmakende gesprek voor, en mijn hart vult zich met empathie voor een vrouw die ik nog nooit heb ontmoet. 'Je hebt... haar gewoon laten gaan?' zeg ik, vol ontzag voor zijn eerlijkheid – die ook kan overkomen als wreedheid. Een van zijn beste – en naarste – eigenschappen.

Leo knikt langzaam. Dan zet hij zijn koffie neer, draait zijn lichaam zo dat hij met zijn gezicht naar me toe zit, en zegt: 'Ja. Nou ja. Het probleem is... ze had gelijk. Ik heb inderdáád gevoelens voor je, Ellie.'

Ik slik moeizaam, mijn hart nu in mijn keel, mijn oren, op de salontafel, terwijl ik zijn woorden in gedachten opnieuw afspeel en tegen beter weten in vraag: 'Wat voor gevoelens?'

'Gevoelens waar ik lang geleden iets mee had moeten doen,' zegt hij, kortstondig mijn blik ontmoetend en vervolgens voor zich uit starend. 'Gevoelens die weer bovenkwamen toen ik je weer had gezien... Gevoelens die ik niet zou moeten hebben voor... een getrouwde vrouw.'

Daar heb je het weer. *Getrouwd.*

Ik doe mijn mond open, maar kan zelf geen woorden vinden. Althans, geen woorden die ik hardop kan zeggen.

'Dus,' zegt Leo, en daarmee kom ik er makkelijk vanaf. Hij wrijft in zijn handen, vouwt ze ineen, blaast over zijn knokkels en gooit er dan een van die diepzinnige maar volstrekt betekenisloze zinnetjes uit waar hij zo dol op is. 'Het is zoals het is.'

Ik knik veilig en instemmend.

'Ik bedoel... wat doe je eraan, toch?' vraagt Leo.

Het is een retorische vraag, maar ik geef toch antwoord, met zorg mijn woorden kiezend. 'Ik weet het niet,' zeg ik hoofdschuddend.

Leo kijkt me met opgetrokken wenkbrauwen aan, alsof hij precies begrijpt hoe ik me voel, precies weet wat ik wil zeggen – en dat deze hele situatie in ieder geval iets van ons samen is.

drieëndertig

Een uur lang veilig kletsen en twee koppen koffie later zitten Leo en ik in de praktisch lege metro, op weg naar het meest zuidelijke puntje van Brooklyn. We doen alsof we in de werkmodus staan, maar de sfeer blijft broeierig, en hoe meer we er níét over praten, hoe erger het wordt.

Terwijl ik op de metrokaart de haltes tel tot aan Stillwell Avenue, schattend dat we nog op zijn minst een half uur te gaan hebben in de metro, bukt Leo zich om een dubbele knoop te maken in de veters van zijn zwarte tennisschoenen. Als hij weer rechtop gaat zitten, kijkt hij me ongelovig aan en zegt: 'Zeg, meen je dat? Ben je nog nooit op Coney Island geweest?'

Ik schud mijn hoofd. 'Nee, nog nooit... Maar ik heb het gevoel dat ik er wel ben geweest. Waarschijnlijk door films en foto's.'

Leo knikt en zegt: 'Dat gevoel heb ik bij een heleboel plaatsen.'

'Zoals?' vraag ik, altijd nieuwsgierig naar Leo's gedachten en gevoelens – ongeacht hoe triviaal, hoe irrelevant voor óns.

'Zoals... Stonehenge,' zegt hij. 'Ik bedoel, daar hoef je toch niet meer naartoe als je een paar van die foto's hebt gezien? Grote stenen in een open veld. Dan weet ik genoeg.'

Ik lach om zijn willekeurige voorbeeld en zeg dan: 'Vertel eens over je artikel. Heb je het al geschreven?'

'Ja. Grotendeels,' zegt hij. 'Ik moet alleen nog de puntjes op de i zetten.'

'Waar gaat het precies over?'

'Nou... ik geloof dat je zou kunnen zeggen dat het gaat over het conflict tussen het oude en het nieuwe Coney Island. De onvermijdelijke veranderingen aan de horizon.'

Ik kijk hem nieuwsgierig aan terwijl ik me realiseer dat ik bijna niets weet over het stuk waar ik de foto's bij moet maken – of zelfs maar over Coney Island. En dat voor iemand die heeft geprobeerd iedereen ervan te overtuigen, inclusief mezelf, dat dit een werkreis is.

'Welke veranderingen?' vraag ik.

Leo ritst zijn tas open en haalt er een brochure over Coney Island uit, wijzend op een luchtfoto van het strand. 'Kort gezegd heeft een grote projectontwikkelaar veertigduizend vierkante meter van het amusementsdistrict opgekocht met de bedoeling het een facelift te geven van twee miljard dollar – een nieuw bestemmingsplan, hoogbouw-hotels en appartementen erop, de hele mikmak... Sommigen zeggen dat het precies is wat Coney Island nodig heeft. Je weet wel, een in verval geraakte buurt nieuw leven inblazen... de oude glorie herstellen.'

'En anderen?'

'Anderen nemen een meer nostalgisch standpunt in. Ze zijn bang dat nieuwbouw de lokale bevolking zal verdringen, het klassieke straatbeeld zal aantasten, de kleine winkeltjes en attracties om zeep zal helpen, en in wezen het kitscherige, ouderwetse karakter van de zogenaamde Nickel Empire zal ondermijnen.'

'Nickel Empire?' vraag ik, terwijl onze metro langzaam tot stilstand komt op Queensboro Plaza. De deuren gaan open en er stroomt een handjevol passagiers naar binnen, die allemaal een blik in onze richting werpen maar vervolgens een ander bankje uitkiezen.

'Heel lang geleden kostte de metro naar Coney Island een stuiver, een zogenaamde *nickel*. De attracties kostten een *nickel*. Nathans hotdogs kostten een *nickel*... Coney Island was van oorsprong eigenlijk een vakantiegebied voor de rijken, maar werd al snel een speeltuin voor de arbeidersklasse, waar je niet meer dan een *nickel* nodig had om te ontsnappen, om los te gaan en je zorgen te vergeten,' legt Leo uit terwijl we naar voren schieten, onder de East River door, in de richting van Fifty-Ninth en Lex. 'En ik geloof dat Coney Island in een heleboel opzichten nog steeds zo voelt.'

'Heb je veel mensen geïnterviewd?' vraag ik.

Hij knikt en zegt: 'Ja. Ik ben er een paar dagen geweest, heb wat op het strand rondgehangen en door Astroland geslenterd, over Mermaid Avenue, en gepraat met de lokale bevolking... de "oude zeerotten" zoals ze zichzelf noemen. Ik heb zulke fantastische verhalen gehoord over de pier, en alle oude spelletjes en attracties.' Hij glimlacht en zegt: 'Iedereen heeft een verhaal over de Cyclone.'

'Is dat de achtbaan?'

'Ja.'

'Ben je erin geweest?'

'Ja... als kind,' zegt hij. 'En ik zal je vertellen... dat ding is wreed. Meer dan zeventig jaar oud, gemaakt van hout, en dit is geen grapje... ik heb een fantastisch gesprek gehad met de beheerder van de Cyclone – een oude kerel met van top tot teen tatoeages, die de achtbaan al dertig jaar beheert maar er zelf nog nooit in is geweest.'

'Ga weg,' zeg ik. 'Serieus?'

Leo knikt.

'Heeft hij hoogtevrees?'

'Nee hoor. Hij zegt dat hij vaak genoeg in dat ding naar boven is geklommen... hij heeft alleen geen zin in zo'n duikvlucht.'

Ik glimlach en denk aan de talloze keren dat Leo mij dat adembenemende gevoel in mijn buik heeft gegeven.

'Nou ja... dus Coney Island bevindt zich op een tweesprong,' zegt Leo, ernstig kijkend. 'Oud versus nieuw.'

'En in welk kamp zit jij?' vraag ik. 'Oud of nieuw?'

Leo denkt even over mijn vraag na en kijkt me dan veelbetekenend aan. 'Ik weet het niet. Verandering kan goed zijn... soms,' zegt hij cryptisch. 'Maar het is altijd moeilijk om het verleden los te laten.'

Ik weet niet precies wat hij bedoelt, maar ik mompel instemmend terwijl onze metro zich voortslingert over het spoor, en er opnieuw een langgerekte, zeer beladen stilte valt.

De middag is grauw en op de een of andere manier seizoenloos als we op Stillwell Avenue uit de metro komen. Laaghangende, staalgrijze wolken beloven regen. Het is niet echt koud, maar toch snoer ik de riem van mijn trenchcoat stevig aan en sla mijn armen strak over elkaar terwijl ik om me heen kijk om een eerste glimp in me op te nemen van dit beroemde flintertje New York. Van Americana. Het is precies zoals ik me had voorgesteld dat het eruit zou zien buiten het seizoen – smerig, flets, desolaat – maar desondanks magisch, bijzonder. De basis voor fantastische foto's. Achtergrond voor onuitwisbare herinneringen.

'Nou, daar zijn we dan,' zegt Leo, en hij kijkt gelaten.

'Ja,' zeg ik.

'Eerst maar naar het water?' vraagt Leo.

Ik knik terwijl we zij aan zij in de richting van de pier benen. Daar aangekomen zoeken we een bankje op en gaan zitten, starend naar de uitgestrekte vlakte van zand en donkere, kleurloze branding. Ik huiver van de lichte kou in de lucht, het grimmig aandoende uitzicht, maar vooral van Leo's nabijheid.

'Schitterend,' zeg ik uiteindelijk, happend naar adem.

Leo's gezicht gloeit – alsof hij zelf een 'oude zeerot' is met zijn eigen verhalen. Ineens stel ik me hem voor op ditzelfde strand als kind, midden in de zomer, met zijn emmertje en schepje. Daarna nog een keer, als tiener, met een blauwe suikerspin die hij deelt met een meisje met vlechten, en zorgvuldig mikkend met een geweer in de hoop een pluchen eenhoorn voor haar te winnen.

Hij houdt zijn hoofd scheef en zegt: 'Echt waar?'

Ik knik en zeg: 'Ja. Het heeft... zoveel karakter.'

'Ik ben blij dat je er zo over denkt,' zegt hij, met zijn hand door zijn haar strijkend. 'Ik ben echt blij dat je er zo over denkt.'

Zo blijven we een hele tijd zitten – licht achterover geleund op onze bank, het uitzicht in ons opnemend, kijkend naar de weinige stervelingen die zich op zo'n twijfelachtige dag op het strand begeven – tot ik op enig moment zonder iets te zeggen mijn camera uit mijn tas haal, tussen de palen door glip die de pier en het strand van elkaar scheiden, en naar de zee loop. Ik schiet een stuk of wat zinloze sfeerplaatjes en voel dat ik ontspan, zoals altijd het geval is als ik begin te werken. Ik fotografeer lucht en zand en zee. Ik fotografeer een langharige vrouw van middelbare leeftijd in een bruine tweedjas, en concludeer dat ze er niet armoedig genoeg uitziet om in een doos onder de brug te slapen, maar dat het haar absoluut niet meezit, dat ze ergens verdriet om heeft. Ik draai me om en schiet plaatjes van de winkels langs de pier, de meeste gesloten en sommige helemaal dichtgespijkerd, en een groepje zeemeeuwen die rondcirkelen om een rood-wit gestreepte popcornzak, op zoek naar restjes. Dan, in een laatste opwelling, fotografeer ik Leo, die nog steeds achterovergeleund op ons bankje zit, zijn handen ineengevlochten achter zijn hoofd, de ellebogen naar voren gestoken, kijkend en wachtend.

Hij zwaait even naar me en schenkt me een twinkelende glimlach vol zelfspot als ik naar hem toe loop. 'Die laatste is een blijvertje,' zegt hij terwijl ik terugdenk aan mijn foto's van hem in Central Park, de minachting waarmee Margot ze had bekeken en hem zelfvoldaan en geaffecteerd had genoemd. Ik denk terug aan die dag en realiseer me dat ze dat moment verkeerd heeft beoordeeld. Ze heeft een heleboel verkeerd beoordeeld.

Ik slinger mijn camera over mijn schouder en ga weer zitten, met een zucht die vermoeider klinkt dan mijn bedoeling was.

Leo kijkt me quasi-streng aan, geeft me een por met zijn elleboog en zegt: 'Weet je nog wat ik tegen je heb gezegd, Dempsey? Mensen komen hier om hun zorgen te vergeten.'

Dempsey, denk ik bij mezelf, terwijl mijn linkerduim naar mijn trouwring glijdt. Ik glimlach geforceerd en zeg: 'Juist,' terwijl we kijken naar het breken van de golven, telkens weer. Na een paar minuten vraag ik Leo of het eb of vloed moet worden.

'Vloed,' antwoordt hij zo snel dat ik onder de indruk ben, net zoals ik onder de indruk ben als mensen – meestal mannen – instinctief weten dat ze, laten we zeggen, in noordwestelijke richting aan het rijden zijn.

'Hoe zie je dat?' vraag ik, bij mezelf denkend dat we nog niet lang genoeg zitten te kijken om een trend te kunnen waarnemen.

'Geen nat zand,' zegt Leo terwijl er in de verte gerommel klinkt – onweer. 'Als het eb moest worden, zou er een strook nat zand zijn.'

'O. Tuurlijk,' zeg ik, knikkend. En dan: 'Weet je?'

'Wat?' zegt Leo, zijn gezicht alert, verwachtingsvol – alsof hij voorbereid is op een grote bekentenis, of misschien iets diepzinnigs.

Ik glimlach en zeg: 'Ik verrek van de honger.'

'Ik ook,' zegt hij grijnzend. 'Zullen we een hotdog halen?'

'Dit is wel de geboorteplaats van de hotdog, toch?' zeg ik, me een flintertje geschiedenis van Coney Island herinnerend dat ik ergens heb meegekregen. Misschien van Leo zelf, lang geleden.

'Klopt,' zegt Leo glimlachend.

We staan op en lopen langzaam terug naar de hoek van Stillwell en Surf, de plek waar de oorspronkelijke Nathan's gevestigd is, en die volgens Leo in 1916 is gebouwd. We duiken naar binnen en treffen daar een langere rij aan dan je zou verwachten tegen tweeën in het laagseizoen, zelfs voor de beroemdste hotdogtent ter wereld. Ik schiet een paar plaatjes van het restaurant, de andere klanten en de zweterige mannen achter de bakplaat terwijl Leo vraagt wat ik wil hebben.

'Een hotdog,' zeg ik, hem aankijkend met een *duh*-blik.

'Kun je iets preciezer zijn?' vraagt Leo, en zijn glimlach wordt breder. 'Een chili dog? Gewoon? Met saus? Frietjes?'

'Hetzelfde als jij,' zeg ik, de details wegwuivend.

'Hotdogs met kaas, frietjes, *root beer*,' zegt Leo gedecideerd.

'Perfect,' zeg ik, me herinnerend hoe gek hij is op *root beer*.

Even later, nadat Leo heeft betaald en ik servetjes, rietjes en zakjes mosterd en ketchup heb gepakt, kiezen we een tafeltje uit bij het raam, precies als het begint te regenen.

'Perfecte timing,' zegt Leo.

Ik kijk over de tafel heen naar hem, en ineens zie ik Andy voor me achter zijn bureau, in zijn colbert met stropdas. Ik verbaas me over het verschil tussen de twee werelden – een hotdogtent in Brooklyn en een glimmend advocatenkantoor in Buckhead. Ik verbaas me nog meer over het verschil tussen de twee mannen – en hoe ik me bij ieder van hen voel.

'Niet echt,' zeg ik, zijn blik vasthoudend. 'Behoorlijk beroerde timing, om precies te zijn.'

Leo kijkt op van zijn ribbeltjesfriet, verrast. Dan pakt hij er eentje, wijst ermee naar mij en zegt: 'Jij.'

'Nee. Jíj,' zeg ik.

'Jij,' zegt hij opnieuw, resoluut.

Het is de manier waarop we vroeger altijd praatten – onze tussen-de-regels-door taal, ogenschijnlijk onzinnig, maar wel doordrenkt van betekenis. Ik heb nog nooit op die manier gepraat met Andy, die altijd zo open en eerlijk is. Ik besluit, voor minstens de honderdste keer vandaag, dat het één niet beter is dan het ander; het is alleen anders.

De rest van de lunch verloopt praktisch in stilte. Dan, zonder aarzelen, lopen we naar buiten, waar het nog steeds gestaag motregent, en slenteren heen en terug door Surf, Neptune en Mermaid Avenue. Leo houdt mijn paraplu boven mijn hoofd terwijl ik eindeloos foto's maak. Foto's van attracties die gesloten zijn. Van de befaamde Cyclone en de onmogelijk grote, iconische Wonder Wheel. Van een potje geïmproviseerd basketbal van drie tegen drie. Van met afval bezaaide, braakliggende stukken grond. Van de mensen – een slager, een kleermaker, een bakker.

'Als een kinderliedje,' zeg ik.

'Ja. Nu alleen nog een kaarsenmaker,' zegt hij.

Ik lach terwijl ik twee tienermeisjes in het oog krijg die de prijslijst van een tattoo-shop staan te bekijken.

'Ooo. Die orchidee is mooi,' zegt de ene. 'Die ziet er zó cool uit.'

'Ja... Maar ik vind de vlinder mooier,' zegt de andere. 'Op mijn schouder? In het paars?'

Ik maak een foto van hen en denk bij mezelf: *Doe het niet. Je zult er spijt van krijgen.*

Het is schemerig op Coney Island, en ik ben eindelijk tevreden – althans, voor wat de foto's betreft. De regen is weggetrokken, net als de wolken, en het belooft een frisse, winderige herfstavond te worden. Leo en ik keren terug naar ons bankje, vochtig, moe en koud. Als we weer gaan zitten, nu nog dichter tegen elkaar aan, slaat hij nonchalant zijn arm om mijn schouder in een gebaar dat even comfortabel als romantisch voelt. Ik vecht tegen de neiging om mijn hoofd op zijn schouder te leggen en mijn ogen dicht te doen, terwijl ik bedenk dat dit zoveel makkelijker zou zijn als ik mijn gevoelens duidelijker in hokjes kon indelen. Als Leo het één was en Andy iets totaal anders. Maar zo simpel of duidelijk is het niet – en ik vraag me af of het dat ooit is als het gaat om hartskwesties.

'Waar denk je aan?' vraagt Leo, zijn warme adem in mijn haar.

Ik zwicht voor de waarheid. 'Ik zit te denken aan die dag in december... toen je bent teruggekomen,' zeg ik zacht.

Leo ademt opnieuw uit, dit keer in de buurt van mijn nek, zodat er een waterval van kippenvel over mijn armen en benen golft.

'Ik wou dat ik het geweten had,' zeg ik.

'Dat wou ik ook,' zegt Leo. 'Ik wou dat ik had geweten dat het misschien verschil zou hebben gemaakt.'

'Het zou zéker verschil hebben gemaakt,' bevestig ik uiteindelijk, en ik word overspoeld door weemoed en bitterheid, schuldgevoel en verlangen.

'Het zou nog steeds verschil kunnen maken,' zegt Leo, zijn hand op mijn kin, die hij optilt om me in de ogen te kunnen kijken.

'Leo... ik ben getrouwd...' zeg ik, me zachtjes van hem losmakend, denkend aan Andy, onze geloften. Hoeveel ik van hem houd, ook al vind ik op dit moment niet alles aan ons leven even leuk. Ook al ben ik op dit moment hier.

Leo laat zijn hand vallen. 'Dat weet ik, maar...'

'Maar wat?' vraag ik, uitgeput van zoveel subtiliteit, het eindeloze speculeren, interpreteren, nadenken.

'Maar ik kan er niks aan doen... dat ik zo graag weer met je wil zijn,' zegt hij.

'Nu? Vanavond?' vraag ik, verbijsterd.

'Ja. Vanavond,' zegt Leo. 'En morgen... En de dag daarna...'

Ik ruik zijn huid en zeg zijn naam, niet goed wetend of ik protesteer of juist zwicht.

Hij schudt zijn hoofd, legt zijn vinger tegen mijn lippen en fluistert: 'Ik hou van je, Ellie.'

Het is een mededeling maar het klinkt meer als een belofte, en als mijn hart ontploft, kan ik niet voorkomen dat ik mijn ogen dichtdoe en hetzelfde tegen hem zeg.

vierendertig

De rest van de wereld valt weg terwijl Leo en ik in een hoekje van een volgepakte metro zitten te fluisteren, ondergronds zigzaggend van Brooklyn, door Manhattan heen, terug naar Queens. Onze reis voelt vluchtig, zoals een terugreis bijna altijd sneller lijkt dan de heenreis – en angst en verlangen maken dat de rit nog veel sneller verloopt.

Ik weet dat wat ik doe verkeerd is, zwak, onverdedigbaar, maar ik zet toch door, mijn verontwaardiging voedend met een gestaag dieet van grieven: Andy begrijpt mijn gevoelens niet. Erger nog, hij probeert niet eens mijn gevoelens te begrijpen. Híj heeft míj gisteravond alleen achtergelaten. Hij heeft vandaag niet gebeld of zijn standpunt ook maar enigszins bijgesteld. Hij is degene die een ultimatum heeft gesteld. Hij is degene die meer lijkt te geven om zijn familie, zijn geboortestad, zijn baan en alles wat hij graag wil dan om mij. Maar misschien is het simpelweg en hoofdzakelijk het feit dat hij niet Leo is. Hij is niet degene die, sinds de dag dat ik hem heb leren kennen, me als geen ander ondersteboven en binnenstebuiten kan keren – ten goede of ten kwade.

Dus daar zitten we dan. De draad oppikkend waar we gebleven waren op die nachtvlucht, onze vingers verwachtingsvol ineengevlochten. Ik weet niet precies hoe het nu verder zal gaan, maar ik weet wel dat ik eerlijk zal zijn tegen mezelf, tegen Andy en tegen Leo. Ik zal mijn hart volgen, waar dat me ook heen voert. Dat ben ik aan mezelf verplicht. Dat ben ik aan iedereen verplicht.

Als we bij Leo's halte komen, staan we tegelijk op en lopen het betonnen perron op dat ik me nog zo goed kan herinneren. Mijn hart gaat wild tekeer, en toch voel ik me eigenaardig kalm. Het is een prachtige, heldere nacht – een nacht waarin je miljoenen sterren zou kunnen zien als je je ergens anders zou bevinden dan in een stad – en als we de trap af lopen, komen er nog meer herinneringen aan avonden precies zoals deze naar boven. Ik merk dat Leo ook aan het verleden denkt, aangezien hij mijn hand pakt en het station uit loopt, sexy, doelbewust. We zeggen geen van tweeën iets totdat we afslaan naar zijn blok en hij vraagt of ik het koud heb.

'Nee,' zeg ik, en het dringt tot me door dat ik loop te trillen – maar niet van de kou.

Leo kijkt mijn kant uit en pakt mijn hand, precies op het moment dat – voor het allereerst vandaag – mijn mobieltje rinkelt, diep weggestopt in de zak van mijn trenchcoat. We doen allebei alsof we het niet horen en versnellen onze pas, bijna alsof ons tempo het rinkelen kan doen ophouden. Het houdt uiteindelijk ook op, maar een paar passen later begint het weer. Op de een of andere manier klinkt het nu harder, dringender. Ik laat zijn hand los en reik in mijn zak naar het toestel, hopend en vrezend dat het Andy is.

Als je gaat, hoef je niet meer terug te komen, hoor ik hem zeggen. Ik houd mijn adem in en zie Suzannes naam oplichten op het scherm. Ik word overspoeld door opluchting en teleurstelling tegelijk. Leo wendt zijn hoofd af, zegt niets, terwijl ik besluit om niet op te nemen en in plaats daarvan de telefoon weer in mijn zak laat glijden, met mijn hand erbij.

Inmiddels zijn we nog maar een paar stappen verwijderd van de trap naar zijn voordeur, en een plotseling opkomende golf van adrenaline en schuldgevoel doet me abrupt stilhouden. Leo blijft ook staan, kijkt me in de ogen en zegt: 'Wat?'

Ik haal mijn schouders op en schenk hem een flauw glimlachje, alsof ik daar geen antwoord op heb. Maar wat er door me heen gaat, is dit: dat ik wou dat ik dit moment kon bevriezen, op de een of andere manier mijn definitieve beslissing kon uitstellen, en gewoon daar kon blijven hangen, balancerend tussen twee plekken, twee werelden, twee liefdes.

We lopen de trap op en ik ga naast Leo staan terwijl hij de deur openmaakt. Eenmaal binnen word ik weer getroffen door de vertrouwde geur uit het verleden. Ik heb een knoop in mijn maag. Het zou net zo goed weer die avond van het juryvonnis kunnen zijn, die eerste nacht dat we samen waren – de duizelige spanning is hetzelfde, zelfs zonder de drankjes. Er zou van alles kunnen gebeuren. Er gaat iets gebeuren. Ik leg mijn foto-apparatuur en mijn handtas op de grond, en Leo doet hetzelfde met zijn schoudertas. Woordeloos begeven we ons naar zijn bank, maar we gaan niet zitten. In plaats daarvan smijt Leo zijn sleutels op de salontafel en steekt zijn hand uit om een lampje met een mat rode kap aan te knippen, dat op een tafeltje naast de bank staat. Leo tuurt met samengeknepen ogen op zijn horloge en zegt: 'Ik heb over vijfentwintig minuten gereserveerd voor ons.'

'Waar?' vraag ik, ook al doet het er niet echt toe.

'Een klein Italiaans tentje. Niet zo ver hier vandaan,' zegt hij aarzelend, bijna nerveus. 'Maar we zouden ons wel moeten haasten om op tijd te zijn... of zal ik bellen en zeggen dat we ietsje later komen?'

Om de een of andere reden heeft zijn nervositeit een kalmerende uitwerking op mij, en terwijl ik mijn jas van mijn schouders laat glijden en over een armleuning van de bank drapeer, zeg ik onomwonden datgene waarvan ik weet dat hij het me graag wil horen zeggen: 'Ik heb geen zin om eruit te gaan.'

Hij zegt: 'Ik ook niet,' en steekt dan zijn hand uit, de handpalm naar boven gekeerd, vragend om de mijne. Die geef ik hem, en dan laat ik me tegen hem aan vallen, mijn armen om zijn middel slaand. Zijn schouders, borst, armen – alles voelt zo warm, betrouwbaar, sterk – zelfs nog beter dan ik me kan herinneren. Ik doe mijn ogen dicht terwijl we elkaar nog steviger omhelzen en langzaam heen en weer beginnen te wiegen op denkbeeldige muziek – een blues-achtige, klaaglijke ballade, zo eentje waar je onverwachts van kunt gaan huilen, zelfs als je niet in de stemming bent om te huilen.

Hij fluistert mijn naam. Ik fluister de zijne terug, en mijn ogen vullen zich met tranen.

Dan zegt hij: 'Ik jaag in mijn dromen al zo lang achter je aan, Ellie.' Plompverloren. Komend van ieder ander zouden de woorden gekunsteld klinken. Maar komend van Leo vormen ze een welgemeende regel uit onze epische ballade, geschreven vanuit het hart.

Gebeurt dit echt? vraag ik me af, en dan stel ik de vraag hardop. Leo knikt, fluistert: 'Ja.'

Ik denk aan Andy – natuurlijk denk ik aan Andy – maar toch hef ik mijn hoofd een klein beetje op, net zoals ik voel dat Leo het zijne omlaag brengt. Onze gezichten kantelen en ontmoeten elkaar in een zachte botsing. We staan wang tegen wang, dan neus tegen wang, dan neus tegen neus. Ik sta volkomen roerloos te luisteren naar het geluid van zijn ademhaling, van onze gezamenlijke ademhaling. Er lijkt een eeuwigheid te verstrijken voordat zijn onderlip langs mijn bovenlip glijdt en we een lichte, allerlaatste aanpassing maken, onze monden nu pal tegen elkaar terwijl onze lippen vaneen wijken. Dan, terwijl we het ondenkbare doen, het onvermijdelijke, gaat mijn verstand op nul, en alles en iedereen buiten dit piepkleine appartement in Queens smelt volledig weg. De wereld bestaat uit alleen wij tweeën, en we klampen ons vast aan iets wat ik niet zo goed kan benoemen.

Totdat mijn telefoon weer rinkelt.

Ik schrik van het geluid, alsof het een echte stem in de kamer is. Andy's stem. Maar als ik mijn telefoon uit mijn zak haal, zie ik Suzannes naam weer oplichten, en een berichtje dat als dringend is aangemerkt. Om de een of andere reden raak ik in paniek, me inbeeldend dat er iets met onze vader is gebeurd terwijl ik de woorden al levensecht voor me zie: *papa is dood.* In plaats daarvan lees ik haar zusterlijke commando: *Bel me nu.* Ik scroll naar beneden, meer verwachtend, maar meer staat er niet.

'Alles goed?' vraagt Leo met een vluchtige blik op mijn telefoon, om vervolgens snel zijn gezicht af te wenden, alsof hij weet dat wat er op mijn telefoon te zien valt, onmogelijk zijn zaken kunnen zijn. Nog niet, in ieder geval.

Ik klap het toestel dicht en stamel: 'Ik... ik weet het niet.'

'Andy?' zegt Leo.

Ik krimp ineen en voel een steek van schuldgevoel terwijl ik zeg: 'Nee. Het is mijn zus. Ik denk... Ik denk dat ik haar misschien even moet bellen... Het spijt me...'

'Geen probleem,' zegt Leo, over zijn kaak wrijvend terwijl hij twee stappen achteruit doet. 'Ik... wacht wel even.' Hij wijst naar zijn slaapkamer en loopt de gang in. Ik vecht tegen de neiging om hem achterna te gaan, want ik wil niets liever dan op de rand van zijn bed gaan zitten en kijken hoe hij naar me kijkt.

Ik haal een paar keer diep adem en laat me op de bank vallen, terwijl ik Suzannes nummer toets en bij mezelf denk dat het moment dan wel verstoord mag zijn, maar de sfeer niet.

Mijn zus neemt al bij de eerste keer overgaan op en zegt wat ik van tevoren al wist dat ze zou gaan zeggen: 'Waar ben je?'

'Ik ben in New York,' zeg ik ontwijkend – iets wat ik niet gedaan zou hebben voordat ik Leo had gekust.

'Waar?'

'Queens,' zeg ik schuldbewust.

'Ellen. Wáár precies?' zegt ze dwingend.

'Ik ben in Leo's appartement... We zijn net terug van de shoot... Weet je nog? Op Coney Island?' zeg ik, me afvragend waarom ik niet opener ben tegen mijn zus – iemand die altijd aan mijn kant heeft gestaan. Zelfs nog voordat er een kant wás om aan te staan.

'Wat is er aan de hand?' vraagt ze, nu merkbaar geïrriteerd.

'Niets,' zeg ik, maar mijn antwoord suggereert meer, iets wat ze onmiddellijk in de gaten heeft.

'Heb je hem gekust?' vraagt ze, en zelfs voor Suzannes doen klinkt ze bot.

Ik aarzel en laat haar mijn stilte intuïtief interpreteren. Dat doet ze ook, en vervolgens zegt ze: 'Ben je... met hem naar bed geweest?'

'Nee,' zeg ik, waarschijnlijk niet beledigd genoeg klinkend, misschien omdat de gedachte meer dan eens door mijn hoofd is geschoten in de afgelopen uren, minuten, seconden.

'Maar je hebt hem wel gekust?' vraagt ze.

'Ja,' zeg ik – en op de een of andere manier maakt die hardop uitgesproken bevestiging alles echt. Mijn gevoelens voor Leo. Mijn ontrouw jegens Andy. Mijn huwelijk dat aan een zijden draadje hangt.

'Je moet daar weg,' zegt ze, haar stem dringend en vol angst. 'Ga daar onmiddellijk weg.'

'Suzanne... nee,' zeg ik.

Ze maakt een klakkend geluid en zegt dan: 'Je zult er spijt van krijgen.'

'Misschien niet.'

'Jawel, Ellen... God, ik wil niet dat je er spijt van krijgt. Ik wil niet dat je berouw zult hebben.'

Ik denk bij mezelf dat het enige waar ik op dit moment spijt van heb, het feit is dat ik mijn zus heb teruggebeld – of dat ik mijn telefoon überhaupt aan had staan, maar ik zeg: 'Andy en ik hebben gisteravond knallende ruzie gehad. Alles is een puinhoop.'

'Oké. Ik weet als geen ander hoe die dingen gaan,' zegt ze, in ieder geval geduld veinzend, 'maar... je maakt het zo alleen nog maar erger.'

Dit kan ik niet ontkennen. In plaats daarvan neem ik mijn toevlucht tot een middelbareschool-rechtvaardiging. 'Híj heeft míj alleen achtergelaten,' zeg ik. 'Gisteravond. Waarschijnlijk is hij naar zijn zus gegaan –'

Suzanne valt me in de rede. 'Nee. Hij is niet naar zijn zus gegaan. Hij is naar een hotel gegaan... en hij heeft jouw zus gebeld.'

Ik knipper met mijn ogen en staar dan naar de rode lamp totdat ik vlekken zie op de witte muur erboven. 'Hij heeft jou gebeld?' zeg ik uiteindelijk.

Ze zegt ja, vanochtend vanuit het Ritz, en daarna nog een keer, ongeveer een half uur geleden. Haar stem sterft weg terwijl ik in gedachten de zin voor haar afmaak – *terwijl jij Leo aan het kussen was.*

348

'Wat zei hij?' vraag ik, en ik voel me verscheurd, verdoofd.

'Hij is van streek, Ell. Hij is bang en hij wil met je praten.' Er klinkt een zweem van afkeuring door in haar stem, maar het is voornamelijk gewoon bezorgdheid die ik hoor – en ook iets van verdriet.

'Nee, dat is niet waar. Hij heeft me niet gebeld. Niet één keer.'

'Nou ja, hij is gekwetst, Ell... Hij is heel erg gekwetst... en ongerust.'

'Heeft hij dat gezegd?'

'Ja. Min of meer.'

'Wat heb jij tegen hem gezegd?' vraag ik, niet goed wetend welk antwoord ik wil horen.

'Ik heb tegen hem gezegd dat hij zich geen zorgen moest maken... Dat je naar New York bent gegaan voor je werk – níét voor Leo – en dat hij je moest vertrouwen.'

Ik kijk neer op mijn schoenen, die nog steeds vochtig zijn van de regen, en vraag me af of alles ook zo gelopen zou zijn als Andy niet was weggegaan, als hij dat briefje niet had achtergelaten op de aanrecht. Was het een uitgemaakte zaak? Of niet?

'Oké,' zegt Suzanne. 'Ik zeg niet dat Andy perfect is. Verre van dat. En je weet hoe ik denk over dat egoïstische, manipulatieve gedoe van Margot. En Jezus, ik vind het nog steeds ongelofelijk dat ze je nooit heeft verteld dat Leo heeft geprobeerd contact met je te zoeken... *Maar...*'

'Maar wat?' vraag ik.

'Maar ze zijn je familie. En je boft dat je... familie hebt.'

Ik denk aan onze vader, die nu helemaal opgaat in Sharons leven, haar kinderen. Dan denk ik aan Vince – hoe hij weigert zich aan mijn zus te binden en hoe frustrerend dat voor haar moet zijn. En ik denk uiteraard aan onze moeder. Ik denk altíjd aan onze moeder.

'Jij bent ook mijn familie,' zeg ik, me schuldig voelend op een manier die ik niet had verwacht.

'Dat weet ik,' zegt ze. 'En jij bent mijn familie. Maar kom op, Ell. Je weet best wat ik bedoel... Zij zijn een echte Norman

Rockwell-familie. En ze betrekken je bij alles. Ze beschouwen je als een van hen. Je bent een van hen.'

Ik doe mijn ogen dicht en denk aan meneer Grahams toost op mij op onze trouwdag, waarin hij woorden van gelijke strekking uitsprak. Aan Stella, die me behandelt als een dochter, en Margot, die me behandelt als haar zus – en dat zelfs al voordat ik met Andy getrouwd was.

'Wil je dat echt allemaal opgeven?' vraagt Suzanne, haar toon moederlijk, zacht, voorzichtig. 'Wil je Andy opgeven?'

'Ik weet het niet,' zeg ik, terwijl de realiteit van de situatie tot me door begint te dringen, en angstaanjagend en overweldigend wordt. En toch – wil ik deze beslissing niet nemen op basis van angst.

Er gaat een minuut in stilte voorbij, en dan zegt Suzanne: 'Mag ik je iets vragen?'

'Natuurlijk,' zeg ik.

Suzanne zwijgt even en zegt dan: 'Houd je van hem?'

Ik weet niet zo goed wie ze bedoelt – Andy of Leo – maar ik beantwoord haar vraag sowieso met ja.

'Dan moet je dit niet doen,' zegt ze. Het is duidelijk dat zij het over Andy heeft.

'Suzanne,' zeg ik, de gang in kijkend in Leo's richting. 'Zo eenvoudig is het niet.'

'Ja, dat is het wel,' zegt ze, me de mond snoerend. 'Zie je, dat is 't 'm nou juist, Ell. Zo eenvoudig is het wél.'

vijfendertig

Suzanne en ik hangen op, en ik leg mijn hoofd in mijn handen, overweldigd door de enormiteit van de situatie. Ik ben veel te veel in de war om voor mezelf te kunnen omschrijven wat ik voel, laat staan dat ik dat duidelijk kan maken aan Leo, die zojuist is teruggekomen in de woonkamer en nu over me heen gebogen staat. Eén ding is echter zeker – welke rationalisering ik in de komende ogenblikken ook mag proberen te verzinnen, het is simpelweg uitgesloten dat ik nog zal herstellen van mijn alarmerende en confronterende gesprek met Suzanne. Uitgesloten dat Leo en ik de draad weer op zullen pakken waar we gebleven waren. De sfeer is verstoord en niet meer te redden. Leo voelt dit uiteraard als hij naast me gaat zitten, en hij lijkt niet op zijn gemak op zijn eigen bank.

'Alles goed?' vraagt hij, een bezorgde frons op zijn voorhoofd terwijl zijn hand naar mijn knie gaat, daar losjes even blijft liggen, om vervolgens weer terug te keren naar zijn eigen schoot.

'Ik weet het niet,' zeg ik, worstelend met Suzannes onomwonden en tegelijkertijd enigszins raadselachtige advies. 'Ik weet niet waar ik mee bezig ben.'

Leo ademt uit in zijn tot een kommetje gevormde handen. 'Dit is ontzettend moeilijk... het spijt me.'

Ik kijk hem aan terwijl ik zijn spijtbetuiging probeer te interpreteren. Het is geen berouwvolle verontschuldiging om vergiffenis te vragen, maar een sympathiek soort spijt dat wordt betuigd in geval van tegenslag, echtscheiding of de dood. Met andere woorden: hij weet dat onze situatie precair is – maar hij heeft geen spijt van onze kus of zijn eigen gevoelens. Ik weet niet zo goed of ik er hetzelfde over denk. Het is nog veel te vroeg om dat te zeggen.

Ik knik bij wijze van bedankje, of in ieder geval als blijk van erkenning, en ik bedenk dat Suzanne het nooit echt over Leo heeft gehad, of mijn gevoelens voor hem. Ik vraag me af waarom, terwijl ik er een vraag uitflap die ineens totaal niet meer ter zake lijkt te doen. 'Denk je dat we het gered zouden hebben?'

Leo kijkt niet-begrijpend en mogelijk ook weemoedig, misschien omdat hij hoort dat ik *gered zouden hebben* gebruik in plaats van *zullen redden*. 'Hoe bedoel je?' vraagt hij.

'Je weet wel... Als we weer bij elkaar waren gekomen... zouden we dan bij elkaar zijn gebléven?'

'Voor altijd?' vraagt hij, en zijn toon is voor mij het antwoord op de vraag. Hij gelooft niet in 'voor altijd'. Dat heeft hij nooit gedaan.

Maar ik wél – althans, in theorie. 'Ja. Voor altijd,' zeg ik, denkend aan het huwelijk en kinderen, alle dingen die ik nog steeds graag wil.

'Wie weet?' zegt Leo met een starende, filosofische blik.

Ik denk aan onze breuk, en daarna aan zijn meest recente breuk, me afvragend of de scenario's ook maar enigszins vergelijkbaar waren. Ik stel de vraag zo terloops mogelijk onder de gegeven omstandigheden. 'Waarom hebben Carol en jij er een punt achter gezet?'

'Dat heb ik je vanochtend verteld,' zegt hij.

'Niet echt,' zeg ik, en ik voel me misselijk.

Hij gooit één hand in de lucht, alsof hij geen flauw idee heeft, en ik herinner me weer dat hij over onze breuk ook deed alsof hij in het duister tastte toen het onderwerp ter sprake kwam in het eetcafé in L.A.

'Er waren een heleboel redenen,' zegt hij, terwijl ik zie hoe hij

zich begint af te sluiten. Zijn oogleden worden zwaar, zijn gezichtsuitdrukking nietszeggend.

'Zoals?'

'Zoals... Ik weet niet... Ze was een fantastische meid... Maar
ze was... gewoon niet de ware,' zegt hij.

'Hoe weet je dat ze niet de ware was?' dring ik aan, zoekend
naar mijn eigen antwoorden. Een of andere geheime, mysterieuze lakmoesproef voor ware liefde. Een definitie van ziels-
verwantschap.

'Dat weet ik gewoon,' zegt hij, met zijn hand zijn slaap aan-
rakend. 'Dat weet je altijd.'

'Is dat ook de reden waarom wij uit elkaar zijn gegaan?' vraag
ik, en ik hoor een behoeftige ondertoon in mijn stem.

Leo zucht en zegt: 'Kom op, Ellen.' Hij klinkt vermoeid en
vaag geïrriteerd op een manier die levendige herinneringen oproept – slechte herinneringen – uit het verleden.

Maar ik zet door. 'Vertel het me,' zeg ik. 'Ik wil het zo graag
begrijpen.'

'Oké. Luister. We hebben het hier allemaal al eens over gehad... Ik denk dat onze breuk meer met timing te maken had
dan met iets anders. We waren te jong.'

'Zó jong waren we nou ook weer niet.'

'Jong genoeg. Ik was nog niet toe aan... dit,' zegt hij, gebarend
naar de ruimte tussen ons in, en daarmee uiteindelijk toegevend
wat ik altijd al heb geweten – dat het aan hém lag, en niet aan
mij. Hij heeft het uitgemaakt met mij.

Ik knik, alsof ik zijn uitleg begrijp, ook al is dat in werkelijkheid niet het geval. Ja, we waren jong, maar in sommige opzichten lijkt jonge liefde het beste bestand tegen een stootje, idealistisch, onaangetast door alledaagse beslommeringen. Leo heeft
de handdoek in de ring gegooid nog voordat we ooit op de proef
zijn gesteld. Misschien omdat hij niet op de proef gesteld wilde
worden. Misschien omdat hij ervan uitging dat we zouden falen.
Misschien omdat hij destijds gewoon niet genoeg van me hield.

'Zou bij mij blijven hebben gevoeld als... een compromis?'
vraag ik.

Het woord 'compromis' galmt na in mijn hoofd. Het knaagt aan mijn hart en vervult me met angst. Het is een woord dat ik maandenlang heb gemeden, zelfs in mijn eigen gedachten, maar ineens kan ik er niet langer omheen. In sommige opzichten voelt het als de beangstigende kern van de zaak – de angst dat ik een compromis sloot toen ik 'ja' zei tegen Andy. Dat ik had moeten wachten op dit soort liefde. Dat ik erin had moeten geloven dat Leo ooit, op een dag, bij me terug zou komen.

'God, nee,' zegt Leo, gefrustreerd zijn hoofd schuddend. 'Dat was niet het probleem, en dat weet je best.'

Ik wil hem verder uithoren, maar hij komt uit zichzelf al met een verklaring. 'Luister, Ellie. Jij wás de ware... Jij bént de ware... Als zoiets bestaat...'

Ik kijk in zijn ogen, zijn pupillen opgeslokt door het donkere bruin eromheen. Mijn hoofd tolt als ik mijn blik afwend, weigerend om weer meegezogen te worden door die blik van hem terwijl er zoveel op het spel staat.

'Oké,' zeg ik.

Het is een volstrekt ontoereikend antwoord, maar het enige dat ik veilig acht op dit moment van de waarheid.

'Dus... hoe denk jíj erover?' vraagt hij. 'Wat wil jíj?'

Ik doe mijn ogen dicht en heb het gevoel dat ik zweef in de tijd, een tikje gedesoriënteerd, zoals je je soms voelt als je wakker wordt in een vreemd bed en heel even niet meer weet waar je bent. Dan kijk ik weer naar Leo, en ineens realiseer ik me, met een schok en een vleugje afgrijzen, dat deze keuze, die me jaren geleden is ontnomen, eerst door Leo en daarna door Margot, nu door mij gemaakt moet worden. Eindelijk. Onwillekeurig beeld ik me in dat ik letterlijk op een tweesprong sta, zo eentje die thuishoort in een griezelige Disney tekenfilm. Twee kronkelende zandpaden. Twee bordjes, bevestigd aan twee knoestige bomen, die in tegenovergestelde richtingen wijzen. Deze kant op voor Andy. Die kant op voor Leo.

Ik vouw mijn armen open en laat ze langs mijn zij vallen, zodat mijn vingertoppen langs het boterzachte leer van Leo's nieuwe bank strijken. Dan speel ik in stilte Suzannes laatste woorden nog een keer af, me afvragend of mijn gedesillusioneerde zus, die zo ongelukkig is in de liefde, misschien gelijk heeft. Het gaat niet om wat had kunnen zijn. En het gaat er niet om of ik op dit moment oprechte gevoelens heb voor Leo, onder de lagen nostalgie, lust, onbeantwoorde liefde. Het gaat helemaal niet over Leo.

Het gaat over Andy, simpelweg, duidelijk.

Het gaat erom of ik werkelijk van mijn man houd.

'Ik geloof dat ik beter kan gaan,' zeg ik. Het antwoord dat ik al die tijd al meedroeg in mijn hart, krijgt nu eindelijk ook gestalte in mijn hoofd.

Leo legt zijn hand weer op mijn been, dit keer met ietsje meer gewicht. 'Ellen... niet doen...'

Er tolt van alles door mijn hoofd – en ik hoor maar de helft van wat hij nog meer zegt. Iets over me geen tweede keer kwijt willen raken. Iets over dat hij weet dat ik getrouwd ben, maar dat we het zo ontzettend goed hebben samen. Hij besluit met: 'Ik mis óns,' hetgeen krachtiger en dwingender is dan wanneer hij alleen maar had gezegd dat hij míj miste – vooral omdat ik precies hetzelfde voel. Ik mis ons ook. Dat is altijd zo geweest, en dat zal waarschijnlijk altijd wel zo blijven. Overmand door verdriet en het gevoel van een naderend, definitief einde, raak ik zijn hand aan. Soms is er geen happy end. Wat er ook gebeurt, ik zal iets, iemand, kwijtraken.

Maar misschien is dat uiteindelijk de kern van de zaak. Liefde, niet als plotselinge opwelling van hartstocht, maar als keuze om je te binden aan iets, aan iemand, ongeacht welke obstakels of verleidingen er op je pad komen. En misschien zegt het maken van die keuze, telkens weer, dag in dag uit, jaar in jaar uit, wel meer over de liefde dan überhaupt nooit een keuze hebben.

Ik kijk in Leo's ogen en voel me intens verdrietig maar vastbesloten, en op de een of andere manier bevrijd.

'Ik moet gaan,' zeg ik, en ik ga langzaam staan, systematisch mijn spullen bij elkaar zoekend, alsof ik in slow motion beweeg.

Leo gaat ook staan, helpt me met tegenzin in mijn jas en volgt me naar zijn voordeur, daarna zijn veranda op. Als we de trap af lopen, verschijnt er in de verte een verdwaalde taxi die in onze richting glijdt in de verder uitgestorven straat. Een teken dat ik door moet zetten op de ingeslagen weg. Ik loop de stoep op, stap van de stoeprand af, manoeuvreer me tussen twee geparkeerde auto's door en zwaai naar de chauffeur. Leo blijft vanaf de stoep naar me staan kijken.

'Waar ga je heen?' vraagt hij. Zijn stem is kalm, maar er is iets van paniek in zijn ogen. Iets wat ik nog nooit eerder heb gezien. Nog niet zo heel lang geleden, zou ik me er misschien in gekoesterd hebben, me triomfantelijk hebben gevoeld. Nu word ik er alleen maar nog verdrietiger van.

'Naar mijn hotel,' zeg ik, knikkend tegen de chauffeur terwijl hij mijn bagage in de kofferbak tilt.

'Bel je me als je er bent?'

'Ja,' zeg ik, me afvragend of ik deze belofte zal nakomen.

Leo loopt naar me toe, legt zijn hand op mijn arm en zegt mijn naam in een allerlaatste protest.

'Het spijt me,' zeg ik, en ik maak me van hem los en neem plaats op de achterbank. Ik forceer een glimlach die dapper voelt, en alles om me heen wordt wazig van de tranen, die ik uit alle macht weg probeer te knipperen. Dan doe ik het portier van de taxi dicht en houd mijn handpalm omhoog voor het raam bij wijze van groet. Net als op de ochtend na onze nachtvlucht.

Alleen dit keer huil ik niet en kijk ik niet achterom.

zesendertig

We steken de Queensboro Bridge over, voor mijn gevoel in recordtijd, tegen de dichte stroom forenzen in, voortsnellend in de richting van de lichten van Manhattan. Op de een of andere manier geeft onze snelheid, en het voortdurende veranderen van rijstrook dat mijn chauffeur doet, me het gevoel dat mijn vertrek uit Leo's appartement een ontsnapping was door het oog van de naald. Dat ik ternauwernood aan een ramp ben ontsnapt.

Terwijl ik naar het midden van de achterbank schuif om door de voorruit op de weg te kunnen kijken, doe ik mijn best om de afgelopen vierentwintig uur te verwerken, en vooral de afgelopen minuten, en voel ik mijn eerste steek van berouw vanwege het overschrijden van die zwart-witte, fysieke grens.

Ik kan niet geloven dat ik mijn man – Andy – heb bedrogen.

Met enige ironie sus ik mijn geweten met de gedachte dat ik Leo misschien wel eerst móést kussen om hem echt los te kunnen laten – en wijs ik het idee van de hand dat getrouwd blijven op wat voor manier dan ook een compromis is, of dat ik bij Andy ben bij gebrek aan beter. Is het bij een compromis immers niet zo dat je geen echte andere keuze hebt? Dat je iets neemt omdat het beter is dan niets? Uiteindelijk had ik wel een echte keuze. En ik heb gekozen.

Deze openbaring wordt gevolgd door een ander inzicht wanneer ik me realiseer dat ik Andy, en ons leven samen, heel lang als perfect heb gezien. En toen Leo terugkwam in mijn leven, begon deze ingeslagen weg bizar genoeg als een compromis te voelen. Alsof perfectie een compromis was, alsof al die dingen die je geacht wordt na te streven een compromis waren. Een fijne familie. Een mooi huis. Rijkdom. Het was bijna alsof ik mijn gevoelens niet serieus nam – ik kon immers niet ook nog echt verliefd zijn op Andy, bovenop al die andere dingen die al waren afgevinkt onder zijn naam. Ik denk dat ik er onbewust van uitging dat eventuele gevoelens die ik had voor de donkerharige, lastige, gereserveerde Leo wel legitiemer móésten zijn.

Terwijl we door het verkeer in de Upper East Side laveren, herinner ik me dat mijn moeder ooit tegen me heeft gezegd dat het net zo makkelijk is om te houden van een rijke man als van een arme man, een van haar vele adviezen die me ouderwets en onbruikbaar voorkwamen – en niet alleen omdat ik nog een kind was. We stonden op het parkeerterrein van de bank en waren net haar middelbareschoolvriendje tegen het lijf gelopen, een vent die Mike Callas heette en met wie mijn moeder het uit had gemaakt omdat ze verliefd was geworden op mijn vader nadat Mike was gaan studeren. Suzanne en ik hadden zijn foto in het jaarboek al talloze keren bekeken en waren tot de conclusie gekomen dat hij er, ondanks zijn rare oren, heel knap uitzag met zijn dikke, golvende, donkere haar. Maar toen we hem tegenkwamen, had hij al bijna geen haar meer, waardoor zijn oren nog veel groter leken, en was hij gewoon een fletse, pafferige man van middelbare leeftijd geworden met onopvallende gelaatstrekken. Om de zaak er nog erger op te maken, had hij een brede glimlach die onbetrouwbaar aandeed – hoewel ik me dat laatste misschien gewoon heb ingebeeld omdat hij wegreed in een poenige Cadillac nadat hij mijn moeders hand had gekust en haar aan het giechelen had gemaakt. Toch proefde ik geen echte nostalgie of vertwijfeling bij mijn moeder – zelfs niet na haar weinig romantische advies – hoewel ik misschien simpelweg niet oud genoeg was om zoiets te zien.

Maar nu vraag ik me af wat ze destijds wérkelijk heeft gedacht, wat ze werkelijk voelde met betrekking tot mijn vader en Mike. Heeft ze ooit spijt gehad van haar keuzes? Waren haar beslissingen scherper afgetekend dan de mijne – of is er altijd een grijs gebied als het gaat om hartskwesties? Ik wou dat ik het aan haar kon vragen, maar ineens voel ik haar antwoord, precies op het moment dat ik me Andy voorstel in onze keuken met een losjes om zijn nek hangende stropdas, een verfomfaaid kostuum. Ik zie hem voor me terwijl hij zorgvuldig de instructies staat te lezen op de doos van een diepvriespizza, peinzend over de vraag of hij hem in de magnetron zal doen of de extra inspanning zal leveren van het voorverwarmen van de oven, ondertussen zijn uiterste best doend om niet aan mij te denken, of aan zijn briefje op de aanrecht.

Als je weggaat, hoef je niet meer terug te komen.

Met een steek van angst realiseer ik me dat het feit dat ik mijn keuze heb gemaakt, nog niet wil zeggen dat Andy dezelfde keuze zal maken. Vooral niet als ik hem vertel wat ik zojuist met Leo heb gedaan – iets waar ik met geen mogelijkheid omheen kan. Ik voel paniek opwellen in mijn binnenste bij de gedachte dat Andy me zou kunnen ontglippen. Ineens wil ik niets liever dan zijn gezicht zien – iets wat een dreigend verlies nu eenmaal met zich meebrengt.

'De plannen zijn gewijzigd,' zeg ik, naar voren leunend.

'Waar nu heen?' vraagt mijn chauffeur.

Mijn hart bonst als ik het adres van mijn oude appartement er uitflap. Ons oude appartement. Ik heb het nodig om daar te zijn. Ik heb het nodig om me te herinneren hoe het ook alweer was. Hoe het nog steeds kan zijn, met een hoop inspanning en een beetje geluk.

Mijn taxi-chauffeur knikt nonchalant en slaat Second Avenue in. Verkeersborden, stoplichten, mensen flitsen in een waas langs mijn raam. Ik doe mijn ogen dicht. Als ik ze weer opendoe, rijden we Thirty-seventh Street in. Ik adem diep in en langzaam weer uit, opgelucht en berouwvol tegelijk terwijl ik de chauffeur betaal, uit de taxi stap en mijn bagage bij elkaar pak.

Alleen op de stoep staar ik omhoog naar ons gebouw en de

zwarte nacht die het omhult. Dan ga ik op de uitgesleten stenen treden zitten en zoek in mijn jaszak naar mijn telefoon. Voordat ik van gedachten kan veranderen, bel ik Andy's mobiele nummer. Ik schrik als hij zelf opneemt.

'Hoi,' zeg ik, bij mezelf denkend dat het wel dagen – jaren – geleden lijkt dat we elkaar voor het laatst gesproken hebben.

Ik wacht tot hij iets zegt, maar als hij dat niet doet, zeg ik: 'Raad eens waar ik ben?'

'Waar?' zegt hij, en hij klinkt gereserveerd, vermoeid, en heel erg op zijn hoede. Hij is duidelijk niet in de stemming voor een raadspelletje. Dat kan ik hem niet kwalijk nemen. Eigenlijk kan ik hem nauwelijks iets kwalijk nemen.

'Ons oude appartement,' zeg ik, huiverend.

Hij vraagt niet waarom. Misschien weet hij wel waarom. Ik weet het zelf ook – al kost het me moeite om het precies onder woorden te brengen.

'Het licht brandt in ons huis,' zeg ik, omhoog kijkend naar onze woonkamerramen terwijl ik me het knusse, warme tafereel in huis probeer voor te stellen. De gedachte dat de nieuwe bewoners zich ook ellendig zouden kunnen voelen, komt bij me op, maar op de een of andere manier betwijfel ik dat.

'O ja?' zegt Andy afwezig.

'Ja,' zeg ik. Op de achtergrond hoor ik iemand praten. Misschien is het de televisie. Of misschien is hij niet thuis, maar in een kroeg of restaurant om zich te oriënteren op de singlesmarkt. Er tolt van alles door mijn hoofd terwijl ik probeer te bedenken wat ik nu zal zeggen, maar alles voelt broos, en explosief als een mijnenveld vol halve leugens en halve waarheden.

'Haat je me?' vraag ik uiteindelijk, me realiserend dat ik eerder op de avond een vergelijkbaar gesprek heb gehad met Leo, toen hij me ervan beschuldigde dat ik hem haatte toen we uit elkaar gingen. Ik vraag me af waarom haat zo vaak voelt als een component van de liefde – of in ieder geval als maatstaf daarvoor. Met ingehouden adem wacht ik op zijn antwoord.

Uiteindelijk slaakt hij een zucht en zegt: 'Ellen. Je weet dat ik je niet haat.'

Nog niet, denk ik bij mezelf, vrezend dat ik nooit de moed zal kunnen opbrengen om hem te vertellen wat ik heb gedaan, maar biddend dat op een dag de gelegenheid zich voor zal doen om die stap te zetten.

'Het spijt me zo, Andy,' zeg ik, me verontschuldigend voor meer dan hij op dit moment weet.

Hij aarzelt terwijl ik me afvraag of hij op de een of andere manier, instinctief, weet wat ik heb gedaan – en misschien zelfs waaróm ik het heb gedaan. Zijn stem hapert even als hij zegt: 'Het spijt mij ook.'

In plaats van opluchting of dankbaarheid, word ik overspoeld door nog meer schuldgevoel. Andy is beslist niet volmaakt – in een huwelijk is nooit iemand volmaakt – maar vergeleken bij wat ik zojuist heb gedaan, heeft hij geen enkele reden om zich ergens voor te verontschuldigen. Niet voor onze verhuizing naar Atlanta. Niet voor het feit dat hij partij koos voor Ginny. Niet voor het vele golfen. Niet voor het gebrek aan interesse voor mijn carrière dat hij lijkt te hebben. Zelfs niet voor zijn dreigement van gisteravond – dat ineens volkomen gerechtvaardigd lijkt.

Er verstrijken een paar seconden in gespannen stilte voordat hij zegt: 'Ik had Webb net aan de telefoon.'

Iets vertelt me dat hij een diepere reden heeft voor deze mededeling. 'Is alles goed met Margot?' vraag ik.

'Ja,' zegt Andy. 'Maar te oordelen naar haar telkens terugkomende gekreun, zou ik denken dat er een baby aan zit te komen.'

Mijn hart slaat een slag over en mijn keel wordt dichtgeknepen. 'Is de bevalling begonnen?'

'Ik denk het,' zegt Andy. 'Vanmiddag was het vals alarm. Ze is naar het ziekenhuis gegaan, en toen hebben ze haar teruggestuurd. Maar nu zijn ze opnieuw onderweg naar het ziekenhuis. De weeën komen ongeveer om de acht minuten...'

Ik kijk op mijn horloge en bid dat de baby morgen pas geboren wordt. Niet op de dag dat ik Leo heb gekust. Het is een technisch detail, maar op dit moment zal ik genoegen nemen met alles wat ik kan krijgen.

'Spannend,' zeg ik. En ik vínd het ook spannend – maar ik voel me ook weemoedig en verdrietig bij de herinnering aan hoe ik me dit moment ooit had voorgesteld.

Ineens realiseer ik me dat ik Margot ergens in de loop van de voorbije uren heb vergeven voor wat ze heeft gedaan – en dat ik hoop dat ze mij op een dag ook zal vergeven. Ik denk bij mezelf dat het leven soms een onverwachte wending kan nemen, soms door puur toeval – zoals toen ik Leo op straat tegen het lijf liep. Soms door weloverwogen beslissingen – zoals die van Margot. Of die van mij, vanavond, toen ik bij Leo wegging. Uiteindelijk kan het allemaal het lot worden genoemd, maar naar mijn idee is het meer een kwestie van vertrouwen.

'Ga je naar het ziekenhuis?' vraag ik aan Andy.

'Nog niet...' zegt hij, en zijn stem sterft weg.

'Ik wou dat ik bij je was,' zeg ik, me met opluchting en dankbaarheid en pure blijdschap realiserend dat het de waarheid is. Ik wou dat ik bij mijn hele familie was.

'In Atlanta of in New York?' vraagt hij een tikje wrang – voldoende voor mij om te weten dat hij glimlacht of er in ieder geval heel dicht tegenaan zit.

'Maakt niet uit,' zeg ik, terwijl er een taxi onze oude straat in draait en voor me tot stilstand komt. Ik kijk naar de lucht, wensend dat ik de sterren zou kunnen zien – of op zijn minst de maan – voordat ik mijn blik weer op de taxi vestig. Op dat moment zwaait het portier open en staat Andy ineens voor me, gekleed in uitgerekend het kostuum en de rode stropdas die ik me zojuist had voorgesteld, in combinatie met zijn marineblauwe overjas. Gedurende een paar seconden ben ik sprakeloos op die verrukkelijke manier die ik sinds mijn jeugd niet meer heb gevoeld, toen ik nog in sprookjes geloofde – en andere dingen die te mooi waren om waar te zijn. Dan zie ik Andy's aarzelende, hoopvolle glimlach – eentje die ik nooit zal vergeten – en weet ik dat dit echt gebeurt. Het is mooi én waar.

'Hé,' zegt hij, de paar stappen naar de trap zettend.

'Hé,' zeg ik, en ik ga staan, zijn glimlach beantwoordend. 'Wat doe jij nou... hier?'

'Jou zoeken,' zegt hij, naar me opkijkend. Hij legt zijn hand op de reling, slechts centimeters van de mijne verwijderd.

'Hoe... ?' zeg ik, zoekend naar de juiste vraag.

'Mijn vliegtuig was net geland... Ik zat al in een taxi toen je belde...'

In gedachten zet ik de logistiek op een rijtje terwijl het tot me doordringt dat Andy in een vliegtuig is gestapt om míj te gaan zoeken, wetend dat hij daardoor de geboorte van de baby van zijn zus zou kunnen missen. Ik krijg weer tranen in mijn ogen, maar dit keer om een heel andere reden.

'Ik kan gewoon niet geloven dat je er bent,' zeg ik.

'Ik kan gewoon niet geloven dat ik je hier heb gevonden.'

'Het spijt me,' zeg ik opnieuw, en nu begin ik echt te huilen.

'Och, liefje. Dat hoeft niet,' zegt hij teder. 'Ik had ons leven niet zo radicaal om moeten gooien in de verwachting dat jij je wel zou aanpassen... Dat was niet eerlijk.'

Hij gaat op de eerste tree staan, zodat er nu nog maar één tree is die ons scheidt. We kijken elkaar in de ogen maar raken elkaar nog niet aan. 'Ik wil dat je gelukkig bent,' fluistert hij.

'Dat weet ik,' zeg ik, denkend aan mijn werk, New York, alle dingen die ik mis aan ons oude leven. 'Maar ik had niet weg moeten gaan. Niet op die manier.'

'Misschien was het wel nodig.'

'Misschien,' zeg ik, denkend aan mijn laatste omhelzing met Leo, die laatste kus. Dit moment voelt totaal anders, om zoveel verschillende redenen. Ik zeg tegen mezelf dat geen twee liefdes gelijk zijn – maar dat ik nu niet meer hoef te vergelijken. 'Toch spijt het me...'

'Dat doet er niet meer toe,' zegt Andy – en hoewel ik niet zo goed weet wat hij precies bedoelt, weet ik aan de andere kant precies wat hij bedoelt.

'Zeg me dat het allemaal goed komt met ons,' zeg ik, mijn tranen wegvegend, die onverminderd over mijn wangen blijven stromen.

'Het wordt meer dan goed,' zegt hij, en ook hij krijgt tranen in zijn ogen.

Ik stort me in zijn armen en denk terug aan die avond dat we samen stonden af te wassen in de keuken van zijn ouders, toen ik me voor het eerst afvroeg of ik daadwerkelijk verliefd zou kunnen worden op Margots broer. Ik weet nog dat ik tot de conclusie kwam dat het mogelijk was – dat álles mogelijk is – en toen gebeurde het ook inderdaad. En op dit moment, onder de donkere herfsthemel, weet ik weer precies waaróm het gebeurde – als er ooit echt een waarom is als het gaat om de liefde.

'Laten we naar huis gaan,' fluister ik in Andy's oor, hopend dat we vanavond nog een vlucht terug kunnen krijgen naar Atlanta.

'Weet je het zeker?' vraagt hij, zijn stem laag, vertrouwd, sexy.

'Ja, ik weet het zeker,' zeg ik, bij mezelf denkend dat ik voor het eerst sinds ik Leo op dat kruispunt tegen het lijf ben gelopen, misschien wel voor het eerst ooit, mijn hoofd én mijn hart volg. Beide hebben me hier gebracht, bij deze beslissing, bij dit moment, bij Andy. Hier hoor ik thuis en hier wil ik blijven, voor altijd.

Een jaar en een dag later

Het is Louisa's eerste verjaardag. Ik stap op LaGuardia in het vliegtuig om het groots opgezette feest bij te wonen dat Margot voor haar dochter geeft. Ik maak de reis vaak, soms alleen, soms samen met Andy, pendelend tussen ons huis in Buckhead en onze maisonette in de Village. Onze woonregeling lijkt onbegrijpelijk voor velen, en met name voor Stella, die onlangs nog aan me vroeg hoe ik beslis welke schoenen in welke kast moeten – of koop ik simpelweg twee paar van alles? Ik glimlachte en dacht bij mezelf dat ik haar schoenentic nooit zal begrijpen – net zomin als zij begrijpt hoe Andy en ik zo gelukkig kunnen zijn met ons rommelige compromis. Het is niet volmaakt, maar voorlopig werkt het prima voor ons.

Ik ben nog steeds het liefst in de stad – en daar voel ik me ook het meeste mezelf. Ik vind het heerlijk om zij aan zij met Sabina, Julian en Oscar aan het werk te zijn op de oude, tochtige loft – en te wachten tot Andy of Suzanne zich in het weekend bij me voegt. Maar ik begin Atlanta ook steeds meer te waarderen. Ik ben de mensen gaan toleren waar ik ooit alleen maar minachting voor had, en ik begin er mijn eigen vrienden te maken, los van de Grahams. Ik heb ook een verrassende zakelijke uitdaging ontdekt in onze nieuwe woonplaats: kinderportretfotografie. Het is begonnen met Louisa, maar het werd al snel meer. Het is geen spannend werk, maar het geeft wel voldoening om werk te doen waarin het familieleven centraal staat, en ik kan me bijna voorstellen dat er een tijd zal komen dat het volledige voldoening zal geven.

Aan de andere kant: misschien gebeurt dat wel nooit. Misschien zullen Andy en ik altijd moeten werken om de juiste balans te vinden – binnen onze familie, ons huwelijk, ons leven. Ja, ik ben Andy's vrouw. En ik ben een Graham. Maar ik ben ook Suzannes zus, mijn moeders dochter, een zelfstandig individu.

Voor wat Margot betreft, is er een hele tijd sprake geweest van een verwijdering tussen ons terwijl we allebei koppig deden alsof die er niet was – waardoor de verwijdering alleen nog maar groter leek, onoverkomelijker. Totdat ze op een dag uiteindelijk bij me kwam en vroeg of we konden praten.

Ik knikte en zag haar worstelen om de juiste woorden te vinden terwijl ze een klaaglijk huilende Louisa inbakerde.

'Misschien had ik me er niet zo mee moeten bemoeien,' begon ze nerveus. 'Ik was alleen zo bang, Ell... en zo verbaasd over... het trouweloze ervan.'

Ik werd overspoeld door schuldgevoelens bij de herinnering aan al het gebeurde, wetend dat ze gelijk had – ik wás ook trouweloos. Maar desondanks keek ik haar recht in de ogen en deed gewoon mijn zegje.

'Ik weet hoe je je gevoeld moet hebben,' zei ik, me voor de geest halend hoe ik me altijd voel als Suzanne gekwetst wordt door Vincent, door wie dan ook. 'Andy is je broer... Maar hoe zit het met onze onderlinge loyaliteit? Met onze vriendschap?'

Ze sloeg haar ogen neer en liet haar vinger over Louisa's gladde, ronde wangetje glijden terwijl ik de moed vond om haar de simpele waarheid te vertellen.

'Ik had het nodig om te gaan,' zei ik. 'Ik móést gaan.'

Ik wachtte tot ze mijn blik zou ontmoeten, en toen ze dat deed, kon ik in haar ogen zien dat er ergens iets op zijn plaats was geklikt en dat ze eindelijk begreep dat mijn gevoelens voor Leo los stonden van haar broer, los stonden van onze vriendschap.

Ze wiegde de baby zachtjes heen en weer en zei: 'Het spijt me, Ellen.'

Ik knikte terwijl ze vervolgde: 'Het spijt me dat ik je niet heb verteld dat hij is teruggekomen. Het spijt me dat ik er niet voor je was...'

'Het spijt mij ook,' zeg ik. 'Werkelijk waar.'

Toen hebben we allebei een hele tijd gehuild, samen met Louisa, totdat we uiteindelijk niet anders konden dan erom lachen. Het was een moment zoals alleen beste vriendinnen of zussen dat met elkaar kunnen delen.

Nu doe ik mijn ogen dicht terwijl het vliegtuig snelheid maakt op de startbaan. We komen los van de grond. Ik heb geen vliegangst meer – althans, niet zo erg als vroeger – maar mijn hart bonkt nog steeds als een bezetene terwijl de onrust van vroeger zich mengt met herinneringen uit het verleden. Het is tegenwoordig nog het enige moment waarop ik aan Leo denk. Misschien vanwege die gezamenlijke nachtvlucht. Misschien omdat ik zijn appartementengebouw praktisch kan zien als ik uit mijn raampje naar beneden kijk, de plek waar ik hem een jaar en een dag geleden voor het laatst heb gezien.

Een jaar en een dag – zo lang heb ik hem al niet meer gesproken. Niet om hem terug te bellen nadat hij mij had gebeld, twee keer. Zelfs niet toen ik hem de foto's van Coney Island heb gestuurd, inclusief de foto van hem die ik op het strand heb gemaakt. Er waren dingen die ik misschien wel had willen zeggen in een bijgesloten briefje. *Dank je wel... Het spijt me... Ik zal altijd van je houden.*

Ze waren allemaal waar – en dat zijn ze nog steeds – maar ze kunnen beter onuitgesproken blijven, net zoals ik besloten heb om nooit aan Andy op te biechten dat het maar een haar had gescheeld of ik was alles kwijt geweest. In plaats daarvan koester ik die dag in mijn binnenste om me eraan te helpen herinneren dat liefde de som is van onze keuzes, de kracht van onze verbintenissen, de banden die ons met elkaar verbinden.